D1638690

Lucien Bodard

*La guerre
d'Indochine*, III

L'humiliation

Gallimard

Le Corps Expéditionnaire s'est déjà enlisé en Indochine — enlisement dont il est heureux car c'est l'aventure à la fois cruelle, sensuelle, profitable et héroïque. Mais soudain il va connaître l'humiliation.

C'est la surprise totale. En apparence tout va bien. A Saigon, la piastre coule miraculeusement, finançant la guerre et l'idéologie pour tout le monde. Saigon, cette plaque tournante de l'argent, est alors une cité où tout n'est qu'accommodements, grouillements, mystères et jouissances. Et, pendant que prolifèrent la piastre des riches et la piastre des pauvres, le bandit Baivian devient le maître du « Grand Monde », le plus vaste établissement de jeux de l'univers, grâce à Bao-Daï. Plus tard ce Vautrin jaune sera préfet de police.

Tout est pour le mieux. On a même l'illusion de la victoire. Les Français pacifient presque complètement les deltas de la Cochinchine et du Tonkin. Les Vietminh affamés proclament que « chaque grain de riz vaut une goutte de sang ». Mais il y a quelques rares prophètes de malheur qui annoncent des catastrophes prochaines, comme le général Revers. On ne le croit pas, on le « torpille » dans un scandale. Et pourtant il a raison en affirmant que la « solution Bao-Daï » est pourrie, en affirmant surtout qu'une avalanche d'hommes va surgir des jungles de la frontière de Chine, submergeant tout.

En effet, soudain, c'est le cataclysme. La destruction presque totale de deux colonnes françaises dans les calcaires de Dong-Khé. Rien de plus horrible que l'anéantissement de ces milliers de soldats français en pleine jungle, par des Viets innombrables. Mais une pareille défaite, c'est la conséquence de tout ce qui s'est passé depuis un an à Hanoi, à Saigon, à Paris, c'est le résultat de la bêtise des états-majors et des gouvernements, une longue suite d'erreurs mesquines qui s'accumulent, qui créent la situation stupide et inexplicable que l'on paiera avec du sang.

Tout semble perdu. Ce sont les jours affreux de l'humiliation — les Viets, ces Jaunes que l'on dédaignait, sont les plus forts ; l'on ne croit plus à rien. Mais c'est alors, dans ce désespoir, que de Lattre recréera une foi — une illusion encore qui s'achèvera par une humiliation pire, deux ans plus tard, à Dien-Bien-Phu. De Lattre mourra, et son sacrifice n'aura servi à rien : il laisse un Corps Expéditionnaire condamné.

Les signes néfastes

LE PROPHÈTE DE MALHEUR

Rares sont les « prophètes de malheur ». Le général Revers, au nom prédestiné, a été le Jérémie de l'Indochine. Il a voulu « casser », en une grande machination politico-militaire, tout ce qui était en cours là-bas, tout ce qui s'était noué en Indochine, tout ce qui s'était figé en une sorte de bloc avec Bao-Daï, Pignon, le semi-colonialisme, la piastre, la Pacification, la guerre de la R.C. 4 — un bloc d'ailleurs bien fissuré. Mais c'est contre ce bloc, soudain réunifié contre lui, que Revers a buté. Et c'est finalement lui qui a été « cassé », écrasé par le scandale.

Cela s'est passé il y a un an, quand arrivait Bao-Daï, au printemps de 1949. C'est déjà une vieille « affaire ». Revers, le chef d'état-major de l'Armée française, vaincu, sali, abandonné de ses amis, a disparu depuis longtemps dans le néant. A l'heure du choix fatidique, le « système » — ce que l'on pourrait appeler le « lobby » de l'Indochine — avait fait de cet homme si redouté, retors et puissant un simple paria.

Mais c'est maintenant que je vais parler de lui; car, de lui, il reste le fameux « rapport » — l'instrument même de l'ancien scandale — qui se révèle de plus en plus prophétique, qui va peser de plus en plus lourd sur les événements.

C'est une étrange affaire, si simple et si complexe à la fois! D'abord, il y a un côté abominable, absolument sordide, de « linge sale », de « panier de crabes », de tous les intérêts, de tous les calculs les plus acharnés, les plus mesquins. A cause de Revers, toute la boue qui se dépose lentement, obscurément, au fond des mille labyrinthes de la chose publique est remontée à la surface, à propos de l'Indochine — ce prétexte. C'est comme lorsqu'un garnement jette une pierre dans un étang paisible, et qu'il en sort un monstre. Ce genre de choses — ces « scandales » comme Panama, l'Affaire Dreyfus, bien d'autres plus récents — sont peut-être des nécessités cycliques, des fatalités inévitables. Parfois même, à force de remuer les ordures, cela nettoie. Mais l'instigateur en est presque toujours la victime; et c'est ce qui est arrivé à Revers.

Mêlée à cette bataille abominable, se confondant avec elle, il en est une autre; et celle-là est technique, noble, même désintéressée. Derrière le « scandale Revers », il y a aussi le débat dramatique de l'Indochine, le choix dans l'alternative : faut-il persévérer dans ce que l'on fait ou non? Officiellement, Revers a été envoyé en mission en Indochine pour s'assurer si « l'optimisme » est justifié, et il revient en disant « non » : l'amélioration n'est que factice. Et, pour cela, il donne deux raisons : que l'expérience Bao-Daï est un échec avant même de commencer et que le

Corps Expéditionnaire ne peut tenir à lui seul contre un « choc » chinois et même vietminh. Donc, à cause de ce qui vient de se produire — de la déception Bao-Daï et du fait chinois — il faut tout changer avant qu'il ne soit trop tard ; sinon, on n'aura pas le temps et ce sera la catastrophe.

Le mélange de la « combine » et de l'intelligence, c'est tout Revers, à en croire les témoins. Tout en lui est mêlé ; n'est-il pas d'ailleurs le produit d'une époque où tout a été mêlé ? Il n'aurait été rien, ou pas grand-chose, sans la guerre et la Résistance. C'était un employé des Postes, un officier de réserve passé dans l'active, donc pour l'Armée quelqu'un d'origine peu noble. Mais son activité était inlassable. Le physique lourd, épais, le menton en galoche, sanguin, la larme à l'œil facile, le rire gras aisé, il « grenouillait » beaucoup. A Vichy, il s'était « mouillé », et même pas du bon côté, avec l'équipe Darlan. Sa chance, ce fut qu'un jour le chef de l'O.R.A. (Organisation de la Résistance Armée) demanda à son adjoint, le jeune et superbe commandant Cogny, qui s'était évadé de son camp de prisonniers par un égout :

— Si je suis pris, quel est l'homme le plus capable de me remplacer ?

— Revers.

— C'est un salaud.

— Oui, mais il est « valable ».

Et tout se passa ainsi. Le chef de l'O.R.A. fut capturé. Revers fut son successeur — un remarquable successeur. Il ne lui arriva rien. Il sortit de la guerre avec l'auréole de la « Grande Résistance ». D'ailleurs, il l'avait amplement méritée.

Naturellement, la Quatrième République et lui se convenaient à merveille. C'était un artisan appliqué à la tâche, pas un artiste, sans un grain de génie ou de folie, mais d'un bon sens rassis, un rusé compère, d'une bonne jovialité vulgaire qui savait avoir des temps de dignité. Il se fit une solide situation de général pas bête du tout, mais pas inquiétant comme un de Lattre ou un Leclerc — c'était l'homme de confiance étoilé pour tous les boulots, y compris les boulots militaires. Évidemment aussi, il était « de gauche » — pas la gauche révolutionnaire mais la « bonne » gauche de la S.F.I.O., de la franc-maçon-nerie, de certains gros milieux d'affaires, de l'O.T.A.N. et de l'Amérique. Qui ne connaissait-il pas? Avec qui ne gueuletonnait-il pas? Que ne comprenait-il pas? La plupart du temps en civil, la poignée de main généreuse avait de plus en plus remplacé le sec salut militaire.

Pauvre général Revers! Avec tout cela, c'était un honnête homme, c'était un patriote — il aimait l'Armée. Et même, avec sa « finasserie », il avait conservé la « naïveté » de ces militaires qui se font des idées du grand monde et qui croient « savoir y faire ». De fait, il savait y faire, mais avec quelles imprudences! Peu à peu, croyant « se pousser » davan-tage, il s'était entouré de compères, plus ou moins gens de sac et de corde. Et puis il y avait aussi les habitudes de la Résistance, où l'on faisait n'importe quoi n'importe comment avec n'importe qui — la fin justifiant tout.

Revers rendait service. On lui rendait service. Il était sûr que c'était de cette façon que l'on réus-sissait. D'ailleurs n'avait-il pas supplanté de Lattre

— c'était lui le chef d'État-Major Général de l'Armée française! Quelle gloire! Et le Résident de France en Tunisie, son ami le général Mast, lui faisait entrevoir des destinées encore plus hautes. Pour cela, lui disait-il, il ne suffisait pas d'être à tu et à toi avec le Président de la République, le Président du Conseil et les ministres — il fallait aussi connaître des gens moins illustres, mais bien à la coule, introduits partout, et qui tiraient les ficelles sans en avoir l'air. Mast lui présenta un certain richard de Tunis du nom de Costa, qui lui présenta un certain Peyré — et ce Peyré devint le maître Jacques du général Revers qui se croyait si malin.

Le destin était en marche — mais Revers ne le savait pas. Il n'avait jamais pensé à l'Asie, à Ho Chi-minh et aux Jaunes. Il était tout paisiblement aux États-Unis en train de discuter avec les Américains les problèmes du Pacte Atlantique quand il reçut de Paris cet ordre : « Allez donc en Indochine voir un peu ce qui s'y passe. » Tout d'abord Revers fut très réticent. Même comme chef d'État-Major de l'Armée française, il était à peu près ignoré du Pentagone; pour les généraux yankees, ces néophytes du militarisme, puérils et redoutables dans leur culte de l'énergie pure, de la virilité, de la dureté, de la guerre, il était un produit douteux de la civilisation française décadente. A tout prix, il lui fallait les rassurer, les séduire, se les attacher. Et quoi de plus contre-indiqué que cette mission lointaine, à propos d'une guerre coloniale qui, alors, déplaisait fort à Washington?

Mais, de retour à Paris, tout changea pour Revers : son imagination travailla, lui montra de merveilleuses

possibilités. Il sentit, il pressentit que l'Indochine,
c'était la machine de guerre pour faire basculer la
politique française et assurer le triomphe des
« copains ». L'époque était trouble. C'était la troisième force, une association médiocre et inamicale.
A la tête du Gouvernement, le vieux père Queuille,
un radical-socialiste qui n'avait pas beaucoup
d'idées. Mais, en dessous, c'était la lutte au couteau
entre un M.R.P. tout plein de sa jeune gloire et une
S.F.I.O. vieillie qui aurait bien voulu « se refaire ».
Avec ses « grands » hommes Coste-Floret et Bidault,
le M.R.P. l'avait emporté, imposant « l'aventure
indochinoise » au nom de la France, de l'Occident,
de la civilisation et du catholicisme. Leur adversaire
coriace, c'était « Papa Ramadier », surnommé
Farrebouc, que l'on avait curieusement fait ministre
de la Défense nationale. Le bonhomme — tout un
passé de laïcité et de républicanisme à l'ancienne
façon — marmottait dans sa barbe que ça finirait mal
et qu'on ferait mieux de quitter l'Indochine sur la
pointe des pieds. Ce brave ministre de la Guerre
n'aimait pas trop la guerre ni les militaires brillants.
Avec ça, avec ses allures ridicules, il avait de l'énergie.
Mais il ne parlait pas trop haut à cause de Vincent
Auriol, le camarade S.F.I.O. à l'œil de verre qui
occupait l'Élysée. C'était lui qui avait signé les
accords avec Bao-Daï, mais ça l'embêtait malgré
tout. Il avait la fibre patriotique et même un peu
cocardière. Avec lui, pas question d'abandonner
l'Indochine. Pourtant il aurait été bien content
qu'on trouvât une solution qui arrangeât tout, et
rapidement, de façon à faire cesser les rouspétances
des militants de la gauche et à apaiser une opinion

plutôt indifférente, mais qui trouvait que ça durait trop.

Dans cette ambiance douteuse, on n'a jamais très bien su qui a « imaginé » la mission Revers au moment où on allait « inaugurer » Bao-Daï. C'est Coste-Floret, disent les uns, qui cherchait naïvement la caution d'un grand patron de l'Armée pour « couvrir » sa marchandise indochinoise. Mais, beaucoup plus probablement, l'affaire fut montée par le clan Rama-dier. En tout cas, ce fut fait de main de maître. Au début, personne ne s'inquiéta, pas même Coste-Floret qui donna son accord, pas même Pignon qui justement était à Paris. Quoi de plus normal, en soi, que cette inspection? D'ailleurs Revers était toute bienveillance. Dans son bureau, il assura Pignon de son concours entier — il n'allait là-bas que pour l'aider, que pour mettre un peu d'ordre dans la pagaille du Corps Expéditionnaire. Le bon Pignon, qui avait bien des malheurs avec ses généraux incapables, fut enchanté. Il déclara même :

— Votre visite comblerait mes vœux. Je souhaite tellement qu'un grand soldat comme vous vienne voir sur place et prenne les décisions nécessaires!

— Avec mes charges, je n'ai pas beaucoup de temps, répondit Revers. Mais je m'arrangerai pour me rendre en Indochine.

Il y eut ensuite, à Paris, un déjeuner très cordial où, au dessert, apparut un étrange personnage du nom de Peyré. On ne lui accorda pas une attention spéciale. Tout allait bien.

Très rapidement, toutefois, tout alla moins bien. Toutes sortes de rumeurs couraient. A Paris, un certain Van Co, un besogneux au sourire mince

qui avait été petit employé de Vichy et qui se disait
socialiste, se mit à faire une frénétique campagne
de banquets et de cadeaux. Il était en principe payé
par Bao-Daï — mais on ne savait pas vraiment pour
qui il travaillait, qui il trahissait. A Saigon, Peyré
surgissait en fourrier, offrant lui aussi partout à dîner
sous prétexte d'affaires — en évitant toutefois de se
présenter aux autorités. Quel étrange élément pré-
curseur! Puis, avec l'arrivée de la Mission officielle,
il n'y eut plus de doutes. Ce qui débarqua en Indochine, ce fut un véritable commando de destruction.
La Mission refusa de loger au Haut-Commissariat,
comme aurait voulu la coutume : il lui fallait un
logis à part, pour échapper à tout contrôle, pour se
trouver en pleine indépendance. Cette méfiance
ouverte, c'était presque une déclaration de guerre.

Chaque jour, les policiers de Pignon lui rapportaient
les renseignements les plus inquiétants. Autour de
Revers, cela grouillait, c'était un extraordinaire
foisonnement de personnages étranges, aux activités
suspectes. Peyré servait de « rabatteur » : que de gens
ne lui amena-t-il pas, depuis des curés progressistes
jusqu'aux francs-maçons éclairés, de braves institu-
teurs, de bons syndicalistes français vietnamisants,
des capitalistes ultra-réactionnaires! Mais tous également stigmatisaient avec fureur les « faiblesses »
et les « erreurs » actuelles, faisant un tableau dramatique et honteux de la situation. Tous étaient les
ennemis acharnés de « Pignon le Mou » et de « Bao-
Daï le Corrompu ». Tous disaient qu'il fallait tout
abattre, tout recommencer — qu'il fallait pour cela
que la France fût enfin représentée en Indochine
par un grand Français, de préférence un grand chef

militaire qui aurait tous les pouvoirs et qui sauverait tout.

C'était la curée. Revers, increvable, inépuisable, toujours sur la brèche, ramassait toutes les opinions, même les plus radicalement contradictoires — celles des gens qui disaient qu'il fallait négocier avec Ho Chi-minh comme celles des gens qui disaient qu'il fallait exterminer les Viets par une vraie guerre — à condition qu'elles fussent « contre ». Pignon était minutieusement tenu au courant par ses « flics » de confiance. Il savait que Revers avait reçu à Saigon deux Vietminh venus de la Plaine des Joncs avec le laisser-passer nº 910 délivré sur ordre par un certain capitaine Touraine. Il savait que Revers avait eu des contacts étroits avec la Banque d'Indochine, dont le directeur à Paris, Jean Laurent, croyait qu'il valait mieux faire des affaires avec Mao-Tsé-toung et Ho Chi-minh que leur faire la guerre. Il savait que Revers avait eu de longs conciliabules avec des officiers durs, comme le colonel Le Pulloch, qui traitait Bao-Daï de bulle de savon, d'illusion à laquelle on avait sacrifié les droits de la France sans aucune contrepartie solide.

C'était la croisade. Revers déchaîné se servait de tout — du progressisme, du gauchisme borné, du militarisme! Il vantait les mérites de l'amiral Decoux tout en tendant la main aux Viets! Désormais, son but cependant crevait les yeux : se débarrasser de Pignon, de Bao-Daï, de la politique M.R.P., donner le pouvoir à l'Armée et reprendre avec elle la « ligne » préconisée jadis par une de ses plus grandes figures, par le général Leclerc, négocier avec Ho Chi-minh une sorte de « paix des braves ». Son

idée profonde, c'était qu'Ho Chi-minh devait avoir
peur des Chinois, même communistes. Plutôt que de
le rejeter vers Mao Tsé-toung, ne serait-il pas possible
de s'entendre avec lui au nom d'une Indépendance
qui ne serait plus un protectorat déguisé mais la
vraie amitié favorable à la culture, au commerce,
aux intérêts de la France? On conserverait quelques
bases militaires. Et tout le monde serait satisfait :
les intellectuels de gauche, le parti S.F.I.O., M. Vincent Auriol et le Gouvernement, la grosse banque
et peut-être le Corps Expéditionnaire. Tout le
monde serait content — sauf le M.R.P. Mais c'était
l'ennemi. Et puis, pour lui-même, quel triomphe!

Mais le M.R.P. se savait dupe. Il avait enfin vu
le piège où il était tombé en acceptant la Mission
Revers. C'était d'ailleurs Revers qui lui fournissait
les indications les plus précises sur ses sombres
desseins. Lui, si rusé, si tortueux, avait la naïveté
d'envoyer à ses amis — à Mast, à Ramadier, à bien
d'autres — des lettres terribles et furibondes. Naturellement, le cabinet noir les lisait. Et, dans son cabinet
du ministère de la France d'Outre-Mer, Coste-Floret
se disait : « Celui-là, on l'aura. Mais attendons d'abord
qu'il ait publié son rapport. »

Revers ne se doutait de rien. Il prolongeait son
séjour en Indochine, voyant toujours plus de gens,
envoyant toujours plus de lettres, mettant la première main à son rapport — la bombe qu'il allait
rapporter avec lui. Il était triomphant. Autour de
lui, secrètement, tout s'entre-déchirait. Mais que
lui importait — n'avait-il pas mis tous les atouts de
son côté? Ses « amis » du Gouvernement et de la politique étaient chauffés à bloc. Ses ennemis laissaient

faire. Dans l'Armée, la « coloniale » et tous les professionnels de la guerre d'outre-mer n'étaient pas
contents; ils allaient perdre leur gagne-pain; mais
le général Blanc et les états-majors métropolitains
étaient fort satisfaits de se débarrasser du boulet
de la Guerre d'Indochine, qu'il fallait traîner au
moment même où l'on refaisait une Armée française.
Et puis cela ferait plaisir au Pentagone. La lutte
était plus acharnée dans les Services secrets. Là
c'était vraiment la guerre. La S.D.E.C. et le colonel
Fourcauld étaient à fond pour le général Revers;
mais la D.S.T. [1] et le redoutable M. Wybot étaient
à fond contre. Tous les espions s'espionnaient,
espionnaient Revers, Pignon, leurs moindres gestes,
leurs moindres contacts. Quelle débauche de notes
confidentielles, de fiches, de comptes rendus, d'hypothèses de travail mystérieusement adressés, au sujet
de certaines hautes personnalités, à d'autres personnalités tapies dans l'ombre! On « s'engageait », on se
trahissait ou on jouait sur tous les tableaux — quelle
agitation chez les « barbouzes » de tous poils, dans
les « barbouzières » de toutes espèces, les grands
machins et les petites officines, tous les innombrables
organismes à initiales innocentes, généralement
avec D. pour « Documentation » et L. pour « Liaison »!
Il n'y avait plus la France ni l'Armée ni le Gouvernement, ni ceci ni cela — rien que des allégeances
personnelles à des « patrons » particuliers, des hommes
de faction ou de parti, qui jouaient simultanément
leurs jeux divers et byzantins.

1. La S.D.E.C. était un service de renseignements
dépendant directement de la Présidence du Conseil.
La D. S.T. relevait du ministère de l'Intérieur.

On se trompait parfois aussi dans l'interprétation,
ce qui ne faisait qu'ajouter à l'imbroglio. Que d'exé-
gèse pour savoir qui était le fameux Paul — prénom
qui revenait souvent dans les lettres du général
Revers. On croyait généralement qu'il s'agissait du
fils du Président de la République Française. Mais
ce n'était pas lui, il n'était pas dans le coup. C'était
le général Xuan — en vietnamien le général Printemps — qui était un pion essentiel dans les projets
de Revers. C'était lui qui, sous l'égide du général
Mast, devait prendre la place de Bao-Daï pour insti-
tuer un régime républicain chargé de la paix et de
la négociation avec Ho Chi-minh. Mais, quel qu'il
soit, ce Paul inquiétait terriblement Bao-Daï —
lequel intervenait aussitôt auprès de M. Vincent
Auriol père, lui rappelant ses promesses et ses engagements. De plus l'Empereur, par des méthodes à
lui, à base de charme, de politesses et d'argent,
faisait jouer toutes ses influences à Paris et partout.

Rien ne se voyait à la surface. Pignon et Revers
se rencontraient peu et toujours aimablement. Mais
Pignon, plus voûté, attentif et fatigué que jamais,
resserrait lentement sa toile autour d'un Revers
allant toujours de l'avant. Revers « fignolait ». Il
tâchait de mettre l'Amérique, l'Angleterre dans le
coup, pour une défense commune des intérêts occi-
dentaux en Asie. Et il expliquait avec prudence
que la paix avec les Viets ce serait le maintien de la
France en Indochine, donc le meilleur barrage contre
le communisme et toutes les subversions. Quels
équilibres, quel travail d'acrobatie! Même sur le
chemin du retour, il continua de besogner. A Bang-

kok, il s'arrêta pour charmer le dictateur du Siam,
le maréchal Pibul, un anticommuniste farouche et
expéditif, complètement entre les mains des États-
Unis. Mais surtout il fit un petit séjour à Rome —
le franc-maçon notoire voulait mettre le Pape dans
son jeu. Sa Sainteté, dans une audience privée,
montra une « sympathique compréhension ». L'enjeu
était de taille. Comme tout serait plus facile si le
Vatican donnait des instructions conformes, d'une
part aux catholiques du Vietnam, d'autre part au
M.R.P. de France!

Et tout cela — cette formidable campagne — allait
s'effondrer honteusement quelques semaines plus
tard à Paris, sur une plate-forme d'autobus, à la
suite d'une rixe minable, ce que l'on pouvait faire
de plus misérable dans le genre! Comme je me souviens encore de la joie sauvage avec laquelle un
homme de Pignon — c'était Cousseau — m'annonça,
à la fin d'un bon repas à Saigon, le « scandale ». Il
devait même m'avouer, des années plus tard, qu'il
n'y avait aucun hasard — c'était bien le coup fourré,
le piège. L'idée était d'une simplicité géniale : monter
de toutes pièces une bagarre entre un ancien du
Corps Expéditionnaire et un Vietnamien; des
agents arrêteraient tout banalement les deux hommes
pour « désordre sur la voie publique » — et, à leur
stupéfaction, en fouillant l'Asiatique, ils trouveraient
sur lui une copie ultra-secrète du Rapport Revers.
A partir de ce minuscule pugilat, que n'arriverait-on
pas à prouver? Il suffirait de découvrir que le Vietnamien était un Vietminh; ensuite, quoi de plus
facile que de mettre Revers dans le bain, de l'accuser
d'impéritie, d'imprudence, de trahison même. N'au-

rait-il pas lui-même communiqué son document aux agents d'Ho Chi-minh, pour saboter la politique officielle du Gouvernement en Indochine et imposer la sienne? De toute façon l'Affaire était lancée, Revers était fini.

C'était le B.T.L.C. — un petit service spécial dépendant du ministère de la France d'Outre-Mer — qui avait tout manigancé, sous la supervision d'un certain commandant Maleplatte. Comme pour une pièce de théâtre, on avait choisi les acteurs, on les avait fait répéter. Le Vietnamien était un progressiste repenti, que l'on tenait bien. Le combattant d'Indochine était un démobilisé sortant du Val-de-Grâce et ayant besoin d'argent. On avait dit à l'Asiatique : « On te remettra une serviette avec des papiers. Tu prendras tel autobus à telle heure à tel endroit. Tu resteras sur la plate-forme. » On avait dit à l'ancien militaire : « Toi, tu monteras dans l'autobus un peu plus loin; et tu te mettras à côté du Vietnamien, mais surtout sans avoir l'air de le connaître. » Le reste allait de soi. L'Asiatique marchait par mégarde sur le pied du Français. Celui-ci le traitait de « sale macaque ». Les injures fusaient — mais il ne fallait pas en venir aux coups avant la gare de l'Est. En effet, selon le règlement, ce qui se passait dans le périmètre des gares échappait à la Préfecture de Police au profit de la D.S.T. — et M. Coste-Floret était sûr de M. Wybot.

Tout se déroula comme prévu. Et ensuite que ne découvrit-on pas? D'abord que les exemplaires du Rapport Revers pullulaient comme des petits pains. Officiellement il aurait dû n'y en avoir que trois — pour mieux conserver le secret sur cette pièce-massue

mettant en cause toute la politique et toute la stratégie française en Extrême-Orient. Mais qui n'avait
le sien, y compris Ho Chi-minh dans son « quadrilatère »? Cette prolifération est restée un mystère.
Les hypothèses abondent, et sans doute sont-elles
toutes plus ou moins exactes. Il y a la thèse de l'imprudence et de la vanité — Revers et Mast distri-
buant eux-mêmes le texte sacré à leurs amis pour les
« activer » et pour se « faire mousser ». Il y a la thèse
de la trahison et de la « fuite » organisée — par
exemple, l'étrange, le douteux, l'ineffable Van Co,
chargé de transmettre le document à Bao-Daï,
ne l'aurait-il pas livré aussi aux ennemis de
Sa Majesté? Et même si ce n'est pas lui, ne serait-ce
pas quelque autre Excellence de l'entourage impérial? Là tout est possible. Il y a également la thèse
de la provocation — en somme une autre sorte de
« fuite », pas de la trahison mais de la haute manœuvre. Bao-Daï en est capable, mais aussi le ministère
de la France d'Outre-Mer, le B.T.L.C., M. Coste-
Floret. On polycopie le Rapport, on le laisse traîner
partout : il s'agit de préparer le traquenard, d'arriver
à prendre Revers la main dans le sac — si l'on peut
dire. Tout est douteux, mais le résultat est certain :
cela a abouti à la scène de l'autobus.

Revers avait voulu démolir une politique, les gens
de cette politique. Il l'avait fait avec perfidie. Mais
c'était une perfidie de « bon général », de quelqu'un
qui ne connaîtrait pas la vie ou s'en ferait une fausse
idée, une suite de puérilités. Comme il avait été aisé
aux hommes qu'il avait voulu « descendre en flammes » de « le coincer au tournant »! Ensuite, il ne
leur restait plus qu'à tout « exploiter » contre lui,

toutes sortes de compromissions, d'imprudences
bêtes, de démarches douteuses, de relations suspectes.
Chaque jour le Scandale grossissait — il était si
facile à alimenter par une nouvelle rumeur! Tout y
passait, vrai ou faux — son étrange camarilla, des
histoires d'argent, tout un ragoût de basse politique, d'affairisme, d'ambitions. Autour de Revers,
c'était la débandade. La S.F.I.O. le « lâchait »
complètement — il était bien trop « brûlé », compro-
mettant pour elle. Et puis elle n'avait voulu que
jouer un bon tour au M.R.P., non se brouiller définitivement avec lui, non faire éclater le tripartisme.
Revers, de lui-même, avait été trop loin, beaucoup
trop loin. Tout le monde fut d'accord pour sacrifier cet « imbécile » — et revenir au bon *statu quo*
d'antan.

Ainsi, parti pour renverser la politique française
en Indochine, Revers, dans sa catastrophe, n'arriva
qu'à la consolider. Ce fut lui qui, par contre-coup,
assura le triomphe de Bao-Daï, de Pignon, du M.R.P.,
leur donna les mains libres pour la guerre contre les
Viets. Et le Rapport fut enterré, après avoir été
si opportunément exhumé sur l'autobus.

Pendant des mois, on ne parla plus du tout de
l'Indochine au Gouvernement — on l'oublia complètement. On avait d'autres soucis, d'autres querelles. Et cependant, sans que l'on s'en rende bien
compte, les événements justifiaient de plus en plus
Revers là-bas. Car cet homme étrange, qui alliait
en lui le meilleur et le pire, avait découvert, avec
une intelligence extrême, les vérités profondes de
la Guerre d'Indochine, celles que l'on se cachait.
Il avait prévu que l'on perdrait « la course de

vitesse ». Et en effet le temps va manquer, il va jouer désormais contre les Français. A partir de l'automne 1950, ceux-ci seront engagés dans une guerre inexpiable contre le communisme pur, dans les plus mauvaises conditions — ayant gâché la carte du « nationalisme » des maquis, sans avoir le peuple vraiment avec eux, associé à tout ce qui est pourri et rétrograde. Et il leur faudra continuer dans la même ornière, sans moyen d'en sortir, toujours plus difficilement, toujours plus atrocement, jusqu'au renoncement final, après Dien Bien Phu.

La « liquidation » de Revers, ce n'est pas une simple péripétie, un de ces scandales qui distraient la République. C'est le moment capital dans la guerre française d'Asie. C'est l' « engagement » définitif selon certaines données mauvaises. C'est l'occasion perdue d'essayer d'autres méthodes, d'autres solutions. Et désormais, dans ce qui suivra, on verra les conséquences inéluctables du choix fait.

Peut-être n'existait-il déjà plus aucune espèce d'issue en Indochine. Il se peut que le Plan Revers, s'il avait été appliqué, ait conduit aussi — même si c'était d'une manière différente — aux pires malheurs. Il contenait beaucoup de basse politique, d'inexactitudes, d'illusions — ainsi la paix que Revers souhaitait avec Ho Chi-minh n'était que la reprise d'une vieille chimère. Tout prouve que les Viets avaient choisi déjà la « guerre longue », selon la formule du communisme asiatique. Tout prouve qu'entre le danger français et le danger chinois ils avaient opté — ils étaient pour la Chine de Mao Tsé-toung.

Et cependant le Rapport Revers — avec sa partie militaire, sa partie politique, ses cinq appendices, ses dix-huit annexes, ses six pièces jointes — c'était un monument, Tout y était analysé minutieusement, depuis Bao-Daï, la R.C. 4, les Vietminh, les Chinois, jusqu'aux questions d'intendance les plus ordinaires. Jamais un pareil travail n'avait été fait — et plus jamais il ne sera fait. Et si le Rapport était faible dans sa partie positive, c'était du moins un extraordinaire cri d'alarme. C'était l'essentiel. Bien des choses auraient changé si alors on était sorti de l'optimisme, si l'on s'était préparé à la dure réalité.

Quoi qu'il en soit, le génie de Revers a été d'annoncer, avec une extraordinaire exactitude, ce qui allait arriver si on continuait dans la voie où l'on était engagé — et cela même s'il n'avait pas de véritable solution de rechange. Tout va se passer, presque mathématiquement, comme il l'avait prévu.

De là naît le drame de conscience de Pignon. Nul plus que lui n'avait davantage contribué à écraser Revers. Il l'avait fait par des procédés douteux, mais dans un but profondément « honnête ». Pour lui, les « idées » de Revers allaient mener l'Indochine à sa perte. Aussi, de toute sa force, les avait-il condamnées, comme il avait condamné l'homme qui les avait eues. Il était sûr de lui. Il croyait profondément à la justesse de sa cause. Et cependant, malgré le paroxysme de ses efforts, malgré sa « persévérance », malgré les succès apparents, il voyait tout se défaire autour de lui — comme l'avait prévu Revers. Il était mortellement inquiet, mais en lui-même, sans oser faire part de son effroi au Gouvernement béat, aux généraux encore tout contents.

Revers anéanti, oublié, méprisé, est quand même partout — au moins son ombre — et il a raison. Il est à Dalat : il avait condamné Bao-Daï — et Pignon s'en était porté garant. Mais voilà que Bao-Daï, qui doit tout à Pignon, apparaît dans sa « pourriture », avec ses névroses, son machiavélisme et son sens de l'impuissance. Et du coup c'est toute l'Indépendance du Vietnam, comme Pignon l'avait conçue, qui se révèle vaine, inutile, sans portée, sans valeur. Sur le plan politique, tout est raté.

Mais Revers est aussi sur la R.C. 4; et là, c'est de façon plus tangible. Il avait obtenu que l'on évacuât Caobang, pour regrouper et réorganiser le Corps Expéditionnaire sur des positions défensives, où il tiendrait jusqu'aux négociations. Mais il fallait le faire vite, tant qu'il serait encore temps. Après le Scandale, la décision avait été, non pas annulée officiellement, mais remise indéfiniment, reportée à une date ultérieure. On était donc resté à Caobang. Bientôt, c'était devenu un piège mortel. Car la nouvelle Armée de Giap refaite par les Chinois portait ses premiers coups de boutoir : ce n'étaient plus seulement des embuscades mais des offensives, des assauts, des attaques, des batailles. On ne pouvait plus rester, mais on ne savait plus comment évacuer. Et c'est ainsi qu'a commencé le drame militaire. Et c'est ainsi que de la « guerre heureuse » on passe à la « guerre du désespoir ».

Étrange, étrange année 1950! On va de succès en succès, mais le gouffre est là. On ne veut pas le

voir; et pourtant on y marche tout droit, par une
dégradation précipitée, après la tombée dans le
néant politique à Dalat, ce sera la chute mortelle
des bataillons de la R.C. 4 dans les vertigineux
calcaires de Dong-Khé.

LE « SYSTÈME BAO-DAI »

Le premier malheur de Pignon, c'est que Bao-
Daï lui a presque immédiatement claqué entre les
mains.

Tant que Revers a constitué un danger, l'Empereur a été fort courtois. Et puis il ne s'est plus gêné.
Il ne dit pas non, il est amorphe, une méduse. Et
Pignon découvre en Bao-Daï une extraordinaire
technique pour ne pas comprendre, ne pas agir,
pour ruiner toutes les volontés. Ce sourire et ces
gros yeux mi-clos de Bao-Daï, quelle puissance de
négation ils ont!

Et Pignon, qui n'a pas pu persuader Bao-Daï,
essaie de le contraindre, de le forcer. Il met auprès
de lui deux anges gardiens, ses deux hommes de
choc, le Cousseau et le Faugère, le blanc larvaire
et le métis mandarinal. Ce sont de vieilles connaissances de Sa Majesté — on sait que Cousseau lui
apportait de l'argent de Hong-Kong. Les compères
s'installent à Dalat dans une villa du Haut-Commissariat — l'Empereur est dans une villa à lui, à
quelques kilomètres. Entre tous ces vieux intimes,
c'est d'abord la lune de miel. Bao-Daï fait aux
deux acolytes de Pignon des exposés sublimes
d'intelligence, de clarté, d'amitié. Ce sont des

« copains », des « potes ». Mais, au bout de quelques jours, Bao-Daï n'écoute plus, ne parle plus, somnole en leur présence, leur fait faire antichambre, est devant eux comme s'il ne les avait jamais connus.

Ce sont alors deux mois d'orages, où toutes les pressions, celles à la façon de l'Europe comme celles à la façon de l'Asie, s'émoussent contre la superbe de l'indifférence impériale. Chaque jour, Cousseau est plus blême et Faugère plus grave — ils sont devant ce fait imprévu : ils n'arrivent pas à « faire marcher » la Majesté. Même Cousseau l'implacable est pris par le découragement, et un jour il me dit : « Nous savons pourtant notre métier — nous avons tout essayé, vainement. » Peu après, c'est la fin.

Le dernier acte se joue un soir au téléphone, devant moi. Je suis dans la villa de Cousseau, et il appelle la villa impériale. Au fur et à mesure qu'il parle et qu'on lui répond, le Cousseau que je connais — celui de la débonnaireté cruelle et complètement maîtresse d'elle-même — se décompose en un Cousseau de la rage. Chez cet homme si fort, c'est l'accès de la folie et presque de la douleur, plein d'insultes et de cris — une scène pitoyable. Finalement, je le vois jeter l'appareil dans un geste d'impuissance; puis, se reprenant en quelques secondes, il me dit :

— Tant pis. Bao-Daï croit être le plus malin. Il veut faire ce qu'il appelle son jeu. Ça finira peut-être mal pour nous, mais ça finira encore plus mal pour lui — rappelez-vous ce que je vous dis.

Une semaine après, Bao-Daï exige de Pignon qu'il rappelle Cousseau et Faugère, et les deux hommes s'en vont. Bao-Daï a désormais gagné sa liberté. Quant à Pignon, qui a « ramené » Bao-

Daï en Indochine, il est obligé de le garder; et même c'est lui qui devient son prisonnier.

Ce que Bao-Daï a refusé, c'est d'aller s'installer au Tonkin. Il ne voulait pas être à Saigon, où il n'aurait été que le « brillant second » du Haut-Commissaire, qui refusait de lui lâcher le Palais Norodom, ce symbole du pouvoir. Mais, à Hanoï, il n'y avait pas de problème de préséance. On lui donnait le Palais Puginier, une sorte d'énorme pâtisserie en pierres, un tarabiscotage 1900, qui avait été la résidence des Gouverneurs généraux. Tout avait été préparé pour le recevoir. Là, Bao-Daï aurait été le Premier, l'Empereur, le successeur sans conteste de la puissance française. Mais cela signifiait qu'il allait au cœur de la mêlée, qu'il prenait parti, qu'il se jetait dans la bagarre — ce dont il ne voulait absolument pas. Il n'y eut donc rien à faire pour le déplacer. « C'est un cul de plomb », me répétait Cousseau après avoir inutilement démontré à Bao-Daï, des heures durant, que les nha-qués du delta l'attendaient, qu'en réapparaissant au milieu d'eux il redeviendrait le « Fils du Ciel ».

Autre chose aussi. Pignon comprenait très bien que Bao-Daï « profitât », qu'il devînt milliardaire, super-milliardaire. Mais pourquoi ne pas le faire régulièrement, honnêtement, avec de beaux et gros bénéfices réguliers? On proposa à la Majesté de lui créer de grosses affaires — des banques, des sociétés, des compagnies de navigation, d'aviation, des maisons d'Import-Export — avec 51 % de capitaux français, le reste étant à lui sans qu'il eût un sou à mettre. Mais cela ne lui plut pas. Bao-Daï préférait les vieilles traditions asiatiques de la concussion et du « squeeze ». Ainsi, sa première grande idée, ce fut de faire de son Dalat un « enfer du jeu » — la place était à prendre depuis le déclin de Macao. On aurait construit d'énormes casinos, des hôtels gigantesques. Cela aurait été la zone franche du vice. Et tout un va-et-vient d'avions aurait amené les clients, tous les milliardaires de Hong-kong, de Singapour et d'ailleurs. Mais les Français estimèrent qu'un chef d'État ne devait pas être officiellement un super-croupier. Ce fut alors que Bao-Daï s'entendit avec Baivian, lui fit donner le *Grand Monde* à Saigon.

Quoi qu'il en soit, durant toutes les semaines qui suivirent son arrivée à Dalat, le seul intérêt de l'Empereur est pour l'installation — afin de se retrouver seul dans son « chez soi », avec la petite bande de la cour, loin de tous les fâcheux et de tous les ennuis. Mais la villa de Sa Majesté — pas grandiose, pas immense, mais avec tous les raffinements du confort et de la bonne vie — n'est pas prête. Giao dit aux ouvriers qu'il va les pendre : « Calme-toi, tu fais l'imbécile », rigole Bao-Daï. Giao s'occupe aussi de trouver des serviteurs qui ne soient pas vietminh; et comme le chef-cuisinier n'est pas sûr, il s'écrie : « Permettez-moi, Sire, de goûter aux plats avant vous; s'il y a du poison, c'est moi qui mourrai. » Et Bao-Daï de rire, tout plein de gouaille : « Giao, tu n'es qu'un crétin, mais je t'aime bien. Si tu veux des domestiques de confiance, ne prends surtout pas des hommes vertueux, mais de bonnes crapules. »

La villa est enfin achevée. Elle est au sommet

d'une colline, complètement isolée, au milieu des fleurs et des sapins. Bao-Daï s'y enferme avec son petit monde — il y a là Buu-Loc, le cousin parisien qui a longtemps traîné la misère et les antichambres, Dac-Khé, le brillant avocat « français » toujours en pleine rhétorique, Vinh Canh, le bel enfant plein de grâces et de timidité qui est aide de camp, Giao qui fait l'indispensable avec truculence, et puis un dentiste, un acupuncturiste, des utilités. A part quelques amuseurs, tous ces personnages sont des princes : les rejetons des vieilles familles à rites de Hué sont devenus des gentlemen modernes, des parangons de la grande société internationale. Quel merveilleux doigté ils ont tous pour ce qui est élégance, politesse et muflerie, pour toute la science du « smart set »[1]. Ils sont les seuls — ces aristocrates blasés et avides — que puisse supporter Bao-Daï, avec les franches fripouilles.

Avec eux, Bao-Daï vit comme dans un pique-nique permanent; pour le reste du monde, il est inaccessible. Avec eux Bao-Daï fait de sa villa une « cité interdite » — car il est resté largement, malgré son cosmopolitisme, le Fils du Ciel haïssant les foules, les contacts, l'action vulgaire, tout ce qui est direct, tout ce qui oblige à se montrer, à donner de sa personne. Bao-Daï se cloître donc avec ses « gens », il est invisible, et, quand la presse demande un entretien, l'entourage répond : « Sa Majesté ne peut pas — elle médite. » En fait, les premiers jours se passent à « se monter », à acheter, en quantités colos-

---

1. Le milieu aristocratique des élégances internationales.

sales, des voitures américaines, des réfrigérateurs, des caméras, tout ce qu'il faut pour le luxe et le plaisir. Et quand enfin Bao-Daï est dûment logé, reposé et entouré de tout le confort, il commence ses audiences. Car il lui faut quand même former un gouvernement. Cela l'amuse du reste.

Autour de Bao-Daï toujours dans sa villa, tout s'est rempli : car Bao-Daï c'est de l'argent et des places. Sa Majesté est ravie de cette cupidité : « J'aurais besoin de dix mille portefeuilles pour récompenser tous les dévouements », dit-elle. Et quand un familier lui assure que c'est seulement la canaille qui est accourue, Bao-Daï s'exclame : « Tant mieux. » En fait, on retrouve à Dalat tous les éternels : Phan Cong-thac le pape caodaïste, les généraux hoahaos, les gros ministres cochinchinois, les mandarins d'Annam, quelques prêtres, et aussi des compradores, des milliardaires chinois, des hommes d'affaires français. Tout ce qui fait la bonne Indochine « française » vient se faire bao-daïciser. Il y a aussi la famille qui arrive, à commencer par le colonel Didelot (il a épousé la sœur de la vertueuse et sévère impératrice Nam-Phuong, que Bao-Daï a soigneusement laissée en France avec tous ses enfants). Il y a encore tout le sous-monde des émissaires et des agents. C'est plein d' « observateurs » vietminh : ils sont très courtois, ne cessant de rappeler que Bao-Daï a été jadis le Conseiller Suprême d'Ho Chi-minh. Cela grouille d' « honorables correspondants » de tous les « services » possibles et imaginables. En plus des vieilles connaissances du Deuxième Bureau et de l'Intelligence Service, il y a un raz de marée de l'O.S.S. Dalat est rempli de

« moustaches » américaines en train de se demander :
« Bao-Daï est-il un play-boy ou pas? » Tout cela
sans pudeur aucune — une sorte de mêlée autour d'un
nouvel os à ronger.

Constrastant avec le silence de la villa où Bao-Daï
mène ses « consultations », l'hôtel *Langbian* est la
foire bao-daïste du tout-venant. C'est un palace
triste au bord du triste lac artificiel de Dalat — tenu
par un vieux commandant français corseté, peint,
décoré, qui donne un relent « proustien » à tous les
chuchotages des petits messieurs annamites qui se
saluent avec complications et qui indéfiniment
parlent de la conjoncture, c'est-à-dire des « combines »
qu'ils montent. Ces messieurs sont contents — on
sait déjà que Bao-Daï « comprend ».

Cependant, extérieurement, tout reste digne,
compassé, secret — à la vietnamienne. Il n'existe
pas de race plus solennelle, plus adonnée au protocole, même dans les pires marchandages. Tous ces
personnages suent très correctement en complets-
vestons et en chemises empesées. Chacun a la Légion
d'honneur, chacun donne à chacun de l' « Excellence », de l' « Altesse » ou du « Monseigneur ». A tout
instant on surprend les mots rituels : « Sa Majesté
m'a promis... » Sa Majesté est dans toutes les bouches,
avec un respect infini.

Il n'y a qu'une seule vulgarité, celle d'une beauté
oxygénée toute jeune et déjà énorme, pourvue
d'avantages extraordinairement charnus et élas-
tiques. C'est le « chef » du Service cinématogra-
phique de Sa Majesté, spécialement venue de
France pour prendre un film sur Sa Majesté. Son
équipe se compose de messieurs bruns des bars de

la Côte d'Azur. Tout ce monde est pourvu de caméras superbes et demande à chacun : « Comment s'en sert-on, de ces trucs-là? » La blonde est une entraîneuse de Cannes qui clame, dans tout le *Langbian*, de sa voix de trompette bouchée, son histoire : « Bao-Daï m'a dit qu'il m'emmenait, mais que je ne pouvais pas venir dans son pays comme ça, rapport à ses sujets. Il faut que je fasse un film, me raconte-t-il; je réponds merde. Alors il se marre, il m'explique que le film, il s'en torche, que ce n'est pas ce qu'il me demande. Alors j'ai embauché les copains, et nous voilà dans le patelin. » Mais la blonde se soûle, les messieurs se soûlent, et ce sont des clameurs épouvantables le jour où les « cameramen » sont priés d'accompagner Sa Majesté qui s'en va dans sa jungle bien-aimée. Ces gentlemen sont indignés. « On n'est pas venu ici pour se faire trouer la peau », hoquettent-ils à travers les couloirs de l'hôtel. Quand une discrète allusion est faite à Bao-Daï sur tout cela, Sa Majesté répond : « Je sais bien, mais que voulez-vous, cette fille baise comme une déesse. » Et il ajoute : « Elle fait son métier. C'est moi qui fais la vraie putain. »

Car, dans sa villa toujours aussi assoupie, Bao-Daï est en train de charmer tout le Vietnam — celui qui compte. La voiture qui, le matin, emmène la fille, ramène ensuite le premier « visiteur ». Toute la journée, le défilé continue, Bao-Daï travaillant les hommes un à un, l'un après l'autre. Il est sur son fauteuil comme engourdi — de temps en temps il laisse filtrer un regard qui signifie : « Celui-là, on l'aura pour tant. Celui-là, il faudra s'en défaire, le démolir. » Il agit à coup sûr, avec son extraordinaire sens du renseignement, avec son instinct pour découvrir ce qui est vil dans l'homme, ce qu'il veut. Et, quand cet intérêt est bas, Bao-Daï sait que cet homme sera le sien. Cependant, aussi mesquine que soit la réalité en dessous, les propos sont élevés, dans la meilleure tradition de la noblesse orientale. Le tout est de se comprendre. Bao-Daï a un pathos bien au point, qu'il débite en français (il parle mal le vietnamien). Avant tout, il dit qu'il est un patriote vietnamien : il faut savoir se servir des Français sans être leur instrument. Alors l'interlocuteur proclame sa fidélité, il met son allégeance aux pieds de Bao-Daï. Ainsi Phan Cong-thac lui apporte ses deux millions de « brebis » — mais, pour que la secte soit plus indépendante des Français, Sa Majesté ne pourrait-elle, de son côté, assurer un subside à l'armée caodaiste, ou tout au moins mettre un Caodaïste au Gouvernement, aux Finances par exemple ou à la Guerre (ce qui, dans l'esprit de Phan Cong-thac, équivaut à un subside). Bao-Daï loue hautement ce souci d'indépendance; il ajoute qu'il lui faut réfléchir, bien voir quel sera l'intérêt de l'État (il ne veut surtout pas donner de l'argent). Tout se passe de cette façon, et, en quelques jours, Bao-Daï s'est fait une clientèle — par le déchaînement des cupidités. Ce n'est que lorsqu'un homme a en lui de la sincérité ou du désintéressement que Bao-Daï le condamne — cet homme est dangereux.

Ainsi, Bao-Daï est tout à son grand dessein : établir le « système Bao-Daï », qui fasse de lui le maître au-dessus des choses. Il est forcé à l'habileté parce qu'il n'a pas pu revenir vraiment en empereur — il aurait tellement aimé rentrer en souverain légitime, comme si son abdication de 1945 avait été nulle : « Car alors j'aurais eu une position, explique-t-il, et tout aurait été facile pour moi. » Mais les Français ne l'ont pas voulu — pourquoi, on ne le sait pas, puisqu'ils avaient décidé de tout miser sur lui, sans doute quelque souci de prudence. En tout cas, Bao-Daï n'est en fonction qu'à la suite d'un arrangement douteux avec les Français, au lieu de l'être de plein droit. Lui, le descendant de tant de souverains, n'est, par leur faute, qu'une sorte de parvenu ou même d'usurpateur. On l'appelle Sa Majesté, mais ce n'est pas vraiment une Majesté. Il n'est que le Chef de l'État, et cela par des ordonnances signées de lui-même, sans aucune consultation populaire, sans aucune légalité vraie. « Comme cela, je ne suis rien, et il faut que je me fasse », répète-t-il sans cesse à Pignon. Somme toute, Bao-Daï, ramené par les Français, est plein de rancune contre eux. Il le dit souvent : « J'aime les Français, mais ils m'obligent à être antifrançais. Constamment, il faut que je prouve que je ne suis pas leur fantoche. Tant pis pour eux! Cela n'aurait pas été de même si j'avais pu m'assoir sur mon trône. »

« Se faire », c'est toute l'obsession de Bao-Daï, et c'est aussi son drame. Car, pour lui, se faire, c'est procéder indirectement, par en dessous, c'est ruser, tromper, corrompre, pourrir — alors qu'il n'a qu'à prendre. Car, dans tout le Vietnam non vietminh, il n'y a rien, c'est le vide du pouvoir sans un parti politique, sans une pensée politique, sans même une opinion publique, et Bao-Daï peut ce qu'il veut. Mais, pour cela, il faudrait gouverner soi-même. Il faudrait l'aventure de l'action, il faudrait qu'il devienne le chef, le dictateur, celui qui entraînerait le Vietnam, que ce soit contre le communisme ou contre le colonialisme, au choix. C'est ce que ferait un homme normal. Mais Bao-Daï n'est pas cet homme normal, il est paralysé, dominé par une anxiété qui ne se rassure que dans le compliqué et l'ignoble, il dépense des trésors d'intelligence à n'aboutir à rien.

UN HAMLET JAUNE

Un des familiers de Bao-Daï m'a dit de lui : « Il y a en lui un dixième de Farouk, deux dixièmes de Machiavel et sept dixièmes de Hamlet. » Car ce n'est pas le jouisseur qui domine en lui, c'est l'angoissé, l'homme qui comprend trop ce qu'est l'action pour agir. Il est même tellement incapable d'affronter de face le monde extérieur que c'est un supplice pour lui que d'aller à Saigon — où chaque fois il trouve une ville presque morte, avec la solitude des arcs de triomphe. Il se tient là, dans les cérémonies, sans un geste, sans un mot, presque idiot, avec son ennui. Saigon est hostile. Mais Bao-Daï montre le même accablement au Tonkin où, à son premier voyage, des centaines de milliers de nha-qués l'acclament spontanément, car pour eux il est encore l'Empereur. Pourtant là aussi pas un mouvement, pas une phrase, et ce masque morne, méprisant. Quelques mois plus tard, il retournera au Tonkin et les foules ne l'acclameront plus.

Bao-Daï est un insomniaque. Souvent, aussi, il est affligé de migraines affreuses. Plus tard, ses yeux seront malades, et il n'y verra presque plus à certaines périodes. C'est que jamais il ne peut cesser de

penser, et que cette pensée le détruit. Contre cela,
il a des subterfuges. Il y a les parties fines, les orgies,
le « baisage ». Il y a beaucoup de femmes, des tas de
filles de toutes les races, de toutes les couleurs, de
toutes les conditions — Giao, le gouverneur de
l'Annam, lui en fournira beaucoup, on en fera venir
de Hong-kong et de tous les coins du monde. Mais
à force, et malgré ses grandes capacités, Bao-Daï
se lassera de faire l'amour. Il y a le jeu, et surtout le
poker et le bridge où il est passé maître, car il est un
maître partout où il faut combiner, calculer, faire
des astuces. Mais surtout il y a la forêt — et c'est ce
qu'il aime le plus, car c'est là qu'il est le plus seul,
qu'il est débarrassé de tout. Sa villa de Dalat est
trop « mondaine » et, de plus en plus, il va se réfugier
au pavillon du Lac. Cela se trouve loin de tout, au
cœur de la jungle la plus sauvage, entre des montagnes, juste au-dessus d'une dépression maréca-
geuse rouillée de roseaux géants. C'est le paysage
tropical absolu, vierge et préhistorique. Le bungalow
est au sommet d'un tertre, dominant de quelques
mètres des eaux glauques et verdâtres, encerclées
elles-mêmes par le vert noirâtre de la grande sylve.
Là, Bao-Daï vit des semaines, heureux, parmi les
hommes primitifs et les bêtes fauves. De sa fenêtre,
il contemple à la lunette les troupeaux de « gaurs »,
les animaux les plus beaux et les plus dangereux du
monde, des buffles sauvages de plus de deux mètres
au garrot, qui chargent à la vitesse du vent. Là,
il vit parmi ses Moi aux rites magiques (comme
soubrettes, il a de jeunes Moiesses aux seins nus)
et ses éléphants — il adore les éléphants. Il se procure les plus beaux spécimens en les achetant aux

tribus de « sorciers chasseurs d'éléphants », qui les
capturent après d'étranges cérémonies d'envoûte-
ment. Il possède des dizaines de monstres appri-
voisés, qu'il va caresser.

Souvent Bao-Daï s'enfonce dans la forêt pour
chasser, seul ou avec son chef des chasses — un
bon bougre de métis à gueule de bandit. Sa Majesté
est un des meilleurs fusils du monde et, physiquement, il n'a jamais peur. Mais, à la fin, il ne tire
même plus — il se met sous un arbre et reste là
des heures, de longues heures, à ne rien faire.

Bao-Daï n'est pourtant pas le neurasthénique qui
se dit : « A quoi bon? » Sa maladie mentale est celle
de l'homme trop intelligent, à qui tout montre le
danger. Dans sa vie, il a été écrasé par des forces
supérieures, il a été trahi de toutes les façons — il a
trahi aussi. Dans ce Vietnam où le destin l'a ramené
comme chef d'État, il sent que des forces supérieures
le guettent. Il dit souvent avec un étrange sourire :
« Vous savez bien que le Vietnam est un jouet parmi
les Puissances, tout juste un enjeu. Nous sommes
dominés par la politique internationale, un néant
par nous-mêmes. » Il dit aussi assez énigmatique-
ment : « Ce que je fais sera sans doute détruit — il y
aura pour le Vietnam de mauvaises années à passer,
dix ou quinze peut-être. Après, ce que j'aurai entre-
pris et qui aura d'abord été anéanti, servira peut-
être. Il faut avant tout croire que le Vietnam est
éternel. »

Mais là est la contradiction de l'homme, le nœud
de sa maladie. Car ce Bao-Daï qui parle ainsi de
l'avenir, ne construit pas l'avenir, au contraire. En
son extraordinaire et secrète inquiétude, il croit que

tout ce qu'il pourrait faire au Vietnam — toute action qu'il dirigerait, toute force qu'il lancerait — servirait d'abord à sa chute, en se retournant contre lui. Alors, autant qu'il le peut, il démolit. Il a le génie de diviser, de semer les jalousies, d'empêcher. Et tout ce qui n'est pas assez pourri, assez dans sa main, il l'abat. Il fait cela parce que c'est dans sa nature et aussi par politique délibérée. Le bao-daïsme est un art psychologique de gouvernement par l'abjection, par la réduction subtile de tous à l'abjection. « J'ai appris à n'avoir confiance que dans les coquins », proclame-t-il souvent. Alors, au milieu des ruines, son « système » aboutit à la complicité d'une bande — on pourrait même dire d'un « gang » — sur un Vietnam dégradé. Et il se croit assez fort, par son habileté, pour être toujours à la hauteur, pour maintenir ce « gang » à flot grâce à une série de « coups ».

Son but est d'abord de tout immobiliser. Qu'on lui propose un projet créateur, et il trouve toujours des arguments merveilleusement logiques à opposer. Jamais une intelligence n'a été plus critique, plus négative. La lucidité, chez lui, c'est un cancer.

Car tout procède d'une analyse implacablement claire. D'abord, la situation, il la voit de très haut, à l'échelle du monde — il est un des rares Vietnamiens à pouvoir le faire. Plus que personne, il sait que les vraies forces aux prises au Vietnam sont le communisme international et les U.S.A. La France est trop faible, trop lointaine, sans assez de volonté et de moyens pour pouvoir « jouer » vraiment en Asie — cela d'autant plus que son tripartisme instable et confus ne peut inspirer aucune confiance.

Il ne faut donc pas trop se lier avec elle, il ne faut pas non plus la combattre systématiquement, puisque pour le moment elle est là, elle occupe le terrain et que, sans son Corps Expéditionnaire, ce serait le déferlement vietminh. Il en résulte, selon la pensée baodaïste, une situation précaire, qui durera jusqu'à ce que les réalités profondes du monde aient décidé du destin de l'Indochine. Il faut tenir jusque-là, dans le pays même, par le génie. Il faut tout bloquer. Il faut bloquer la France qui veut trop entraîner Bao-Daï dans son sillage — mais il faut aussi bloquer les U.S.A. qui veulent l'utiliser avant terme : « Je ne veux être ni le fantoche des Français ni le citron pressé des Américains », dit-il.

Au Vietnam aussi, il est contre tout, délibérément, non en s'opposant abruptement, mais par la force d'inertie employée comme arme de choc. Il est contre le peuple et tout ce qui est populaire, car il a une appréhension horrifiée de la masse, au point qu'il ne peut en supporter le contact, qu'elle lui donne des transes. Il est donc totalement opposé à des élections, à tout ce qui pourrait « réveiller » les multitudes : qu'elles viennent à sentir leur importance et que n'exigeront-elles pas? C'est une obstination d'autant plus étrange que, pendant ce temps, les Vietminh font tout, par tous les moyens, pour promouvoir la plèbe jaune. Et les nha-qués, qui auraient suivi un Bao-Daï attentif à leur sort, se donnent finalement aux Vietminh qui, eux, en prennent soin — même si c'est trop, trop constamment, trop durement. Bao-Daï n'a pas compris que le dédain royal, cette forme confucéenne de la sagesse, vient trop tard, que les larves humaines ne veulent plus de leur « inexistence » millénaire et que sa chance contre les Vietminh c'était de s'occuper du peuple.

Bao-Daï est contre le nationalisme. Il se dit hautement nationaliste, chef des nationalistes de toutes les espèces, mais c'est seulement pour « saboter ». Au début, il fait semblant de prendre contact avec les maquis. Pour cela, il se sert d'un membre de son cabinet qui a treize parents dans la Résistance. Mais, de ces négociations, pas un résultat n'est sorti. Et les rares ralliés — ceux qui d'eux-mêmes ont quitté l'autre camp — sont grossièrement éconduits quand ils se présentent chez l'Empereur, s'ils ne sont pas plus ou moins parents, s'ils n'appartiennent pas à quelque famille aristocratique de Hué.

Bao-Daï est à fond contre le communisme et Ho Chi-minh. Il sait trop ce qui l'attendrait s'ils gagnaient, car ils ne le « rateraient » pas cette fois. Mais de cette haine il ne montre rien, il ne dit rien. Au début même, il laisse s'ébaucher de vagues tractations avec le Comité du Tongbo. Cela ennuie les Français, cela lui donne de l'importance — c'est la preuve flatteuse que même les rouges les plus durs ne le considèrent pas comme quantité négligeable, le craignent. Mais c'est tout, sauf qu'Ho Chi-minh a promis qu'on ne l'assassinerait pas. Très sagement, Bao-Daï craint que cet engagement ne soit surtout un traquenard pour le tuer plus facilement. Alors il entoure sa villa d'une Garde impériale — des prétoriens surpayés et superbes — chargée de lui sauver la peau. Et il voudra même une Armée vietnamienne à lui — c'est sa seule « idée » positive. Plus tard, il arrivera à l'avoir, mais il l'aura pourrie, en sorte qu'elle ne servira pas à grand-chose dans la guerre.

Pour le moment, le vrai, le seul ennemi, c'est la grosse bourgeoisie de Cochinchine, qui a trempé dans l'Affaire Revers et qui se passerait bien de lui. C'est pour cela que Bao-Daï est contre toute forme d'Assemblée : il sait bien que les députés, sous l'influence des intellectuels et des richards de Saigon, aboutiraient vite à la conclusion qu'il est tout à fait inutile. Et là, il ne pourrait rien, ou pas grand-chose. Mais, par contre, à ces bourgeois, il est prêt à donner le Gouvernement. C'est sans danger, car tout est calculé pour les perdre, les discréditer, les avoir à la fatigue. C'est un jeu « » où il est toujours sûr d'être vainqueur.

Cela se joue de la façon suivante. Comme il faut un chef de Gouvernement et que Bao-Daï ne veut pas l'être, qu'il ne veut pas être au premier plan, mais seulement tapi dans l'ombre, il dit à son entourage : « Tous les hommes qui ont soif d'action et de responsabilités finissent misérablement. Le pouvoir tue. Ceux qui sont adroits et restent cachés tiennent les vraies clefs du royaume. » Toute l' « astuce » pour Bao-Daï est de demeurer paisiblement à Dalat et de mettre le Gouvernement loin de lui, à Saigon. A sa tête, il nomme un ennemi, un individu dont il faut se débarrasser. Car le Gouvernement lui sert d' « assommoir ». C'est la grande théorie de l'usure : user tous les fâcheux jusqu'à ce qu'il n'y en ait plus, jusqu'au jour où Sa Majesté pourra faire le bon Gouvernement de sa confiance, le Gouvernement du « gang ».

Le processus de l'usure est toujours semblable, celui du chat et de la souris. Bao-Daï est le chat puisque, d'après les ordonnances constituant l'État

— les siennes —, c'est lui qui fait et défait les gouvernements en n'en rendant compte qu'à sa conscience, puisqu'ils ne sont responsables que devant lui seul. La seule arme du Gouvernement c'est qu'il détient les finances publiques. Une fois un intime de Bao-Daï m'a confié : « Il nous faut quand même de la prudence, car le Gouvernement a l'argent. »

Cependant, Bao-Daï ne rate jamais l'opération, on y sent sa jouissance. Il mène son œuvre de désintégration depuis sa villa de Dalat ou son pavillon du Lac, au milieu de sa mélancolique vie de plaisirs. C'est une lente mise à mort, toujours la même. D'abord, il « donne du mou », il comble de son amitié le nouveau chef de Gouvernement. Comme il sait flatter et être bon garçon! Puis il se met à attendre que le Gouvernement s'épuise de lui-même, car c'est lui qui fait les « sales besognes ». Quand la situation lui paraît mûre, Sa Majesté manifeste ses premiers reproches, ses premiers mécontentements; en termes choisis, elle câble sa « surprise ». Les télégrammes impérieux se succèdent et, rapidement, le Gouvernement est paralysé, le chef de Gouvernement réduit à l'affolement, à une sorte d'égarement. Le processus continue, et le chef de Gouvernement n'est plus qu'une loque vivant dans l'obsession de Dalat, des humeurs de Sa Majesté, de ses télégrammes. Il s'aplatit, il rend des services honteux à Bao-Daï, il lui donne de l'argent sous toutes les formes, ainsi qu'à sa camarilla. Cela ne sert à rien. Si le chef de Gouvernement essaie quand même d'agir et de gouverner, Sa Majesté s'étonne de ses « initiatives malencontreuses »; et s'il ne fait plus rien, Sa Majesté s'étonne de l' « inefficacité gouvernementale ». Par-

fois le chef de Gouvernement veut aller se justifier à
Dalat. Bao-Daï lui fait savoir qu'il ne peut pas le
recevoir; et, pour plus de sûreté, il se dit « malade »
ou disparaît des jours dans la jungle, à la chasse.
Parfois le chef de Gouvernement essaie de se révolter,
ou même fait intervenir en sa faveur les Français.
Alors, la fin est proche. Généralement, il y a un
soudain retour en faveur, il y a les sourires de Sa
Majesté; et quand le chef de Gouvernement est
rassuré, Sa Majesté lui fait connaître qu'elle met fin
à sa mission. C'est souvent le successeur désigné
— comble de raffinement — qui est chargé de porter
au disgracié la lettre impériale de renvoi. Et puis
tout le cycle recommence.

C'est ce que l'on appelle en Extrême-Orient le
« squeeze » — l'art d'épuiser et de pressurer à fond.
Ce « squeeze » est d'autant plus complet, qu'à côté
du pauvre Gouvernement de Saigon, Bao-Daï a
« son » Gouvernement privé : le Cabinet impérial, les
gouverneurs impériaux, la camarilla — toutes sortes
d'aventuriers utiles ou amusants, des Vietnamiens,
des métis, quelques Français aussi.

LA GRANDE CAMARILLA

Bao-Daï vit au milieu de ses amis. Mais le cercle
intime, secret, décisif, c'est le Cabinet impérial —
l'émanation même de Sa Majesté, en fait sa camarilla.
Rien n'est défini et ce n'est en principe qu'un secré-
tariat. Mais le Cabinet est en réalité une sorte de
chambre étoilée pour tout ce qui se passe au Vietnam, l'instrument de toutes les hautes et les basses

œuvres — il méprise souverainement le Gouvernement. Son arme est le sceau de Sa Majesté et, grâce à lui, il intervient en tout, pour tout. Inextricables sont les intrigues du Cabinet où une demi-douzaine d'hommes servent aveuglément les passions, les intérêts de l'Empereur — et les leurs. Car Bao-Daï est bonasse avec ses amis et, quand il profite, il leur permet aussi de profiter.

Bao-Daï ne va pas dans le détail. L'homme des détails est le directeur du Cabinet impérial, Nguyen Dé. C'est un tout petit monsieur, minuscule même pour un Vietnamien, tiré à quatre épingles, catholique et cérémonieux. Nguyen Dé n'est pas un homme, c'est une férocité. Il ne fait que travailler, toutes les affaires passent par lui. Il est certainement, pendant tout le régime bao-daïste, l'éminence grise du Vietnam, le personnage le plus puissant. On le voit peu. Il fait peu parler de lui. Il se cache presque. Le secret est son élément, mais il sait tout. Nguyen Dé se tient toujours dans un bureau austère, à quelques mètres du living-room où Sa Majesté s'ébat. Il n'a pas de plaisirs ou plutôt il n'a qu'un seul plaisir : tromper. C'est comme une grâce naturelle. Pourtant, je me demande souvent comment il peut tromper, tellement la fausseté est écrite sur sa petite figure toute lisse, dans la bonhomie feinte de la voix, dans ses petits rires étranglés. Quoique le plus moderne des Vietnamiens pour la finance (c'est un ancien comprador de la Banque d'Indochine), il appartient encore à cette ancienne Asie où l'Art suprême est la tromperie. Il a une telle adresse pour compliquer une intrigue qu'il est le seul à s'y retrouver — d'où sa puissance. Un jour Bao-Daï lui ordonne : « Dis-moi la vérité. »

Nguyen Dé sourit finement sans répondre. « Je vois, reprend Bao-Daï, tu ne sais même pas ce que tu en as fait, de la vérité. » Pour toute affaire, il a une douzaine de solutions tordues — il considérerait comme un déshonneur de traiter une question simplement, même de mentir simplement. Nguyen Dé croit à la beauté de la complexité, de la « chinoiserie ». Au Vietnam, Bao-Daï est méprisé avec une certaine indulgence. Nguyen Dé est haï. Il me dit un jour : « Tous les grands ministres d'autrefois étaient haïs. L'exécration était le signe d'un bon gouvernement. » Dans le monde moderne, Nguyen Dé pourrait être un grand ministre sans cette perversité, ce goût du mal pour le mal. C'est lui qui entraîne Bao-Daï dans cette politique de toujours jouer au plus fin, de toujours chercher à duper — ce qui, quelques années plus tard, laissera la Majesté toute seule, abandonnée même par les créatures qu'il aura gorgées. En attendant, Nguyen Dé fait largement fortune au Cabinet impérial. On estime généralement ses bénéfices à un milliard de francs. C'est surtout la vente des nominations qui lui rapporte. Bao-Daï est au courant, mais approuve, prend sa part.

Dans le « système Bao-Daï », il y a aussi les gouverneurs — les représentants directs de Sa Majesté dans le pays. Ils sont trois, un pour chacun des trois « ky », ces divisions traditionnelles du Vietnam : la Cochinchine, le Tonkin et l'Annam.

Le gouverneur de la Cochinchine, à vrai dire, échappe presque complètement à l'autorité impériale. Il est sous la coupe du Gouvernement bourgeois de Saigon. C'est généralement un gros bourgeois vulgaire, un peu parent du chef du Gouvernement.

Aussi, dans le Sud de ses États, Sa Majesté s'appuie-t-elle sur les brigands de toutes sortes — l'organisation des Bin-Xuyen, les sectes religieuses et armées des Caodaïstes et des Hoahaos, en somme la lie du peuple — contre les « richards » oligarchiques, gorgés de piastres, plus ou moins libéraux, plus ou moins républicains qui sont au pouvoir.

Par contre, les gouverneurs du Tonkin et de l'Annam sont des souverains pratiquement indépendants de Saigon, soumis à la seule suzeraineté de Bao-Daï, ses créatures. Celui du Tonkin, Nguyen Huu-try, est un grand seigneur — un mandarin chef du parti des mandarins, le descendant d'innombrables lettrés confucéens. C'est un bel homme mince, de cinquante ans, à la chevelure argentée, aux traits ciselés, tellement distingué qu'il a pris le style anglo-saxon et même oxfordien. Je n'ai jamais vu un pli de pantalon plus impeccable. Avec cela, il a une peau très foncée, mais d'une couleur artistique : on dirait un maharadjah, un lord brun. Et quel charme mélancolique, presque romantique dans ses yeux doux, son sourire noyé! Il est si « gentleman » qu'on oublie qu'il est jaune, il n'a pas le faciès énigmatique de l'Oriental, il montre des émotions, de la douleur. Pendant des heures, il peut parler des malheurs de sa patrie avec l'air réellement accablé. Mais ses émotions aboutissent toujours à cette conclusion : qu'on lui laisse tuer tous les Viet-minh, engeance vulgaire et ennemie de l'ordre, de la société, de l'humanité. Souvent il est déprimé : il ne peut pas grand-chose. Que de fois, dans ses grands bureaux d'Hanoï, seul et délicat, il me murmure : « Ah! si les Français comprenaient... »

Une fois, il m'a même dit : « Ah! si Sa Majesté comprenait... » Car le pauvre Nguyen Huu-try, patriote et à peu près honnête, est bien impuissant, avec d'une part le Corps Expéditionnaire qui agit despotiquement dans le delta, selon l'humeur de ses officiers et de ses sous-officiers, avec d'autre part Bao-Daï dans ses plaisirs à Dalat : l'Empereur se moque bien de ce Tonkin si éloigné, si pauvre et si dangereux — il veut surtout ne pas y aller.

Le gouverneur de l'Annam, lui, est un manant — c'est Giao, l'ancien pharmacien. Il a des trémolos et des larmes d'amour quand il parle de Bao-Daï. En sa présence, il s'écrie : « J'aime Sa Majesté. » Sa Majesté lui répond : « Giao, ne fais pas l'andouille. » En fait, Giao est très important, un personnage essentiel du « système Bao-Daï ».

C'est parce que Bao-Daï a pu boire son wisky quotidien à Hong-kong grâce à Giao qu'il est devenu gouverneur de l'Annam. Giao m'a raconté : « Sa Majesté menait la vie amère de l'exilé. Mais j'ai convaincu ma femme et j'ai apporté mes économies à Sa Majesté. Elle a daigné me dire alors que j'étais le seul de ses sujets à y être allé de ma poche. Je faisais le cuisinier pour Sa Majesté, je faisais le chauffeur pour Sa Majesté et, pendant que j'étais sous le châssis à graisser la voiture, j'entendais les autres Vietnamiens lui dire : " Giao est un intrigant, Giao est un arriviste. " Mais c'est parce que j'ai fait ces choses que Sa Majesté a tenu son rang, et Elle s'en est souvenue. »

Giao gouverneur m'est d'abord apparu dans sa capitale de Hué en champion cycliste, avec un maillot collant et des boyaux enroulés autour du corps

— il est occupé à gagner une « américaine » dans un vélodrome à virages relevés qu'il a fait construire. Je le félicite et il me dit : « Giao gouverneur est forcé de vaincre, sinon il met les coureurs en prison pour crime de lèse-gouverneur » — et c'est vrai. C'est une particularité de Giao de parler de lui à la troisième personne. Il aime à me dire : « Giao est un peu fou, mais ce qu'il veut, il le fait. » La plupart du temps, il veut être Mussolini — il admire Mussolini. En imitation des fastes fascistes, il s'est donc fait construire un palais modern-style. Il y a là un bureau de cinquante mètres sur vingt mètres, avec au fond une table de cinq mètres sur trois mètres; et derrière la table est Giao. La pièce est nue, immense et vide. La décoration, c'est seulement, au milieu, deux tigres empaillés aux yeux de verre et, tout autour, une frise de vases bleus pris au Musée municipal. Il faut une minute pour marcher jusqu'à Giao, qui attend, le regard mauvais, crispant les mâchoires et levant le menton et qui, à la dernière seconde, si c'est un « ami », éclate de rire et donne de grandes bourrades. Comment savoir si Giao est un Mussolini qui fait le clown ou un clown qui fait Mussolini? Au fond, Giao est sinistre, mais il a de l'humour, il se moque de lui. Comment ne pas rire quand il affirme ce principe de gouvernement : « Pour que le peuple soit heureux, il faut que les ressorts du lit du gouverneur craquent toute la nuit. » Aussi, c'est naturellement un crime de lèse-gouverneur quand une femme refuse de contribuer avec Giao au bonheur du peuple. Mais c'est inconcevable. Giao explique aussi : « Je suis catholique. Je suis trop bon catholique pour me confesser, pour communier. Car le prêtre me demanderait :

" Giao, est-ce que tu te repens de tes fornications? "
Mais moi je ne veux pas mentir au prêtre et à Dieu;
alors j'irai à confesse quand je serai trop vieux
pour forniquer. »

Giao dit aussi de lui : « Giao est malin, il sait
comment faire. » Et quand il ordonne à la bonne
population de la ville de Hué de célébrer la fête de
S.M. Bao-Daï, les cent mille habitants acclament
leur Empereur, jusqu'au dernier. C'est la masse
humaine, c'est la mer des pavoisements, ce sont
les prières des bonzes. Il y a des jeunes filles qui
décorent de fleur un immense portrait de Sa Majesté,
il y a Giao sur une estrade qui hurle : « Vive Sa Majesté », et toute la foule pousse de folles clameurs.
Nulle part ailleurs au Vietnam pareille scène n'est
concevable. Giao me donne son secret : « Les autres
" copains " de Bao-Daï, ils n'osent pas. Ils n'ont pas
de culot. Mais, à Hué, je dis : " Qui n'aime pas
Bao-Daï? Qui n'aime pas Giao? Celui qui n'aime pas
Bao-Daï et qui n'aime pas Giao, je lui coupe la
tête. " Alors tout le monde nous aime. »

Giao a aussi son armée — les « B.V.D. [1] ». La solde
est fournie par les Français. Avec la paie prévue
pour un soldat, Giao en a deux — et encore il prélève pour lui près de la moitié du montant. Il a un
commandant en chef qui, lui aussi, prend sa part.
Un jour, Bao-Daï dit à Giao : « Ton chef d'armée
exagère, il se sucre trop. » Giao répond noblement
à l'Empereur : « Sire, je lui ai demandé sa parole
d'honneur. Il m'a juré qu'il était honnête. Sire,
je crois en la parole d'un soldat. » Malgré tout

---

1. B.V.D. : initiales de la milice de Giao.

l'armée de Giao se bat, tue et se fait tuer — au moins dans une certaine mesure. Aussi Giao en est-il très fier : « Quand j'ai parlé à mes hommes, me dit-il, ce sont des tigres. » Peu à peu Giao est hanté par la grandeur militaire, il demande à Bao-Daï d'être le chef de la future Armée vietnamienne. Sa Majesté voudrait bien, mais les Français sont absolument contre. Alors, pour consoler Giao, Bao-Daï le nomme général — le premier vrai général vietnamien — et Giao se fait faire un uniforme de fantaisie, resplendissant, avec un dragon brodé sur chaque manche.

Puis Giao a une autre grande idée : conquérir l'Annam vietminh, les villes et les provinces rouges de Vinh et de Thanh Hoa, avec ses « B.V.D. ». Là encore, les Français refusent, en disant que Giao ferait mieux de pacifier les campagnes autour de Hué, où les Viets sont chez eux. Giao écume. Un jour, il prend une mandarine dans une coupe : « C'est là la preuve. Cette mandarine est d'une espèce spéciale, qui n'existe qu'à Vinh. Les hommes qui ont été capables de me la faire parvenir se soulèveront en masse quand ils sauront que Giao vient les délivrer. Mais les Français ne veulent pas le croire, même quand je leur montre ce fruit. »

L'imagination de Giao est tellement tarabiscotée qu'on ne sait jamais s'il est fou ou génial. La façon dont il s'est débarrassé des « gros Viets » de Hué est une merveille : « Je n'ai pas eu besoin de les tuer, me raconte-t-il. Quand je soupçonne un individu d'être viet, je le mets en prison pour un délit quelconque — puis je le relâche, sans raison. Dès lors, il est suspect au Parti, et il fait du zèle pour sa justification. Je m'arrange pour lui faire parvenir de

faux renseignements, il les donne aux Viets, qui
le liquident dès qu'ils découvrent qu'ils sont erronés.
Si l'individu a de la valeur, je le convoque — je
lui démontre qu'il est " brûlé " à jamais avec les
siens, et je le sauve en le prenant à mon service.
C'est comme cela que j'ai recruté mes meilleurs
fonctionnaires. »

Et Giao ajoute, en me montrant un vieillard bar-
bichu, vêtu à l'ancienne mode, qui pénètre courbé
en deux dans son bureau, par respect : « C'est mon
financier. Il est sans égal pour trouver des procédés
qui font rentrer l'argent. Vous ne pouvez pas savoir...
De plus, il connaît par cœur toute la poésie classique
et pratique le grand art des devins. C'est un initié,
un des rares hommes qui possèdent les secrets véné-
rables de la vraie divination. Mais c'était en même
temps un commissaire politique. Aussi, au lieu de
l'occire ou de le faire occire, je l'ai récupéré, de la
façon que vous savez. Il a tout de suite compris, il
est très fidèle. »

Giao est parfois vraiment fou. Au cours d'accès de
dépression ou de fureur, il s'en va auprès de Bao-Daï
qui lui dit : « Pourquoi me tourmentes-tu et te
tourmentes-tu ainsi? Pourquoi nous rends-tu tous
les deux malheureux? » Si la crise dure trop longtemps, Bao-Daï « dégomme » Giao, le démissionnant.
Mais, au bout de quelque temps, Giao a tellement de
peine que Bao-Daï le renomme gouverneur. D'ailleurs,
l'Impératrice-Mère est intervenue pour lui auprès
de son fils. C'est une vieille Annamite terrible, complètement de l'ancien temps, qui est installée à Hué
dans un petit palais. Elle y a des tables de jeux, et
sa faveur va aux gens qui perdent — Giao perd

beaucoup. Plus tard, il se brouillera complètement avec la truculente et féroce douairière — mais cela n'a pas tellement d'importance, car Bao-Daï a toujours un faible pour Giao. Personne au Vietnam ne sait l'amuser comme lui, n'a de ces-« trouvailles ». Au moment où Sa Majesté est « montée » à fond contre le Président du Conseil Huu accusé de faire le jeu des Français, Giao se fait photographier se contorsionnant par terre, la tête en bas. Et il envoie la photo à Bao-Daï avec cette légende : « Je devrais être le Président du Conseil. Je suis le plus souple. »

Enfin, la question d'argent lie Bao-Daï et Giao. Giao rançonne l'Annam au profit de Sa Majesté — il donne des sommes si fortes à l'Empereur que Mme Giao, une dame perspicace qui habite Paris où elle se trouve fort bien, écrit à son mari : « Tu te dépouilles au point qu'il ne nous restera plus rien. Songe que cela ne durera pas toujours. » Mais Giao, d'une certaine façon, est désintéressé. C'est le fidèle vassal qui fait argent de tout pour son maître. D'ailleurs, quand il dit : « J'aime Bao-Daï », c'est vrai, de toute la cour, il est le seul à être sincère. Il paie donc tout, il n'y a qu'à lui montrer un lettre de Nguyen Dé lui ordonnant de remettre tant à un tel ou de verser tant à telle caisse (car c'est le chef du Cabinet impérial qui écrit, Sa Majesté ne pouvant se compromettre en aucune façon). Aux remontrances furibardes de son épouse, Giao répond : « Sa Majesté est au pouvoir pour toujours; et même si elle devait jamais l'abandonner, elle ne nous laisserait pas tomber. » Dans son inquiétude, Mme Giao vient faire une courte visite à Hué pour prêcher la sagesse à Giao, mais elle n'aboutit à rien.

Le « système Bao-Daï », à son apogée, c'est une
poignée d'hommes autour de la complexe Majesté.
C'est Nguyen Dé, le petit machiavel du Cabinet
impérial. C'est Baivian le gangster, qui exploite le
Grand Monde à Saigon à son profit et à celui de
Bao-Daï, et qui finira par être chef des Polices et
des Sûretés. Ce sera plus tard le général Nguyen
Van-hing, un autre « numéro » qui « fera » une armée
vietnamienne un peu trop à l'image de Bao-Daï.
Et c'est tout le temps Giao, l'homme le plus près
de l'Empereur. Il arrivera même à réaliser ses
ambitions militaires. Car, dans quelques années
il sera le chef de l' « opération Atlante », le grand
dessein, l'ultime dessein du général Navarre au
moment où tout va craquer à Dien Bien Phu. Il
sera chargé — lui qui l'avait tant désiré — de prendre
l'Annam rouge. Il aura pour cela d'immenses moyens.
La dernière chance de l'Indochine sera mise aux
mains de Giao et il la gâchera. On aura vu trop tard
qu'il était plus un clown qu'un génie.

LA GLOIRE DE SA MAJESTÉ

Avec son « système », Bao-Daï réussit finalement
ce tour de force : convaincre qu'il est l'indispensable.
Son peuple le rejette, mais le monde entier s'est mis
à « croire » en lui. Bao-Daï est un axiome de la politique française, le State Department l'a adopté,
et le Haut-Commissaire britannique en Malaisie,
le sémillant Malcolm MacDonald, chante ses louanges.
Cela se passe toujours de la même façon. Tout
nouveau venu en Indochine subit la séduction impé-

riale, est capté par le charme de Bao-Daï, est ébloui
par l'intelligence de Bao-Daï. Ministres, généraux,
hauts fonctionnaires, parlementaires, nul n'échappe
à Bao-Daï. Alors, il en profite pour pousser ses
avantages. Il rétablit les apparences de l'Empire
— de plus en plus il est la Majesté, et toute critique est inexpiable. Le Gouvernement est définitivement écrasé par le Cabinet impérial. Quand il
y aura une Armée vietnamienne, Bao-Daï en fera
sa « chose ». Tout d'abord, il grossit de plus en plus
sa garde impériale, et ce régiment de prétoriens
magnifiques sert à beaucoup de petites besognes.
Il s'est fait donner, à lui personnellement, un
immense « Domaine de la Couronne », comprenant
tout le Haut-Tonkin et aussi ces immenses plateaux
moi où il continue de vivre, nonchalant, voluptueux
et vigilant. Il a abattu ses ennemis un à un. Sa
fortune est faite. Il a des plantations, une flotte
aérienne aux couleurs impériales, privilégiée et
intouchable (célèbre par ses trafics, la beauté des
hôtesses, le culot des pilotes, de bons garçons qui
transportent n'importe quoi : des filles, de l'opium,
des devises, tout ce qui plaît à Sa Majesté ou qui
leur plaît) et des milliards placés dans le monde
entier. Baivian, Giao travaillent à lui faire encore
plus d'argent. Les Français continuent de l' « action-
ner » par des transferts, des licences d'exportation,
des « indemnités ». Le domaine de la Couronne
— avec son budget truqué — est d'un grand rapport.
Mais le budget entier du Gouvernement vietnamien
est lui aussi falsifié au profit de Bao-Daï; en plus de
la liste civile officielle, y sont inscrites toutes sortes
de dépenses fictives, qui cachent en réalité des

surplus, des extra pour Bao-Daï. Par exemple, si,
dans le chapitre des Travaux publics, on prévoit
la construction de quatre ponts, trois seulement sont
mis en chantier, le quatrième devenant de l'argent
de poche pour Sa Majesté. Tout nouveau Gouvernement vietnamien doit s'engager à ne « toucher » ni
à Baivian ni à Giao et à ne gêner en aucune façon
les finances bao-daïstes. L'influence de Bao-Daï se
paie toujours plus cher. Et quand l'aide américaine
vient s'ajouter aux milliards versés par les Français,
elle aussi, en partie, aboutit à Sa Majesté par des
chenaux invisibles. Pour les placements et la gestion,
Bao-Daï est conseillé par les meilleurs experts,
depuis Franchini jusqu'à la Banque d'Indochine.
Car si l'Empereur est parfois en mauvais termes avec
les représentants politiques de la France, il a toujours les relations les plus amicales avec les grands
manieurs de piastres et les messieurs de la haute
finance : c'est la compréhension réciproque et permanente.

Mais tout ce renforcement ne sert à rien, car Bao-
Daï est de plus en plus coupé du peuple et de toute
réalité vraie. Le « système Bao-Daï » mène au néant,
puisque, au bout, il n'y a que Bao-Daï — un Bao-
Daï qui se refuse à l'action. C'est ainsi qu'un de ses
familiers m'explique l'Empereur : « Pour comprendre
Sa Majesté, il faut la voir jouer dans un casino.
Bao-Daï regarde longuement la partie sans y parti-
ciper. Il est à la recherche du joueur qui perd sur
un même numéro et qui, à force de perdre, renonce.
Quand il s'en va, Bao-Daï mise une somme énorme
sur ce numéro et gagne. » Car c'est bien cela l'essence
de Bao-Daï : croire en une subtilité supérieure qui

permet à l' « intelligent » de faire un coup. Mais où
cela conduit-il Bao-Daï au Vietnam puisque, coup
après coup, il n'est toujours qu'un joueur, qu'il ne
peut être un homme autre?

Qui ne sait que toute cette « gloire » impériale est
fragile? Chacun de ses succès laisse Bao-Daï plus seul,
plus enfermé dans son nihilisme. Il triomphe, mais
il est entouré par le vide, il n'a rien sur quoi s'appuyer.
C'est ce qu'il veut, il confie que sa tactique est géniale,
mais d'autres jours il pressent qu'elle lui sera fatale.
Il ne peut rien contre lui, il ne change pas, il est
poussé par une nécessité interne irrésistible.

Quand Bao-Daï a tout gagné, c'est qu'il a tout
détruit. Dans le Vietnam impérial, il ne reste finalement, au milieu des ruines de toutes les politiques
et de toutes les idéologies, que la superstructure
artificielle du « système » et cela ne suffit pas. Chaque
coup gagnant de Bao-Daï le rapproche de sa perte
et de la défaite de tous.

Bao-Daï entraîne toujours plus les Français avec
lui. Combien d'hommes ont essayé de le pousser à
l'action par la douceur d'abord, par la contrainte
ensuite. Mais c'est toujours l'échec, car Sa Majesté
est un redoutable partenaire. Et cela durera de cette
façon jusqu'à Dien Bien Phu.

Bao-Daï fait avec les hauts-commissaires et les
généraux français comme avec ses propres chefs de
gouvernement : il les use. C'est la même courbe de
l'usure. Quand le Français en place au Palais
Norodom est usé, il s'en va. Et avec son successeur,
c'est d'abord la « lune de miel ». Sa Majesté est toute
compréhension, toute bonne volonté, et le nouvel
arrivant s'en promet des merveilles : il se dit que

lui saura être son mentor. Aussitôt, il lui accorde quelques satisfactions (car Bao-Daï est toujours demandeur). Sa Majesté empoche, mais rien ne change. La période d'harmonie se termine rapidement. L'arrivant, qui n'est plus si nouveau, se permet de donner quelques conseils à Sa Majesté. Quand il passe aux récriminations et aux observations, c'est la brouille : le Français furieux refuse à Sa Majesté quelques avantages auxquels elle tient, et Sa Majesté disparaît dans la jungle où elle chasse. Bao-Daï fait la grève perlée, et tout le « système bao-daïste » se met au point mort. Alors le Français est déchaîné : il dénonce Bao-Daï à Paris. Mais justement Bao-Daï prévient Paris en confidence « qu'il ne répond plus de rien si ce Français n'est pas changé ».

A Paris, l'Empereur a son « lobby ». Il y distribue ce qu'il faut comme argent. « Son » argent qui est d'abord celui des contribuables français puisque l'argent qu'ils ont versé pour la Guerre d'Indochine est passé par grosses bouchées dans la trésorerie impériale. Sa Majesté en renvoie une partie en France pour « convaincre » quelques Français influents. Finalement Bao-Daï arrive à se débarrasser du « gêneur », et tout le cycle recommence avec le remplaçant. C'est encore une « lune de miel », et le successeur accorde aussitôt à Sa Majesté ces petites faveurs que le prédécesseur, en sa rage finale, s'était mis à refuser. A Paris, le seul commentaire, c'est : « Bao-Daï n'est pas parfait. Mais que faire? On n'a personne à mettre à sa place. »

Et c'est ainsi que les Français vont vers l'abîme, à cause de Bao-Daï. C'est d'autant plus dramatique que, bien souvent, il « voit » bien mieux qu'eux — il

a même un véritable don de « vision ». Souvent, bien
mieux que les Français il comprend la véritable
situation — il connaît l'implacabilité de la Chine
rouge, le pourrissement intérieur du Vietnam, les
hésitations américaines, les illusions, l'incapacité, le
manque de résolution des Français. Très souvent
aussi, des mois, des années avant tout le monde, il
recommande les bonnes solutions. Et puis il hausse
les épaules : « Cela ne servira à rien », dit-il. Et si cela
se fait quand même, il corrompt tout. Quand, plus
tard, il aura son Armée nationale, il fera des généraux
et des colonels de vils courtisans. Tout sera magnifique à l'extérieur; mais à l'intérieur Bao-Daï fera
régner cette bassesse, cette lâcheté qu'il aime d'autant
plus qu'il sait voir ce qui est grand.

Le « système » durera encore des années. Mais déjà
au printemps de 1950, quand Bao-Daï demande
narquoisement, avec un peu de peur aussi, à Pignon :
« Que pensez-vous de la présence des Chinois rouges
à la frontière? », le Haut-Commissaire sait qu'il sera
seul en face du danger. Bao-Daï, en dépit de la chance
qu'il a toujours eue, ne peut plus aider, ne peut que
nuire.

A Pignon, le civil, le bon fonctionnaire, le catholique un peu jésuitisé, le Blanc un peu asiatisé, le
spécialiste en politique et en police, il ne reste rien :
sauf la force pure, les mercenaires du général Carpentier. Désormais il est dépassé, il est le spectateur
de la guerre qui commence entre un Corps Expéditionnaire et une Armée populaire faite à l'image
de ces armées de Mao, issues de la masse et victorieuses des Japonais et du Kuomintang.

Pignon se sent impuissant : il pense à démissionner.

Le doute le ronge. Le Commandement français est encore optimiste, mais déjà la frontière craque. Est-ce que, militairement aussi, le général Revers aurait raison?

LE « HÉRISSON » DE CAOBANG

Le drame de la frontière commence.

Avant même que ne se soit fait sentir la puissance de la Chine rouge, avant que les armées de Mao ne soient complètement installées à la frontière, avant que la force de choc de Giap ne soit prête, le Commandement français s'est enfin décidé à appliquer le Plan Revers que l'on avait jeté au panier. Mais il l'a fait avec des mois de retard et très partiellement — comme une demi-mesure qui ne fera qu'augmenter le gâchis. On procède secrètement, honteusement, en parlant d'une « rétraction du dispositif ».

On évacue la R.C. 4, mais seulement un bout. On replie tout ce qui est au-delà de Caobang, les positions absolument impossibles, trop lointaines, perdues en pleine nature, comme Traling, Nguyen-Binh, Bac-Kan, Anlai. On abandonne le mince ruban de la R.C. 4 elle-même sur quarante kilomètres, entre That-Khé et Caobang. Mais, dans cette jungle laissée aux Viets, on maintient deux « hérissons » — deux places fortes complètement isolées par terre et reliées au reste du monde uniquement par air, par des aérodromes et des ponts aériens. Il s'agit de Caobang même et de Dong-Khé.

On y était resté aussi longtemps que possible. A Caobang, le colonel Simon disait : « Moi, je ne veux pas replier un seul homme, abandonner un seul mètre de terrain. » C'était le fameux colonel avec une balle dans la tête. Mais son obstination farouche, ce qu'il faisait subir à lui-même et à ses hommes, avait été vain. Il avait fallu quand même amener le drapeau français de son mât, faire sauter des postes, ramener à l'arrière des garnisons assiégées, affamées, impuissantes. On ne pouvait plus tenir. On était arrivé à l'absurde, au système « du serpent qui se mord la queue ». Tout se réduisait à des postes pour protéger les convois, à des convois pour ravitailler les postes. Les hommes s'épuisaient à ces tâches — ces postes, ces convois. Il ne restait plus d'effectifs pour faire des opérations, repousser l'ennemi un peu plus loin. Les Viets faisaient ce qu'ils voulaient. Et il devenait de plus en plus impossible de ravitailler Caobang par la route.

Finalement, la situation est si mauvaise que l'on en a vent à Saigon. Un jour, on envoie à Langson un super-colonel, un scientifique, un stratège du nom de R..., pour aider le bon colonel-soudard Vicaire, qui commande normalement la frontière.

— Je vais vous montrer, dit R... à Vicaire, comment on établit un système rationel de logistique à travers la jungle; après ça, vous n'aurez plus d'ennuis.

Le super-colonel organise un super-convoi, avec un superbe déploiement de troupes, de matériel et d'engins; tous les « mouvements » sont chronométrés à la seconde près. L'immense colonne, progressant longuement, de façon méthodique et savante, arrive intacte à Caobang, sans même un blessé.

Au moment où la pluie de décorations va s'abattre

sur les héros de l'exploit, le rustique Vicaire demande
à R... :

— Quel est donc le but d'une opération de ravitaillement?

— Mais de ravitailler !

— Dans ce cas, l'affaire est ratée. Votre convoi
était si lourd, si lent, qu'il a bouffé en chemin tout
ce qu'il devait amener. Ainsi, au lieu d'apporter
de l'essence, il faudra qu'il en prélève sur les maigres
stocks de Caobang pour pouvoir rentrer à Langson.

A Caobang, à la fin, c'est avec terreur que la garnison voit arriver les camions des convois : leurs équi-
pages, elle les appelle des « sauterelles »; car, après
avoir épuisé tous leurs vivres à l'aller, ils « tapent »
dans le rata des légionnaires !

Finalement, on se « rétracte » donc. C'est A...,
l'administrateur de Caobang, qui me l'apprend.
A cette époque, je le rencontre dans la rue, à Saigon.
Ce n'est plus du tout le farouche broussard en kaki
mais un dandy en complet colonial à nuance pétrole.
Il est un peu plus chauve, mais toujours en pleine
vigueur, avec de grands rires et de grandes dents.
Il me raconte :

— Moi aussi je suis évacué. Comme les femmes,
les marmots et les vieillards de Caobang. Il y a eu
un ordre de l'autorité militaire pour ramener sur
Langson tous les civils non absolument indispen-
sables. Je n'ai pas été jugé nécessaire. N'ont été
autorisés à rester que quelques centaines de commerçants et quelques dizaines de putains. Et j'ai fait
le dernier convoi de Caobang, celui de l'exode populaire.

« Dans la cité, il n'y a plus — outre les derniers

boutiquiers — qu'un millier de tabors et de légionnaires. Quand je suis parti, ils s'organisaient comme
pour un siège permanent. Ils creusaient des tranchées,
ils abattaient des maisons — ils posaient partout
des mines et des barbelés. C'était la dévastation
de mon pauvre Caobang, de cette ville que j'avais
faite, qui était devenue si belle. Mais les soldats
avaient l'air de s'amuser beaucoup à leur nouvelle
installation — ils avaient l'air parfaitement heureux.
Et pourtant ils n'étaient déjà plus que des morts-
vivants, des hommes derrière des mitrailleuses,
condamnés à être emportés par l'assaut viet quand
Giap en donnerait l'ordre, quand des dizaines de
milliers de réguliers s'élanceraient. J'avais pitié
de leur insouciance, je l'admirais aussi. Car enfin
ils n'avaient rien à espérer, avec seulement un mauvais aérodrome pour les relier au reste du monde.

« Je savais que je sauvais ma vie en partant. Déjà,
toute l'année 1949, cela avait été l'agonie de la
R.C. 4. Chaque convoi était devenu une bataille
toujours plus dure, toujours plus longue. Ce n'étaient
plus seulement les embuscades — maintenant les
Viets faisaient front, ils barraient. Pour chaque
convoi, il fallait engager toutes les forces de la frontière dans une vraie guerre. Ça durait des semaines
— il fallait conquérir chaque piton l'un après l'autre,
il fallait conquérir chaque mètre de route.

« Un jour, on n'a plus pu passer. J'étais là, dans
ma jeep. Plusieurs milliers de Viets étaient incrustés
à même le sol, au col de Luong-Phaï, entre That-Khé
et Dong-Khé. Après une semaine d'assauts sans arrêt
pour les débusquer — et on attaquait par bataillons
entiers —, le colonel Vicaire m'a dit : " On ne peut pas

déboucher. J'ai tout essayé. J'ai fait donner tous mes moyens. Les Viets sont toujours accrochés à leurs trous. " En dessous du col, le convoi embouteillé attendait vainement. Alors, pour le faire passer malgré tout, on a tenté un expédient désespéré. Ça a été possible parce que l'ennemi n'occupait pas la route elle-même, où on aurait pu le bombarder : il était dans les grottes de la montagne, d'où il contrôlait la chaussée avec des dizaines de mitrailleuses. On a décidé que chaque véhicule tenterait sa chance — il s'élancerait seul, sans protection, sur la R.C. 4, jusqu'au-delà du col. Et ce n'est que lorsqu'il serait arrivé de l'autre côté que la voiture suivante partirait à son tour; puis ainsi de suite jusqu'au dernier camion.

« Quand ça a été mon tour, car j'ai fait ça avec ma jeep, c'était affolant. Sur les cinq kilomètres de la montée en zigzag, j'ai conduit comme un fou. Il y a eu des giclées de mitrailleuses, il fallait traverser les rideaux de balles cognant sur la chaussée. A chaque instant je me répétais que si j'étais touché, j'étais perdu, sans aucun espoir. Je n'ai pas été touché. Ce jour-là, les Viets ont été surpris; un à un, tous les véhicules ont passé.

« Un mois après, on a recommencé. Quatre-vingt-cinq camions sur cent dix ont été détruits. Ça flambait partout. Désormais la R.C. 4 nous était coupée à Luong-Phaï.

« C'est alors que le Commandement s'est résolu à abandonner la R.C. 4 après That-Khé — elle nous était déjà interdite. Mais alors pourquoi avoir laissé des troupes dans Caobang? Les autorités suprêmes de l'Indochine m'avaient demandé si on pouvait

défendre un " Caobang-Hérisson ". J'avais répondu
" non " dans un long rapport. Mais ces autorités
ont quand même décidé de maintenir là une garnison, pour l'honneur, pour le prestige, pour la garde
des morts, parce qu'on ne pouvait supporter que
les Viets s'emparent de nos tués et de nos croix
blanches. Le haut État-Major est toujours confiant
— il pense simplement que nous avons des ennuis sur
la R.C. 4 mais que ce n'est pas tellement grave.
Il est sûr que nos " hérissons " sont assez forts
pour résister. Mon rapport a été classé. »

Et A..., maugréant, me quitte pour aller prendre
son billet d'avion pour la France — il a un droit à
un congé.

Ainsi, ce n'est pas à la suite d'une analyse — à
cause de l'approche des divisions de Mao par exemple
— que le Commandement a agi. Il a seulement été
forcé par la pure nécessité, parce qu'il n'était plus
possible de passer par la R.C. 4. En fait, autant qu'il
a pu, il a persévéré malgré tout — il n'a renoncé au
système « linéaire » de la R.C. 4 que pour le système
encore plus dangereux du « hérisson ». Il a pris des
risques encore plus grands sans que cela puisse servir
à quoi que ce soit : on était sur la frontière pour la
bloquer; on n'y arrivait absolument pas quand
on tenait toute la R.C. 4, comment pourrait-on le
faire avec deux « hérissons », deux points perdus dans
l'immensité? En réalité, tout est dominé par le
sentimentalisme d'état-major — il y a ces tombes à
Caobang, il y a le général Carpentier qui vient de
prendre le commandement et qui ne veut pas
« reculer », ou le moins possible, il y a le général
Alessandri qui est bien résolu à en découdre avec

les Viets, même en pleine jungle, quand il sera prêt.
Il y a aussi des considérations de haute politique;
il y a M. Pignon qui pense aux fâcheuses répercus-
sions d'un recul au moment où on dit aux Vietnamiens : « Venez avec nous, nous sommes les plus
forts »; il y a le Gouvernement de Paris qui en veut
pour ses milliards de francs.

En somme, on « casse » le général Revers, puis on
fait ce qu'il a recommandé, mais à moitié et si mala-
droitement que l'on s'engage encore plus sur ces
frontières dangereuses, face aux Viets, face aux
Chinois. Car ces « hérissons », on ne va pas pouvoir
les laisser prendre. Mais comment les défendre?
Comme d'habitude, on se rassure par un raisonnement
logique et faux, fabriqué par les Deuxième et Troisième Bureaux pour faire plaisir. C'est très simple.
On reconnaît que les Viets savent se cacher, s'in-
cruster — ils peuvent faire des embuscades et même
« interdire » la R.C. 4. Ce qu'ils ne peuvent pas, c'est
prendre d'assaut des « forteresses », car ils manœuvrent mal et n'ont pas la puissance de feu nécessaire.
Ainsi Carpentier commet l'erreur de tous les commandants en chef qui se succéderont en Indochine jusqu'à
Navarre — de Lattre excepté. C'est de « sous-esti-
mer » les Viets. Et, à cause de cette sous-estimation,
Carpentier « fait » le « hérisson » de Caobang, comme
Navarre fera la « base aéro-terrestre » de Dien Bien
Phu; et ce sera également la catastrophe, pour les
mêmes raisons.

L'ARMÉE NOUVELLE DE GIAP

Car ce qui va surgir soudain — contrairement aux prévisions du Haut Commandement — ce sont des régiments et même des divisions vietminh parfaitement entraînées et armées, redoutables par leur capacité manœuvrière et leur puissance de choc. L'armée régulière de Giap, telle qu'on la connaissait depuis longtemps, était bonne mais encore proche de la guérilla sommaire. Il a suffi de quelques mois aux Chinois pour en faire une « armée populaire de marche », à la Mao Tsé-toung.

Tout s'est passé exactement comme on me l'avait prédit à Monkay, quand j'assistais à l'arrivée des troupes du maréchal Lin Piao sur la frontière. Les Chinois n'ont pas attaqué l'Indochine; à part une fois, il n'y a jamais eu d'incident, d'accrochage avec leurs soldats. Pour le moment, leur prudence redouble : ils se préparent à lancer leurs innombrables divisions dans le Nord lointain, au-delà du Yalou, contre les Américains. C'est déjà une aventure terrible — et les dirigeants de Pékin ne veulent pas d'un second front au sud. Ils savent bien qu'à la moindre intervention directe au Tonkin, les marines et les bombardiers de l'Oncle Sam y seraient aussi. Toute la Chine serait encerclée par la force des U.S.A. — ce serait la guerre générale. Cela, Mao ne le veut pas. A tout prix, il lui faut la tranquillité dans ses provinces méridionales alors qu'il va s'engager en Corée, où il lui faudra tenir à force d'hommes, de sacrifices et de sang.

Mais cela n'empêche pas l'action indirecte. Quels

risques y a-t-il à faire la guerre aux Français impérialistes, alliés aux Américains, si c'est par l'intermédiaire des Vietminh, en les en rendant capables? Ainsi cette Chine si « parfaite » de Mao Tsé-toung reconnaît diplomatiquement Ho Chi-minh dans ses jungles. Ho Chi-minh proclame la mobilisation générale, et la « fabrication » commence. C'est fait à la communiste avec une application minutieuse et féroce d'insectes intelligents — un but a été déterminé, un plan a été établi, des moyens ont été appliqués, et tout cela avec la précision de l'absolu, comme si la défaillance humaine n'existait pas.

Le travail se fait dans une zone mixte, de part et d'autre de la frontière — une zone spéciale. Il se poursuit sur tous les plans. C'est d'abord l'infrastructure — il faut des routes de la Chine vers Ho Chi-minh à travers les provinces arriérées du Kouang-Toung et du Kouang-Si, des « axes de communications ». Pour cela, on rassemble une « masse » humaine, plus de cent mille prisonniers nationalistes et de coolies tonkinois qui besognent avec leurs mains et leurs « petits paniers ». Plus de la moitié meurent, mais, à force d'hommes, quatre voies sont achevées en quelques mois vers toutes les « charnières » de la frontière — vers Laokay, vers Caobang, vers Langson, vers Monkay. Ce sont des voies faites pour les camions et pour les canons.

Après l'infrastructure, il y a le matériel humain. Celui-là, on le rééduque en Chine, dans d'immenses camps comme ceux de Nanning, de Trung Khan Phu, de Montseu. Là, on commence par la « rééducation politique ». Selon Giap, il s'agit d' « élever le niveau idéologique de l'Armée, afin de lier la révolution nationale à la révolution internationale qui est actuellement en plein essor dans le monde entier ». Autrement dit, l'Armée de Giap, qui refusait de se dire communiste, devient une armée rouge comme une autre. Le nationalisme est « popularisé » — c'est désormais le ferment spécifique de la masse, mais ce que l'on appelait le « nationalisme bourgeois » est supprimé. Pour cela, c'est la grande « épuration » au sein des forces armées. Les « impurs », que l'on utilisait jusqu'alors pour leurs capacités techniques, sont remplacés par des « purs » fabriqués massivement dans les camps. La « politisation » est complète. Le commissaire politique est définitivement placé au-dessus de l'officier « militaire ». Le département politique de l'Armée, dirigé par Nguyen Chi-tanh, a prérogative sur l'État-Major général de Giap.

Mais la « rééducation militaire » est aussi intense. Les Vietminh politisés apprennent le maniement des armes modernes, ils apprennent la tactique « chinoise ». Pour eux, la guerre, ce n'est plus désormais de se jeter en hurlant à l'assaut ; c'est de manœuvrer sans cesse en pleine nature, dans le silence, en utilisant au maximum le terrain, sans jamais aucune fatigue, aucun découragement. C'est alors que sont formées les cinq divisions de choc — la 304, la 308, la 312, la 316, la 320 — qui mèneront la Guerre d'Indochine jusqu'au bout, qui la gagneront.

La méthode d'instruction, c'est d' « automatiser » chaque homme avec les quelques gestes, les quelques réflexes nécessaires, de l'en saturer jusqu'à ce qu'il les accomplisse comme au naturel. C'est la fabrication en série de soldats simplifiés et parfaits, complè-

tement insensibles, complètement fanatisés,
ne sachant que ce qu'ils doivent faire mais l'exécu-
tant en robots — même si cela équivaut à un suicide.
Quand un homme est promu, on lui enseigne quelques gestes et quelques réflexes supplémentaires,
strictement déterminés, correspondant à son nouveau
grade. C'est ainsi que sont fabriqués les « cadres »,
le plus simplement possible, le plus efficacement
aussi.

C'est le système de la promotion sans fin pour les
survivants. Chaque « bon » combattant qui n'est
pas tué est, après le combat, reconditionné, resoumis
à une rééducation politique et militaire, pourvu
d'un surplus de gestes et de réflexes — juste ce qu'il
faut pour accéder au rang supérieur. De cette façon,
ceux des Vietminh qui continuent à « s'améliorer »
et qui restent vivants, en dépit des pertes terribles,
arrivent, même les plus simples, aux postes supérieurs. C'est ainsi qu'il y a des colonels vietminh
excellents comme colonels, dans leur partie, et
qui savent à peine lire.

Jamais, dans ce processus, aucune faiblesse n'est
admise. Le sentiment de la peur doit être annihilé,
complètement éteint; par contre l'obéissance et le
zèle sont poussés au degré absolu. Au retour d'une
« campagne », dans chaque unité, les hommes sont
obligés de se dénoncer, de s'accuser, de se repentir.
Ils apprennent à faire mieux, et ceux qui sont incapables de progrès sont punis, éduqués de toutes les
façons ou fusillés.

A mesure que les survivants s'élèvent, les pertes
— celles de la bataille, celle des éliminations politiques et idéologiques — sont comblées au niveau

d'en bas par des guérilleros, des hommes des unités populaires que l'on envoie dans des camps. Là, ils deviennent des soldats réguliers, ils participent désormais au mouvement permanent de la mort ou de l'ascension. Cependant, de la « masse » sont tirés des nha-qués qui, à leur place, deviennent guérilleros des « unités » populaires; et ceux-là, plus tard, à leur tour, iront dans les camps pour être transformés en réguliers.

Pendant cette Guerre d'Indochine, les Français tueront énormément de Viets, des centaines de milliers — pas seulement des irréguliers, beaucoup de réguliers aussi. Mais toujours, en face d'eux, ils en trouveront autant, à cause de ces camps et de leur production en soldats de remplacement. Pour Giap, il n'y aura jamais de problème d'effectifs, car il puisera indéfiniment dans l'insondable plèbe jaune, dans le peuple, dans la multitude des agents, des tueurs, des coolies, des espions; et de ces êtres primitifs il fera des soldats et des officiers redoutables, politiquement éclairés et militairement capables.

Les camps sont des usines dans la jungle. Tout y est si bien organisé qu'une population civile entière a été amenée dans leur voisinage, en pleine forêt, pour cultiver les légumes et le riz qui seront la nourriture des soldats. Les fourmis agricoles font vivre les fourmis combattantes.

Chaque camp est une immense base rouge. Par milliers, par dizaines de milliers, les recrues se succèdent — une foule y devient une armée. On y travaille de jour et de nuit, idéologiquement, militairement, dans des ateliers, dans des « usines » —

chaque soldat doit aussi être un « inventeur », un poète, car c'est la foi qui est la véritable science, qui permet au peuple de tout faire, même des miracles. Et tout cela avec cette lenteur inexorable qui est l'arme de l'Asie, qui est sa surprenante rapidité. Et tout cela dans le secret total, sous le camouflage de la forêt, dans l'immensité de la nature immuable.

Au fur et à mesure que cette Armée de Giap s'instruit sous la direction de conseillers chinois, elle reçoit de l'armement et des munitions de Chine. Deux cents camions « Molotova » roulent sans arrêt à travers la Chine du Sud, depuis Canton, sur ces routes que des hordes de coolies sont en train d'achever. Ils approvisionnent d'immenses dépôts installés à quelques centaines de mètres de la frontière, pour servir de centres de distribution aux unités vietminh rééduquées qui rentrent en Indochine pour « l'action ».

Ce fait que les Viets soient désormais régulièrement pourvus et entretenus va, plus que tout, changer la face de la guerre. Jusqu'alors ils avaient dû se suffire à eux-mêmes. Qu'on imagine leur effort puisqu'ils avaient plus de cent « usines » — des huttes dans la jungle — où ils étaient arrivés, sans aciers spéciaux, presque sans outillage, à produire des mortiers et même des bazookas, qu'ils appelaient des S.K.Z. Que n'avaient-ils pas imaginé? Ils avaient même des « bombes volantes » qu'ils lançaient grâce à des rampes. Pour ces étranges fabrications, ils utilisaient comme matière première les « containers » d'air liquide, de grandes bouteilles en aluminium qu'ils rachetaient à bas prix dans les villes françaises.

Cependant ces engins rudimentaires, qui avaient tellement surpris le Corps Expéditionnaire, étaient déjà très redoutables.

Ce n'était malgré tout que de la « bricole », du bric-à-brac. Et, soudain, la misérable armée de Giap a la même puissance de feu que les troupes françaises — un bataillon viet est équipé d'autant de mitraillettes, de mortiers, de bazookas, de canons sans recul, de mitrailleuses qu'un bataillon du Corps Expéditionnaire. Et ce sont des armes aussi modernes. Et, avec ce « pipe-line » des approvisionnements qui vient de Chine, l'effroyable pénurie en munitions est résolue pour jamais. Le temps est loin où, pour avoir des explosifs, les agents de réseaux vietminh recherchaient la poudre des ouvriers des carrières et même le chlorate de potassium des charcutiers — celui qui leur était alloué pour la conservation des jambons. A cette époque, les Viets ramassaient soigneusement chaque bombe de l'aviation française qui n'avait pas explosé, comme une source de matière première précieuse. Il y avait même chez eux des plongeurs qui, en pleine mer, récupéraient les stocks immergés d'obus japonais. Maintenant c'est par tonnes que les camions Molotova amènent jusqu'à la frontière les balles, les bandes de mitrailleuses, les mines, les grenades, les obus à ailettes des mortiers, les charges des bazookas. Auparavant les Viets ne pouvaient tirer qu'avec la parcimonie la plus extrême, à coup sûr. Désormais, eux aussi font un feu d'enfer.

Les Chinois fournissent aux Viets autant qu'ils peuvent absorber — l'absorption étant la seule limite. D'une certaine façon, les Viets sont même mieux

outillés que les Français pour la guerre de jungle,
car ils n'ont que des armes légères et meurtrières —
celles que des hommes peuvent toujours porter,
même sur les pistes les plus vertigineuses des massifs
et des forêts. D'ailleurs, avec les soldats, il y a des
colonnes sans fin de coolies qui charrient sur leur
dos tout ce qui est nécessaire pour le combat. Tout
est prévu pour la mobilité dans la nature, l'invisibilité et la surprise — mais désormais sur une immense
échelle. Tout est conçu pour les approches secrètes,
les longues marches, les attaques foudroyantes et
imprévisibles, et aussi pour les disparitions soudaines
en cas d'échec ou d'épuisement.

Les Français n'ont plus que la supériorité en armes
lourdes. Les Viets n'en ont presque pas, à quelques
canons près. D'abord parce qu'ils ne sont pas en état
de les utiliser — il leur faut cent hommes pour servir
une seule pièce de 75. Et puis parce qu'ils n'en veulent
pas, pour le moment : leur tactique, c'est la fluidité
conjuguée avec le « choc », au moyen d'hommes qui
surgissent et crachent le feu. Et cela doit compenser
largement les canons, les avions, les tanks des Français esclaves de leurs engins — ces engins faussement
terrifiants qui n'arrivent pas à écraser la nature
tropicale et les Viets qui y opèrent, ces engins qui
sont aveugles.

A l'été de 1950, les divisions de Giap sont presque
prêtes — les Français en sont informés. Ce qu'ils
ignorent, c'est qui les commande vraiment, qui les
mènera dans la guerre, et comment. Leurs deuxièmes
bureaux disent beaucoup que les plans sont faits
par des généraux chinois et russes. On donne des
noms, comme celui de Chen Keng. Il est établi qu'il

y a auprès du commandement viet une mission militaire chinoise de trois cents membres, comprenant des « conseillers » importants. Il y a aussi quelques experts russes. Mais qui décide en dernier ressort, on ne le sait pas. On est là dans le mystère qui baigne toujours le communisme à partir d'un certain niveau, on est là dans le nuage impénétrable des hautes sphères rouges.

Peut-être le « patron » de la guerre est-ce tout simplement ce Giap qui, dans sa jeunesse de pion à Hanoï, était passionné par les campagnes de Napoléon? En tout cas, dans son uniforme sans insigne, de la hutte qui lui sert d'état-major, il se présente au Vietnam entier comme l'homme qui va frapper et triompher. Ce n'est pas une promesse, c'est la certitude. A sa façon, Giap est humble aussi. Car, dans ce qui va arriver, il ne s'agit pas de son génie mais de la dialectique qui est infaillible et qui mène à cette « solution correcte » : le peuple vaincra avant six mois. Et cela, il le démontre dans un rapport de cent pages, où tout est analysé. Ce chef-d'œuvre de logique, c'est le document capital de la Guerre d'Indochine.

Le raisonnement est simple. Les Français font la course de vitesse de la Pacification, les Viets font la course de vitesse du Choc. Le Corps Expéditionnaire se répand sur le Vietnam — mais l'Armée Populaire, dès qu'elle sera prête, se lancera massivement à l'assaut. La décision devra être remportée dès la mousson terminée, à l'automne, en tout cas avant le début de 1951. Car il n'y aura jamais d'occasion aussi favorable qu'en 1950 : en effet, l'aide chinoise au Vietminh a largement devancé l'aide américaine

aux Français. Aussi l'Armée Populaire s'est constituée en un puissant corps de bataille moderne, alors
que le Corps Expéditionnaire est resté faible, ayant
à peine commencé à se regrouper et à toucher son
premier matériel U.S.

Giap écrit exactement : « La puissance française
s'accroît peu, cependant que la nôtre augmente
chaque jour. Mais il faut faire vite, car si nous laissons
à l'ennemi le temps de se réarmer et de se réorganiser,
nos difficultés seront immenses. » Et Giap poursuit :
« Nous allons commencer la troisième phase de notre
guerre. Il y a d'abord eu la guérilla spontanée,
puis la guérilla organisée. Maintenant, nous allons
passer de la défensive à l'offensive par la guerre de
mouvement. Dans la contre-offensive imminente,
nos troupes auront à encercler l'adversaire et à le
réduire à merci jusque dans ses centres vitaux.
Il faut que dans quelques mois soient définitivement
liquidées les dernières bases de la résistance colo-
nialiste. »

C'est bien le tout pour le tout, car l'aide chinoise
ne résout pas le manque de riz. Au contraire, il y a
une telle disette en Chine du Sud que ce sont les Viets
affamés qui doivent fournir du riz aux Chinois encore
plus affamés. Et Giap sait que les deltas lui échappent
de plus en plus.

Mais Giap a confiance. Il procède très méthodiquement. Ainsi, dès que des troupes ont été « rééduquées » dans des camps, il les envoie en manœuvre
dans le Haut-Tonkin. C'est déjà pour faire des
« coups » contre les Français, pour les attaquer
dans leur moral. Mais c'est surtout de l'entraî-
nement pratique, des exercices, l'application sur

le terrain des leçons apprises, la répétition générale
de ce qui se fera bientôt, en grand.

LES COUPS DE SEMONCE

Tout au cours du printemps, le destin multiplie
les coups de semonce.

Il en faut beaucoup pour réveiller le Commandement français de sa béatitude. Le général Carpentier
écrit le 21 mars 1950, dans une instruction personnelle et secrète : « La situation au Tonkin s'est
nettement éclaircie depuis plusieurs mois. » Il se
réjouit même que les forces de Mao s'emparent de
Hainan — en attendant de prendre Formose. La
liquidation des derniers refuges nationalistes, c'est
pour lui la consolidation d'une « bonne » Chine
communiste. Car, une fois stabilisée, satisfaite,
elle va pouvoir se consacrer aux tâches de sa recons-
truction intérieure, elle va vouloir la paix partout.

La conquête de Hainan s'est faite avec une facilité dérisoire. Ces communistes chinois, qui s'arrangent pour apparaître si peu, ont surgi soudain sur
les petites criques de la côte du Kouang-Toung;
des jonques ont emporté quelques milliers de soldats
rouges, et des dizaines de milliers de nationalistes
se sont rendus sans combattre.

Pour Saigon, c'est plutôt une bonne nouvelle.
Et pourtant que l'on regarde la carte : Hainan
commande tout ce golfe du Tonkin au fond duquel
se trouvent le delta, sa fourmilière humaine, les
grandes villes, les jungles et les montagnes où se
battent les Français. C'est une menace terrible.

Désormais les forces françaises du Tonkin se trouvent virtuellement prisonnières, comme prises dans
une trappe. Que les armées communistes enfoncent
la R.C. 4 et surgissent devant Hanoï, le Corps
Expéditionnaire ne pourrait plus être évacué par
mer vers Saigon — Hainan servirait de verrou.

Mais le leitmotiv des états-majors français, c'est
que Mao est toujours de bonne volonté. Aussi
Carpentier est-il surpris quand il « reconnaît » Ho
Chi-minh et sa « République Populaire du Vietnam ».
C'est alors que le Commandant en chef, lent d'esprit,
commence à s'inquiéter quand même.

Du côté des Chinois, tout va bien cependant :
après la capture de Hainan, les armées de Mao ne
bougent plus. La frontière est calme, anormalement
calme. Mais c'est alors que l'on découvre les armées
de Giap, plus loin, dans le Nord-Ouest, près de Laokay
et dans la vallée du Fleuve Rouge — vaste zone où
elles sont venues s'entraîner avant de se retourner
contre la R.C. 4. On découvre aussi l'impuissance
du Corps Expéditionnaire à s'opposer à elles dans
la jungle; mais cette découverte-là se perdra dans
les synthèses destinées aux états-majors.

C'est pourtant le vrai tournant, totalement
inconnu, de la Guerre d'Indochine. La chute du poste
de Pholu, dans la vallée du Fleuve Rouge, annonce,
à la façon dont elle s'est produite, tout ce qui va se
répéter indéfiniment dans les années suivantes.
C'est la démonstration de méthodes contre lesquelles
on ne pourra pas grand-chose.

Pholu, c'est ce qu'on peut imaginer de plus isolé,
de plus éloigné, de plus oublié, de plus écrasé par
l'exotisme : le poste en rondins au bord de l'énorme

nappe d'eau, sans rien d'autre que la forêt infinie sur des centaines de kilomètres. Il n'y a rien, que la solitude, la sylve impénétrable et le Fleuve Rouge redoutable qui coule dans sa vallée maudite, ce gigantesque sillon tout droit, plein de fièvres, presque sans hommes. Tout était infiniment tranquille depuis infiniment de temps. C'est là qu'un jour Giap a lancé sa première offensive massive et minutieuse — avec des dizaines de bataillons, avec une division entière brusquement surgis de la forêt. La division, c'est la 308, la plus fameuse, la plus terrible. C'est la première fois qu'elle agit, mais elle va devenir le cauchemar du Corps Expéditionnaire, élément de choc de toutes les grandes batailles de l'avenir — elle portera le coup de grâce à Dien Bien Phu.

A Pholu, c'est la nouvelle guerre de Giap, la guerre puissante et scientifique. Comme avant il y a des Viets partout, mais ceux-là sont constitués en unités puissantes, qui attaquent et manœuvrent avec une science infinie du terrain, selon des principes où la technique militaire s'allie implacablement à la dialectique rouge. D'abord, en dix jours d'assaut continu, les bataillons de Giap prennent d'assaut les crêtes qui surplombent la cuvette de Pholu. C'est ensuite le « matraquage », l'écrasement du poste au fond de son trou par des bazookas, des mortiers, des canons sans recul, tout un armement qu'on ne connaissait pas aux Viets, qu'on n'imaginait pas qu'ils puissent avoir. C'est l'organisation parfaite. Avant de commencer le bombardement, les Viets avaient creusé, pour leurs pièces et leurs munitions, des réseaux entiers d'abris sur les sommets calcaires couverts de jungle : ils sont camouflés, indestruc-

tibles, indétectables pour l'aviation. Et tout le temps
que dure la bataille, « la logistique » rouge des
colonnes de coolies, allant et venant depuis les dépôts
de la frontière, fonctionne comme un mouvement
d'horlogerie. Il y a aussi les convois de sampans sur
le Fleuve Rouge, eux aussi réglés comme des méca-
nismes.

Face à une division entière, Pholu est tenu par
une compagnie qui se bat admirablement. Le Commandement fait d'ailleurs son possible pour le sauver,
le secourir. Comme d'habitude, on largue des
« paras », mais ils ne peuvent rien. Alors, de Laokay,
on fait partir une colonne de secours, mais elle
n'arrive pas, elle s'égare dans les montagnes. Et,
dans la scène finale, le poste flambe, il est grillé par
les Viets qui s'en emparent et puis s'en vont.

Le vrai drame, c'est que le Commandement ne
comprend pas. Tout lui est inexplicable. Tout ce
qu'il fait, c'est d'accuser les « paras » de lâcheté —
non seulement ils n'ont pas sauvé le poste, mais,
pour se sauver eux-mêmes, ils ont abandonné leurs
morts. Et c'est un crime impardonnable aux yeux
du général Carpentier.

Leur chef, le lieutenant Planey, m'a expliqué ce
qui lui était arrivé, ce qu'il avait été obligé de faire,
son horrible cas de conscience, la honte qui l'avait
poursuivi pendant des mois :

— On ne nous avait pas lâchés sur le poste lui-
même, mais dans la jungle, à une trentaine de kilomètres, de l'autre côté du Fleuve Rouge. Nous étions
en tout cent quinze hommes du 3e B.C.C.P. Nous
avons marché des heures sur la piste jusqu'à la
berge, en face de Pholu qui tenait encore — mais

nous-mêmes sommes tombés en plein dans le dispositif viet, un dispositif formidable. Quinze bataillons
attaquaient Pholu, mais deux bataillons avaient été
laissés sur la rive où nous étions. Ils se sont immédiatement refermés sur nous, courant et tirant. Nous
étions « en l'air », presque dans la nasse. Nous ne
pouvions pas résister, il fallait fuir par le « trou »
qui existait peut-être encore. Nous avons détruit
notre équipement, nos bagages, presque tout le
matériel radio pour aller plus vite. Mais nous n'allions
pas assez vite, pas assez. On voyait d'innombrables
Viets, ceux de l'autre rive, traverser le fleuve pour
se joindre à la curée — ils passaient par un gué, de
l'eau jusqu'au cou, tenant leurs fusils en l'air, au-
dessus de leurs têtes. Alors j'ai pris ma dramatique
décision : celle d'abandonner nos morts, les laissant
couverts de feuillages sur le bord d'une piste. Nous
avons continué un peu plus rapidement, mais en
continuant à soutenir nos blessés. Ça nous retardait.
Les Viets, par bataillons, se resserraient de plus en
plus sur nous, de tous côtés. Ce qui nous a sauvés, ce
sont six avions de chasse qui ont aperçu les panneaux
blancs que j'avais fait étaler; en descendant plus
bas, ils ont vu les masses de Viets, des milliers
d'hommes à nos trousses, et il les ont mitraillés et
bombardés. Là-dessus la nuit est arrivée, et nous
avons pu nous faufiler sur une hauteur; de là, nous
avons réussi à « décrocher », à arriver jusqu'à Laokay.
La « campagne » a duré trois mois encore, terribles.
J'avais assuré le salut de mes hommes, mais ce que
j'avais fait était jugé déshonorant. Je ne cessais de
répéter à mes chefs : « Les Viets ne sont plus les
mêmes, ce sont des mauvais », mais on ne me croyait

pas. Mes supérieurs me disaient : « Votre moral a
lâché. Voyez ce qui est arrivé à Nhado. »

« C'est vrai que Nhado, un poste tout pareil à
Pholu, lui aussi attaqué par toute la 308, a été sauvé.
Pour ça, on a parachuté directement, en plein dessus,
un bataillon entier, le 5e B.C.C.P., plus une compagnie de mon 3e B.C.C.P. Les Viets ont pris peur, je
ne sais pourquoi, de ce larguage massif, car ils
auraient pu écraser tout ça comme ils l'auraient
voulu. Remarquez que la victoire a été brève. Quelques jours après, toute la garnison recevait l'ordre
d'évacuer cette position intenable — mais le repli
avait été fait pour des raisons stratégiques et non
pas sous la pression directe de l'ennemi. Aussi
l'honneur était sauf, et les illusions intactes.

« Au début, les patrons paras étaient incrédules,
eux aussi. Pourtant, malgré eux, il leur a fallu se
rendre compte de la réalité, au moins un peu. Ça a
commencé par mon propre capitaine du 3e B.C.C.P.,
Cazeaux, qui, arrivé tout " gonflé " à Laokay avec
deux compagnies, est parti en colonne pour dégager
un poste du nom de Banlao : ça a été un miracle
s'il en est réchappé. Lui aussi était tombé sur des
Viets par bataillons entiers. Très simplement, il m'a
dit : " Planey, vous avez raison. Ces Viets-là, je n'en
avais pas idée. " Ça a continué par un certain colonel
Daboval. Lui ne comprenait pas du tout. C'était
un officier supérieur de Saigon. Chaque jour, des
messages lui apportaient des nouvelles surpre-
nantes : des bataillons viets partout, presque tous les
postes du Fleuve Rouge abandonnés, les garnisons
et les unités françaises repliées dans les montagnes
de Pakha, une région sûre avec des milliers de parti-

sans mans et méos [1]. Le colonel se dit : " On dirait que mes paras ont peur des Viets. Je vais moi-même aller leur passer un terrible savon. " Aussitôt dit, aussitôt fait : il a sauté à Pakha, prononcé des discours terribles et a voulu rentrer à Saigon. On lui a fait observer : " C'est impossible. Il y a cinq bataillons viets sur les pistes menant à Laokay, là où est le plus proche aérodrome. On ne peut pas passer. " Le colonel a tempêté, puis s'est aperçu que c'était sérieux. Finalement, on s'en est débarrassé en achetant un champ de pavots et en faisant un petit terrain où un Morane est venu le chercher.

« Malgré tout nous étions près de deux bataillons paras encerclés dans la région de Pakha par la division 308. Cette situation exaspérait le Commandement. Il nous a donné l'ordre de passer de vive force à travers les Viets et de rejoindre Laokay. Pour ça, il fallait d'abord prendre Baonai, un gué que l'on ne pouvait éviter. On a essayé une fois, ça a été une déculottée. On a essayé une seconde fois avec des forces supérieures et ça a été une déculottée encore plus grande. On est rentrés à Pakha. Heureusement, la division 308 est partie d'elle-même en avril, remontant vers la R.C. 4, après cette période d'essai, pour des tâches nouvelles et plus importantes. Mais, pour le Commandement, c'était un signe de l'échec ennemi, de son impuissance. Tout était donc très bien, tout était " conforme ", sauf l'extraordinaire " défaillance " des paras. »

1. Les Mans et les Méos sont des peuplades aborigènes occupant les sommets de la Haute Région tonkinoise. Ils ont fourni de nombreux partisans à l'armée française.

Ainsi pendant des mois des bataillons de Giap
ont pris des postes, non plus à la faveur de charges-
suicides ou de ruses, mais à la suite d'investissements
lents, implacables, réduisant progressivement les
défenseurs à l'impuissance, empêchant les secours
extérieurs d'arriver, menant avec certitude à la
victoire rouge. Ainsi, pendant des mois, des bataillons de Giap ont, sur les pistes et les crêtes de la
jungle, complètement dominé les faibles colonnes
françaises lancées dans la nature, les contraignant
à des fuites humiliantes pour échapper aussi à
l'anéantissement. Et tout cela s'est fait sur des
superficies considérables, sur des centaines et des
centaines de kilomètres, dans d'immense secteurs —
pas seulement sur le Fleuve Rouge, mais jusqu'à
la Rivière Noire, à une centaine de kilomètres d'Hanoï,
dans la région de Hoabinh si proche du delta.

Là aussi les postes, ces petites cahutes isolées,
dispersées, où l'on menait la vie pépère avec le
chum et les filles, tombent. Plus encore qu'à Laokay,
la situation est désespérée à Hoabinh — mais là
c'est le domaine de la Légion, une Légion qui se livre
à la *dolce vita* sans se soucier même de ses catastrophes. Ce qui sauve Hoabinh, c'est que là commence le destin hors série du « professeur », de ce
Vanuxem qui est passé de l'antimilitarisme militant
au militarisme complet, absolu et logique — une
philosophie aussi, celle où l'homme est dominé par
son instinct primordial, ancestral, qui n'est pas la
paix mais la guerre. Vanuxem se donne donc à la
guerre avec son sérieux de doctrinaire, son énorme
appétit de bon vivant, son cynisme de condottiere.
Pour lui, la guerre doit être totale, sans pitié natu-

rellement, mais surtout le fait à la fois de l'intelligence et de la virilité, ce qui entraîne tout naturellement la jouissance du travail bien fait. Il est contre
la stupidité pompeuse des états-majors, tout comme
il est contre le doping artificiel des parachutistes,
l'héroïsme trop passif des légionnaires. D'abord, il
est lui. Il lève donc une infirmière à qui il va faire
dix enfants; et puis il lève les montagnards du coin,
les Muongs, avec qui il fera deux bataillons célèbres.
De toute façon, il est roi, il s'en paie une tranche.
Ce Vanuxem n'a pas peur des bataillons d'insectes
de Giap, mais il connaît leur terrible pouvoir, il
dit avec un plaisir cruel : « Ça va être du boulot. »

Pour la plupart des unités qui ont opéré dans la
jungle contre la division 308, c'est désormais une
trouille inavouée, la bravade désespérée — on n'en
est que plus brave, mais en luttant contre soi, ses
nerfs, son imagination. Cela atteint même les paras :
désormais ils savent que, dans la forêt, les Viets
sont les plus forts.

Le commencement de la hantise, un jeune officier
de paras, pas la brute, mais un mystique maigre aux
yeux rieurs et au rire sarcastique, l'homme même qui
défie la mort, me l'a décrit :

— J'étais alors presque un gamin. Je ne croyais
pas que je pouvais avoir peur, je me serais trop
méprisé. Dans les deltas, j'avais participé à mille
combats en m'amusant. Mais quand, pour la première fois, j'ai pénétré dans la jungle avec mes
hommes, j'ai été aussitôt saisi par une appréhension
que je ne contrôlais pas, qui me glaçait au milieu
de la chaleur. Soudain, je me suis senti aveugle,
impuissant, infirme — happé par un monde contre

lequel il n'y avait rien à faire. Je me trouvais enfermé dans la végétation comme dans une cathédrale glauque, immense et étouffante, où il ne restait qu'à mourir. Je me sentais fragile, pas de taille, condamné; et c'était le sentiment de tous mes hommes.

Mais le Commandement impuissant n'a aucunement le soupçon de son impuissance. Pour lui, tout ce qui s'est passé dans ces régions lointaines, inextricables, pas très importantes du Fleuve Rouge et de la Rivière Noire ne sont que des « escarmouches ». En toute bonne conscience, il garde sa sérénité et sa confiance.

Pourtant, c'est si grave qu'un homme prudent par nature et par profession prend son courage à deux mains pour l'avertir. C'est un fonctionnaire, un petit administrateur des Services civils de Laokay — il est tout petit aussi par la taille, presque un nabot, un peu difforme, mais intelligent, calculateur, ambitieux, sachant toujours ce qu'il faut faire, ce qu'il faut dire. Cependant un jour, il prend l'avion pour Hanoï et ose dire au général Alessandri juste ce qu'il ne faut pas — il essaie de l'alerter. Dès les premiers mots, le général, qui est tout petit aussi, prend sa figure de bois, son air buté, ses traits maussades, concentrés, impatients. Lui, il sait. Il fait taire l'imprudent, il l'écrase en quelques phrases sèches, définitives, lâchées par des lèvres minces et méprisantes : « Vous vous êtes affolé. La situation n'est pas sérieuse, elle n'est même pas préoccupante. Le moment venu, je prendrai les mesures nécessaires — et vous verrez. »

Cependant la 308, après sa lointaine « campagne » contre Laokay et les régions du Nord-Ouest, dis-

paraît. Plus aucun signe, plus aucune trace. En fait,
par milliers, par dizaines de milliers, ses soldats et
ses coolies remontent le long des pistes vers le « quadrilatère d'Ho Chi-minh », vers la Chine et les grandes
« bases ». Soudain, après quelques jours de repos, à la
fin de mai, juste avant la mousson, elle resurgit sur
la R.C. 4. C'est un drame rapide et brutal, c'est la
chute en quarante-huit heures du « hérisson » de
Dong-Khé — la forteresse ravitaillée par air entre le
gros morceau de Caobang et le terminus routier de
That-Khé.

Cette fois, pour le Commandement français, c'est
l'événement incroyable, la confirmation de tout ce
qu'il niait — l'existence d'une puissante Armée
rouge. Car Dong-Khé est énorme, matériellement et
symboliquement. C'est un bastion au cœur du dispositif français, un énorme ouvrage, un nom connu
de tout le Corps Expéditionnaire, l'étape où tant de
convois ont jadis fait halte à l'ombre du drapeau
français. Dong-Khé, c'est la chose qui ne pouvait
pas tomber.

Ce qu'il y a de plus effrayant, c'est la façon dont
les Viets l'ont pris, mathématiquement, avec une
facilité dérisoire. Le reste de la 308 faisant bouchon
tout autour, quatre bataillons légers et un bataillon
lourd ont surgi sur les pitons dominant la cuvette,
ils ont écrasé l'ouvrage avec des dizaines de mortiers
et de canons, concassant les blockhaus, les forti-
fications de la garnison, détruisant son artillerie.
Alors seulement, après un pilonnage de deux jours
et de deux nuits, ils ont donné l'assaut par les
brèches, en rangs massifs. La nuit du 27 au 28 mai,
à trois heures du matin, toute résistance est terminée.

Et il n'y a rien à faire, malgré les appels de détresse
et de mort de la radio de Dong-Khé. Il n'y a rien à
faire, sauf, pour les grands états-majors, d'assister
impuissants à l'agonie, au loin, dans les bureaux
couverts de cartes, en lisant les messages fiévreuse-
ment captés. Car aucun secours n'est possible. Jamais
une colonne de dégagement n'arriverait à temps.
Mais surtout les nuages sont posés sur les montagnes,
les mangent. Le ciel est complètement bouché. Les
Viets ont choisi des jours de mauvais temps, de
crachin épais, où les avions ne peuvent rien, ne
servent à rien. Sur les terrains de Langson et d'Hanoï,
les chasseurs attendent vainement une éclaircie
pour décoller; et, au lieu de foudroyer les Viets, les
pilotes jouent à la belote ou boivent dans les bars,
scrutant l'horizon qui ne se lève jamais.

C'est pour le Commandement français une révélation : la guerre a changé de nature; et puis il se
réconforte. C'est au tour de Giap de faire son autocritique, de reconnaître ses erreurs. Les défenseurs,
à peine une centaine d'hommes, ont fait finalement
une sortie désespérée hors du poste en flammes, ils
se sont échappés. Mais surtout les Viets ne restent
vainqueurs, les maîtres du terrain, qu'une demi-
journée. Ce Dong-Khé qu'ils ont pris, ils le reperdent
aussitôt.

Car enfin le ciel s'est dégagé et d'une trentaine de
vieux Junkers saute un bataillon para en entier,
le 3e B.C.C.P. — il se reforme devant Dong-Khé,
il se jette dans Dong-Khé, il reprend Dong-Khé
après une heure et demie de corps à corps dans les
débris. Cela s'est fait contre un ennemi surpris, en
train de ramasser le butin, et qui ne croyait pas à la

« riposte ». Cela a été un risque extrême — chaque Junker a été touché par la D.C.A. alors qu'il était en train de larguer son « stick », alors qu'il tournoyait lourdement en rond dans la cuvette, toujours selon le même circuit, en dessous des crêtes où étaient les mitrailleuses viets. Le vrai cirque. Mais tout le dispositif français a bien fonctionné. Des colonnes de secours parties de That-Khé ont repris les hauteurs, ont repris le sinistre col de Luong-Phaï et ont rejoint les paras confortablement installés dans les décombres de Dong-Khé. Les Viets, trompés par leur victoire, se sont enfuis en laissant sur le terrain trois cents cadavres et un gros armement : deux canons, trois mitrailleuses, des lance-grenades, des fusils-mitrailleurs, des pistolets-mitrailleurs, des fusils. Les Viets s'évanouissent, s'évaporent, disparaissent dans la jungle, très loin, on ne sait où. On reconstruit un Dong-Khé beaucoup plus solide, on met une garnison plus forte, et c'est l'attente qui commence.

C'est ainsi que les avertissements du destin n'ont pas été compris. Et pourtant ils étaient écrits. Car, sur le corps d'un commissaire politique tué à Dong-Khé, on retrouva un carnet où l'on pouvait lire : « Vers le 20 septembre, nous attaquerons à nouveau. Nous serons beaucoup plus forts. Jusqu'à présent il n'y avait que la 308 — il y aura alors deux ou trois autres divisions de prêtes. Nous prendrons That-Khé, puis nous prendrons Caobang complètement isolé, puis nous nous porterons en masse contre Langson. Ce sera facile, car le moral du Corps Expéditionnaire aura été complètement ébranlé par nos premières victoires. »

Mais les généraux français ignorent ce qu'est la

dialectique, cet art de l'analyse où, après l'échec
et même le succès, on passe tout au crible, on fait
son autocritique, on recherche les « erreurs » com-
mises, on remplace les anciennes « solutions correctes » déjà utilisées par des « solutions correctes »
neuves, améliorées, qui permettront de faire mieux.
Loin de se réjouir de leur « victoire » de Dong-Khé,
les généraux français, s'ils connaissaient les communistes, devraient avoir peur, au contraire. Car,
après la faillite d'un plan, les rouges recommencent
toujours. Et c'est dans de telles conditions, après
de tels préparatifs que, la fois suivante, ils agissent
comme à coup sûr, ils sont presque obligés de
réussir.

De cette chute de Dong-Khé et de sa reconquête,
les états-majors tirent une conclusion optimiste.
On reconnaît que les Viets sont capables de se battre
et de porter des coups durs. Mais c'est quand même
une chance qu'ils sortent de leur invisibilité, de
leur insaisissabilité, car ils donnent enfin au Corps
Expéditionnaire l'occasion de les contre-attaquer, de
les affronter, de les annihiler.

Finalement, on ne fait rien, on ne décide rien.
Et c'est ainsi qu'on manque le moment unique.
Car, après la reprise de Dong-Khé, on aurait pu
évacuer les « hérissons » sans danger : l'Armée de
Giap n'était pas encore capable de s'y opposer.
Mais on va laisser s'écouler les semaines et les mois;
et ensuite, quand on sera obligé de le faire, il sera
trop tard.

Rien ne se passe. Ce n'est que la guerre entre les
généraux français, la lutte ouverte entre Alessandri le
rabougri, plus tenace, plus sûr de lui que jamais,

encore plus convaincu de sa prédestination, et un grand Carpentier mou et inflexible dans sa mollesse, qui commence à redouter le « pépin ». C'est cette guerre-là, ses circonstances extravagantes, ses infinies complications et sa puérile médiocrité qui livrera les colonnes du Corps Expéditionnaire au massacre, quand commencera à l'automne l'autre guerre, la vraie, la guerre contre Giap et son Armée.

Les calcaires de Dong-Khé

Il y a un mécanisme de la défaite. A partir des erreurs initiales, des fautes des gens et des services, elle se multiplie, c'est la progression géométrique du désastre. C'est ce qui est arrivé dans les calcaires de Dong-Khé. On appelle cela la « poisse »; en fait, la fatalité a été provoquée.

Quelques milliers d'hommes sont morts, en pleine jungle, au milieu des rochers. Les uns venaient de Caobang, qu'ils évacuaient. Les autres allaient au-devant d'eux. Ils ne se sont rencontrés que pour périr ensemble, misérablement, sans qu'on puisse rien pour eux, sans aucun secours. Ils ont été submergés après cinq jours de combats, jusqu'à ce que ce soit l'extermination ou la capture.

Comment cela est-il arrivé? Car on savait — on connaissait tout de la force et des intentions des Viets. Et pourtant, on s'est jeté dans un piège mortel. Et pourtant, pour le Corps Expéditionnaire presque entier, la catastrophe a été une surprise totale, aussi bien stratégique, tactique que politique. On était en pleine inconscience, tout en ayant conscience de beaucoup de choses, mais en n'y croyant pas.

Certes, à partir de 1950, on aurait pu faire n'importe quoi, on aurait pu mobiliser pour la Guerre d'Indochine toute la jeunesse française, on ne s'en serait pas sorti. On se heurtait désormais à quelque chose de plus fort. Mais si l'on devait finalement s'incliner ou céder, on n'était pas condamné à subir d'abord des désastres comme Dong-Khé, comme Dien Bien Phu plus tard. On aurait pu perdre sans autant d'humiliations, sans autant de souffrances, sans autant de victimes; on aurait pu « tenir » jusqu'à ce que l'on ait compris et tiré les conséquences. Mais, là, sur la R.C. 4, on s'est offert au sacrifice, on a été au-devant du malheur.

L'affaire est d'autant plus étrange qu'à l'origine il y avait un réflexe de prudence. Mais d'une prudence mêlée d'une telle folie, d'une telle confusion qu'elle devenait de la provocation.

La responsabilité? La cause? Ce n'est pas la force des Viets, à peine naissante : ils étaient encore incertains et maladroits. Mais on leur a fourni l'occasion inespérée, ils ont gagné avant même de croire vraiment à leur supériorité. Ils ont seulement profité de l'extraordinaire gâchis politico-militaire des Français.

Dong-Khé, c'est le drame de l'incohérence absolue. Les soldats meurent, mais les responsables sont ailleurs, loin dans le temps, loin dans l'espace. Avant cela, il y a tout un processus de décompositions, de contradictions, d'incertitudes et d'ignorances, tout un enchevêtrement de raisons emmêlé depuis des mois, depuis des années à Langson, à Hanoï, à Saigon, à Paris, dans les états-majors, dans les ministères, au Gouvernement. Tout a été faussé; c'est la sanction de toutes les médiocrités et de toutes les hypocrisies.

Car tout est confondu. A Paris, le Gouvernement est toujours béat, attendant la victoire. Pour le reste, il ne s'occupe jamais de l'Indochine. Il fait confiance à ses généraux. Les deux principaux se haïssent. Pendant la mousson, alors que les Viets s'apprêtent, l'un et l'autre vont successivement faire leur publicité en France. L'un dit : « Tout va bien, mais je préfère battre les Viets en bordure du delta; il vaut peut-être mieux évacuer Caobang d'abord. » L'autre dit : « Tout va bien. Mais je vais aller écraser les Viets chez eux, dans leurs repaires. Il faut à tout prix garder Caobang. » Le Gouvernement n'a pas d'opinion. Le Haut-Commissaire Pignon, le seul vraiment clairvoyant, est désespéré; lui aussi va faire un tour dans la métropole, mais, en bon fonctionnaire, n'ose pas exprimer trop ouvertement ses craintes. Le Gouvernement donne raison à Carpentier, puisqu'il est Commandant en Chef, et il dit à son ennemi Alessandri, en pleine tournée des ministères parisiens : « Rejoignez l'Indochine; vous vous y connaissez mieux. »

Telle est l'atmosphère. On ne fait rien. Et quand les Viets attaquent enfin, quand ils prennent la citadelle de Dong-Khé pour la deuxième fois, rien n'est prêt. Carpentier pense à sa gloire : il monte une magnifique opération-bidon, avec des tas de bataillons, pour prendre à portée de main, tout à côté du delta, une « capitale » vietminh où il n'y a pas de Vietminh, du nom de Thai-Nguyen. C'est pour masquer devant l'opinion mondiale l'évacuation de Caobang qui a lieu pendant ce temps. Il a pris sa

décision parce qu'il craint un « pépin » pire, dix fois
pire, que n'aurait été la chute du « hérisson ». Alessandri pense à sa gloire : il n'est que rage, fureur et
amertume, il passe des jours à protester, à désespé-
rer, à manœuvrer de toutes les façons contre l'ordre
de son chef; il n'arrive pas à l'annuler, c'est au
contraire lui qui doit commander l'exécution de la
retraite. On applique un plan vieux de deux ans
où les deux colonnes françaises doivent se rejoindre
dans ce Dong-Khé déjà deux fois perdu et où est
rassemblée toute l'armée de Giap. C'est à côté de la
fatale forteresse, dans un paysage grandiose et
sinistre de calcaires et de jungles, que les troupes
françaises de la R.C. 4, attaquées de partout,
subissent le premier désastre de la Guerre d'Indochine, celui qui en sonne le glas. Et il n'y a rien à
faire pour aider ces quelques bataillons qui sombrent
sous les masses viets, puisque le gros des bataillons
français est à quelques centaines de kilomètres de là,
à la lisière du delta, en train de conquérir glorieusement un Thai-Nguyen vide et qu'il va falloir évacuer.

Tout est absurde, jusqu'à la lie, jusqu'au sang.
C'est bien plus absurde que ne le sera Dien Bien
Phu. En 1950, ce qui va à la bataille contre Giap,
c'est un corps Expéditionnaire non commandé,
pris entre la gloriole, la facilité et la peur et où l'on
ne se donne pas la peine de calculer, d'analyser, de
prévoir. C'est de l'héroïsme, mais à vau-l'eau.
Et que de détails incroyables! Les chefs des deux
colonnes qui doivent se rejoindre sur la R.C. 4 se
haïssent — l'un, le colonel Charton, un « dieu » de la
Légion, ne craint rien au monde et surtout pas les

Viets; l'autre, le colonel Lepage, un débile artilleur, est sûr qu'il va à la boucherie et prie le Seigneur. Carpentier est à Saigon, dans sa chambre à air conditionné. Alessandri survole les colonnes, sans jamais les voir, sans communiquer par radio avec elles. Quant au chef de la zone frontière, le beau colonel Constans, un homme du monde plein de relations, il ne s'est pas dérangé — il n'aime pas prendre l'avion. Il est donc resté dans Langson à vivre en grand seigneur, au milieu de sa garde de légionnaires choisis pour leur taille, avec son maitre d'hôtel qui est un ancien sous-secrétaire d'État de Vichy. Là, c'est le théâtre, un invraisemblable protocole d'une grandeur militaire factice, juste faite pour « épater ». D'ailleurs ce Constans, qui ne fait rien que de la mise en scène, n'obéit pas à son chef direct Alessandri, ce petit Corse, mais au général bien étoilé, à Carpentier qui l'a fait venir de Paris à cause de ses relations. Il ne faut pas oublier enfin le général Marchand, excellent homme qui a composé des chansonnettes, en particulier *La trompette en bois,* et qui, apprenant qu'il prenait l'intérim d'Alessandri pendant le long été de l'attente, s'était écrié : « Mon Dieu, mon Dieu, quelle tuile ! »

En définitive, cette catastrophe est due à l'incapacité qui peu à peu envahit tous les rouages du Corps Expéditionnaire, qui l'encrasse complètement — une incapacité totale, pleine cependant de combines et de finesses, une incapacité qui fera rugir de fureur et de honte de Lattre quand il arrivera en Indochine, quand il arrivera trop tard.

LA GRANDE ATTENTE

Cela dure tout l'été. De juillet à septembre, c'est la pleine mousson. Alors, c'est comme une trêve, la Guerre d'Indochine s'arrête dans l'eau. Il pleut indéfiniment, c'est le règne des orages et des crues, le Haut-Tonkin est noyé dans un déluge. Les hommes n'arrivent plus à s'affronter dans les jungles imbibées comme des éponges, et même sur les deltas transformés en immenses inondations. Les troupes sont écrasées, aveuglées par la puissance de la nature, par la végétation ruisselante, par les montagnes disparues dans les nuages, par les rivières charriant des eaux glaiseuses et trop rapides, par la boue, par la chaleur, par tout. C'est un univers glauque sans formes, sans contours, hostile, où tout acte est un effort, même celui de manger. Mais cet entracte est aussi la grande veillée d'armes.

Rien ne se passe. Les attaques massives se sont complètement arrêtées. Il y a juste quelques Vietminh, pas très actifs, mais toujours aux aguets, toujours là. Sur la frontière, les soldats attendent donc, car ils savent que des choses vont se passer. Rien n'est changé dans la vie courante, mais qui ignore que là-bas, au-delà des crêtes, de cette éternelle forêt, les Viets se préparent, qu'ils sont dans leurs camps, à leur instruction, doublant, triplant le nombre de leurs bataillons en vue de la prochaine « campagne »? Ce sera pour la fin de septembre, octobre au plus tard, quand se tarira la mousson. D'ici là continuera la monotonie des jours fiévreux et longs, avec l'ennui, avec la routine, avec les corvées. Et on ne fait rien, on ne change rien face au danger imminent.

Je pense à tous les postes de la frontière, des masures en boue et en planches, avec leurs populations mixtes de partisans, de congaï, de Marocains barbus, de légionnaires à képi, de Sénégalais rieurs. Il n'y a toujours pas de barbelés, de mines! Dans l'un d'eux, un vrai taudis, le caporal tire une fusée lorsque les Viets chargés de le harceler sont trop nombreux; et les canons de Langson, de leurs tirs calculés, labourent les flancs du piton où il est perché. C'est là un poste heureux, sous la couverture de l'artillerie. Combien d'autres ne le sont pas! Ce caporal m'a dit :

— L'existence, cette attente qui n'en finit pas, c'est une torture. Autrefois chaque poste avait sa chance — les Viets ne pouvaient faire de brèche dans l'enceinte qu'en donnant l'assaut, à force d'hommes, avec des vagues-suicides. Maintenant, cela se fait au bazooka ou avec le S.K.Z. (un canon sans recul de fabrication vietminh). Il y a aussi le « bengalore » qui est terrible : un bambou creux chargé d'une poudre puissante. Un volontaire de la mort dépose l'engin comme à bout portant contre le mur d'un poste qui est éventré et pris sans même avoir pu se défendre.

Malgré leur solitude, les poignées d'hommes coupées de tout sur leurs pitons ou au fond de leurs cuvettes, ravitaillées par des parachutages de vivres ou de très rares colonnes, connaissent, au milieu de ce calme mauvais de l'été, les signes annonciateurs du péril. Il y a partout des présages sinistres. A Caobang l'étau se resserre. Il suffit aux légionnaires de regarder à la lorgnette pour apercevoir les sentinelles vietminh aux uniformes noirs qui, elles aussi, montent la garde. Souvent des haut-parleurs viets se mettent à crier : « Vous êtes déjà des prisonniers; dans quelques semaines vous serez entre nos mains. » C'est une vigilance crispée de part et d'autre du *no man's land* de quelques centaines de mètres de largeur qui entoure la ville. Le temps de l'échéance approche. Aussi les légionnaires — ceux qui ne sont pas de garde — construisent des défenses, de nouvelles défenses avec un ciment fabriqué sur place, avec des pierres, avec tout ce qui pourrait résister aux obus. On ne dort presque plus dans la cité encerclée; et là, pourtant, le moral est bon, en dépit de tout.

Un jour, une patrouille de Caobang qui s'est enfoncée plus loin que d'habitude, vers la Chine, débouche sur une route toute neuve, portant des traces de roues. Les soldats se saisissent d'un petit monsieur annamite à cheval, qui se trouve être l'ingénieur vietminh dirigeant les travaux. Et très urbainement il explique : « Quelle surprise de vous rencontrer. Je venais simplement voir si la chaussée avait résisté aux dernières pluies. On l'a achevée il y a à peine quinze jours. A ce moment-là, vous auriez vu des milliers de coolies remuant la terre avec leurs pioches. C'est moi qui ai fait les plans. Vous comprenez, j'ai fait mes études en France. »

Tout l'été, les préparatifs rouges ont continué farouchement. Les terrassements sont immenses, en Chine comme au Tonkin. En Chine, les aérodromes de Kunming, de Kweiling, de Hainan — les aérodromes les plus extraordinaires du monde, fabriqués jadis par les Américains à coups de bulldozers pour soutenir Tchang Kaï-chek contre les Japonais, et qui étaient retournés à la brousse — redeviennent des coulées de ciment. On transforme aussi le ballast du chemin de fer du Yunnan, cet ancien chef-d'œuvre du colonialisme français en Chine, en une route stratégique descendant des calcaires et des hauts-plateaux yunnanais jusque dans la vallée du Fleuve Rouge. Au Tonkin, les Viets poussent ces routes chinoises au plus près, ils les prolongent jusque devant les « objectifs » possibles. Ceux-ci sont au nombre de trois — That-Khé, Dong-Khé et Caobang, au bout de la R.C. 4. Dans leurs camps en Chine, Giap les fait reproduire exactement — Dong-Khé est reconstruit grandeur nature, avec une exactitude absolue, tous les forts, le dispositif entier de Caobang aussi. Puis les troupes de choc vietminh apprennent à les prendre, jour après jour. C'est la répétition sans fin. Après ces préparatifs, c'est la mise en place pour l'action. Les divisions vietminh sortent de leurs camps et s'amassent sur les « axes de pénétration », encore invisibles et cachées dans la jungle, mais prêtes à sauter sur leurs objectifs.

Et les troupes chinoises sont derrière, bien plus nombreuses encore, 200 000 hommes au moins. En principe, ceux-ci ne doivent pas intervenir, mais ils attaqueraient l'Indochine quand même si tout tournait mal, si la Guerre de Corée à peine commencée devenait la conflagration de l'Asie, du monde peut-être. Qu'il faut peu de chose pour cela, la décision d'un seul homme! Il suffit que l'ancien marchand de cravates, le bon Président Truman, ce civil, se laisse impressionner par le « proconsul » MacArthur,

suive ses conseils impérieux. Car MacArthur veut
détruire la Chine Populaire elle-même. Et c'est la
réaction en chaîne si les bombardiers américains
dévastent la Mandchourie industrielle, si la Septième
Flotte foudroie les ports et les côtes de la République
de Mao, et même si l'Armée de Tchang Kaï-chek,
reconstituée à Formose, débarque sur le continent,
appelant le peuple à la révolte. Chez les communistes
chinois, ce sont les semaines de la grande peur; par
précaution, pour prévenir tout soulèvement, ils
exécutent chez eux, froidement, méthodiquement,
au cours de trois grandes « campagnes de masse »,
de vingt à trente millions de « bourgeois » et d' « ennemis du peuple ». Malgré cela, si le pire arrive, si
l'Amérique joue le grand jeu, la Chine, n'ayant plus
rien à perdre, jetterait ses armées de marche, ses
troupes populaires, une immense masse dressée à la
guerre populaire, sur les pays colonialistes, capitalistes, impérialistes à proximité, à commencer
par ce qui fut l'Indochine française.

Je pense à tout ce qui s'amasse et, du côté français,
il n'y a toujours que quelques milliers d'hommes sur
la frontière. On ne leur donne aucun ordre, aucune
consigne spéciale, comme si on les abandonnait à
leur sort. On ne les renforce pas. Au contraire, on
dégarnit, on prélève au Tonkin six bataillons pour
les envoyer au Laos, au Cambodge, où les souverains se plaignent d'infiltrations : pour des raisons
politiques, il faut leur faire plaisir.

Dans les hautes sphères, tout est ambiguïté et
intrigue. Les hommes de la R.C. 4, eux, savent : ils
sont condamnés à la victoire s'ils ne veulent pas
griller dans leurs postes ou périr dans la brousse.

Mais comment ne seraient-ils pas submergés par tout ce qui va déferler? Le raz de marée ce n'est pas, comme un an auparavant, une hypothèse; c'est une certitude.

Sur la frontière, malgré l'angoisse, tout le monde se tait; aucune voix pour avertir, pour prévenir. Les corps d'élite, les légionnaires, les paras, les tabors, savent se montrer superbement dédaigneux du danger. Dans les états-majors, ce n'est pas par orgueil, mais par intérêt et ambition qu'on garde le silence. Être accusé de « défaitisme », c'est la disgrâce, la fin d'une carrière. Il faut donc faire preuve de complaisance envers ces généraux qui ne veulent pas savoir la vérité, qui de toute façon ne la croiraient pas.

Et c'est ainsi que sonne l'heure de Giap. La saison des pluies n'est pas encore achevée. Soudain, à la manière communiste, c'est le choc brutal après la minute incroyable. Le 18 septembre, Dong-Khé disparaît comme un navire sombre en pleine mer : sans laisser aucune trace, sans qu'on trouve un homme à récupérer. La « répétition » de mai avait servi, et l'autocritique aussi. Cette fois, c'est fait sans une erreur. On croit qu'il n'y a aucun rescapé et il n'est pas question de « riposte ».

C'est la catastrophe. La mort du poste refait, consolidé, défendu par ce que la Légion a de mieux, a duré soixante heures. On ne connaît l'agonie que par quelques messages radio, et puis vient le grand silence de la fin. Car c'est cela la Guerre d'Indochine : que les combattants meurent seuls et que le Commandement ne sache même pas comment ils meurent. Ce qui est capté a cet étrange ton

de la banalité militaire, si différente de la véritable
agonie, de la vraie mort qui se déroulent quelque
part au loin, très loin. Il y a, un samedi à midi, un
premier câble de Dong-Khé, celui qui annonce que
Giap a déclenché les « événements », a commencé sa
« contre-offensive générale ». C'est comme en mai,
avec les bataillons viets sur les hauteurs qui fou-
droient en bas, mais le feu de l'ennemi est bien plus
puissant, celui de Dong-Khé aussi. C'est le premier
duel d'artillerie comme il s'en produira tant ensuite :
les Viets tirant d'en haut avec des pièces dispersées,
les Français tirant d'en bas avec des pièces groupées.
A Dong-Khé, ce duel est gagné par les Viets, comme
le même duel en bien plus grand sera gagné par eux,
plus tard, à Dien Bien Phu.

Le premier jour cependant, le résultat est indécis.
Les messages de Dong-Khé disent que les pertes sont
minimes, et même que l'artillerie de la garnison a
fait taire deux canons viets. Mais le second jour,
un long dimanche, les câbles sont toujours plus
rares et plus laconiques, avec les formules de la
« détérioration »; au crépuscule de ce dimanche, plus
de la moitié des légionnaires sont tués ou blessés.
Il y a un dernier message non absolument désespéré,
mais la nuit apporte le silence définitif : Dong-Khé
ne répond plus. Le lundi matin, en ce silence, le ciel
est si bas que le Haut-Tonkin n'est qu'une nappe
grise, montagnes et nuages mélangés. Et cependant
un Junker reçoit l'ordre d'aller « voir » Dong-Khé
— c'est le vol de l'impossible parmi les crêtes et la
mousson. Il faut passer dans l'opaque le col de
Luong-Phaï engorgé de nuages, il faut « percer »
jusqu'au « trou » de Dong-Khé, il faut savoir. Et le

Junker, quand il a enfin « percé », quand il tournoie dans la cuvette comme au fond d'un bol, sait. Sur le mât d'honneur fracassé, le drapeau français a disparu, d'énormes flammes noirâtres se dégagent encore du poste, tout n'est que ruine et désolation. Les Viets sont encore là — car partout les flocons de la D.C.A. accompagnent le vieux et lent avion où l'équipage regarde le désastre. Mais cette fois les Viets sont invisibles, ne pillant pas, camouflés dans la nature en ordre de bataille, pour anéantir les paras qui tomberaient des nuées ou une colonne qui avancerait par la R.C. 4. Sans aucun doute, ils espèrent une proie supplémentaire.

Cette fois, le Commandement commence par ne rien faire. Il n'ose pas reprendre Dong-Khé avec des paras — comme la première fois. Il a peur du piège. Comme on est loin déjà de ce printemps de 1950 — tout juste quelques mois auparavant — où l'on réparait les défaites à coups d'audace et de mépris, comme si les Viets étaient encore des adversaires très inférieurs !

Giap, ne pouvant augmenter dans l'immédiat son butin en hommes à cause de la prudente inaction française, annonce à sa radio, triomphalement, qu'il a fait quatre-vingt-dix-huit prisonniers. Ce n'est pas un très gros chiffre ; mais c'est le premier de ces communiqués où les Viets, dans les mois et les années à venir, clameront avoir ramassé des centaines, des milliers de soldats du Corps Expéditionnaire.

A ce moment-là, on croit que tout le reste de la garnison est mort. Ce n'est que bien après, des semaines après, en pleine catastrophe de la frontière, que « sort » de la jungle un groupe minuscule et mourant — un officier et quelques hommes de Dong-Khé. On avait oublié que dans la jungle la fuite aussi est d'une lenteur terrible — un calvaire de quelques centaines de mètres par jour, avec la faim. Et ce que racontent ces quelques survivants inespérés est une confirmation de plus de ce que sont les Viets, de leur inexplicable puissance. Ce qui s'est passé, ç'a été l'écrasement du poste bien en vue par les canons invisibles. Et cela a été fait méthodiquement. Il y a d'abord eu le démantèlement des quatre blockhaus l'un après l'autre — des obus de plein fouet fracassaient le béton, tuaient les servants sur leurs pièces. Mais, dans les décombres de l'enceinte, les blessés firent feu sur les vagues viets jusqu'à ce qu'ils soient débordés. Ceux qui le purent, les rares valides, les moins amochés, se réfugièrent dans le réduit central. Là tout recommença — l'écrasement, les explosions, les effondrements, la multitude viet hurlante et ordonnée chargeant dans la nuit, donnant l'assaut. Ce fut enfin les dernières minutes où les munitions manquaient, où la radio était morte, où il ne restait plus qu'une vingtaine d'hommes en état de combattre, engagés dans les corps à corps de la fin. Une poignée d'entre eux tenta une « sortie », se jetant dans les ténèbres et la forêt pendant que les Viets « coiffaient » la citadelle en poussant des cris de victoire.

Cette seconde chute de Dong-Khé, ce n'est pas seulement la condamnation des « hérissons »; c'est la preuve que toute la frontière est en plein craquement; c'est la démonstration que l'Armée de Giap est une réalité menaçante. On va donc se battre contre elle, mais en mêlant les complexes d'infériorité

et de supériorité. Il en résultera des consignes
absurdes. On engagera les troupes dans des conditions démentielles. Finalement, le courage des
officiers et des soldats sur les champs de bataille,
en leur faisant exécuter farouchement des ordres
ineptes, ne les conduira qu'à une défaite plus cruelle.

Mais la bêtise militaire n'est pas simple, comme
on pourrait le croire. Rien n'est plus complexe,
plein de subtilités, plein de causes jésuitiques et
mesquines. A partir des plus médiocres intrigues,
du mélange des ruses et des naïvetés, sous l'empire
des nécessités et des rivalités, on arrive à échafauder
des théories absolument fausses — que l'on appli-
quera. En 1950, le désastre de la frontière de Chine
n'est explicable que par les « jeux des généraux »,
tous les tours qu'ils se sont joués, les mois précédents, dans tous les domaines possibles et imaginables. Le plus dangereux, c'est que les uns et les
autres, sous leurs mobiles égoïstes, sont également
persuadés d'avoir raison, d'agir pour le plus grand
bien de la France et du Corps Expéditionnaire —
alors ils sont capables de faire n'importe quoi, ils
« débloquent » complètement.

LE REFUS DU GÉNÉRAL CARPENTIER

Dans les quelques mois qui séparent le premier
Dong-Khé du deuxième et de la grande catastrophe
de la R.C. 4, il y a tout ce qu'un « grenouillage »
entre généraux peut comporter. Tout d'abord, le
général commandant en chef se révolte contre son
subordonné Alessandri, ce doux, cet implacable

obstiné. Et c'est au tour d'Alessandri de se rebeller
contre son supérieur.

C'est cette extraordinaire querelle que je vais
d'abord raconter, car elle est la cause profonde de
tous les désastres qui vont se succéder. Mais il me faut,
revenant en arrière, la reprendre à ses débuts, dans
les états-majors et les ministères, auprès des gens
importants qui se conduisent comme des enfants.
Et tout cela au milieu de l'appareil solennel du
pouvoir.

Depuis des semaines, le « bonhomme » Alessandri
travaille au « grand œuvre », à la pièce maîtresse de
sa vie. On est en mai 1950. Sa sobriété, sa sévérité
pour lui-même se sont encore accrues. Plus que
jamais, malgré ses titres et ses dignités officielles,
il est le prototype du « colonial distingué » — rigide,
puritain, avec une certaine bonté dans sa brusquerie.
Se levant à cinq heures du matin, grappillant quelques
raisins à midi, il ne mange pas le soir : il n'a pas le
temps. Infatigable, il fait des journées de seize à
dix-huit heures dans son bureau. Dans son extraordinaire application, il fait tout lui-même, avec,
à ses côtés, quelques officiers du genre « bûcheur »
et petit-bourgeois, qui apportent d'énormes dossiers
qu'ils connaissent par cœur, qui peuvent répondre
aussitôt à n'importe quelle question.

Le petit général, lui, regarde d'énormes cartes,
compulse d'énormes chiffres; et puis, des heures
durant, il réfléchit, perdu dans sa pensée, tout étant
silence et attente autour de lui. Parfois, brusquement,
il demande un détail et presque toujours se met en
colère en disant : « Ce n'est pas cela; ce n'est pas
exact. » Puis arrive le moment où, détendu, il dit :

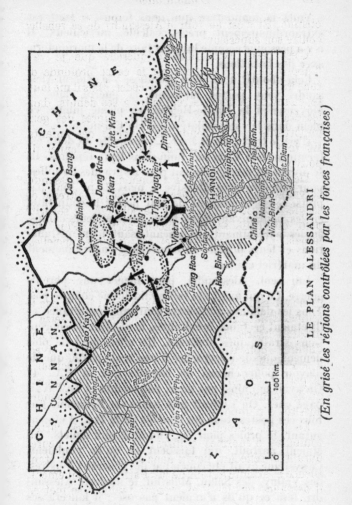

LE PLAN ALESSANDRI

(En grisé, les régions contrôlées par les forces françaises)

« Voilà la manœuvre que nous ferons. » Tout est extraordinairement précis, calculé, méticuleux. Il n'y a personne comme lui pour faire de la marqueterie avec des bataillons.

Cela aboutit à un plan grandiose : le général Alessandri veut porter lui-même la guerre dans la Moyenne et la Haute-Région, en pleine jungle, en plein dans le « quadrilatère » d'Ho Chi-minh.

C'est le tout pour le tout. La conquête du delta est terminée. Les Viets ont faim dans leurs repaires. Ils se préparent désespérément pour de grandes batailles, pour leur « contre-offensive », mais ils ne sont pas prêts. C'est le moment de leur porter le coup fatal en les poursuivant dans leurs bases et leurs camps, en les exterminant, en anéantissant leurs installations et leurs dépôts, en empêchant l'acheminement du matériel chinois.

Lui seul, Alessandri, peut mener une pareille guerre. Ce qui avait été fait avant lui ne compte pas. Tous les déboires antérieurs sont sans importance — ils étaient certains, inévitables, le résultat de conceptions stratégiques absurdes. En effet, quoi de plus dément que de s'accrocher à une seule route, que de n'avoir pour champ de bataille que la R.C. 4? On avait agi ainsi par peur, par facilité et on l'avait payé cher. On s'offrait aux coups de l'ennemi. Car tous ces postes, tous ces convois de la R.C. 4 étaient autant de proies pour les Vietminh aux aguets, qui étaient partout, qui faisaient ce qu'ils voulaient. Ce système avait été conçu par des généraux illustres, des Valluy, des Salan. Mais lui, le modeste Alessandri, fera ce qu'ils n'avaient pas osé : il lancera ses colonnes dans la nature, il fera marcher ses hommes

sur les pistes et sur les crêtes, il fera manœuvrer
et combattre ses bataillons contre les Viets à la
façon des Viets, il occupera toute la jungle, il net-
toiera le terrain — et ce sera la fin d'Ho Chi-minh.

Tout est prêt. Il y a un corps de bataille de cinquante bataillons ensemble qu'il lancera contre
l'Armée de Giap. Dans un premier temps, ils s'empa-
reront des approches et des voies d'accès; dans un
second temps, ils se répandront dans la montagne
et la forêt par groupements de cinq à six bataillons.
Six opérations de destruction seront menées simultanément — elles partiront respectivement de
Yenbay, de Vietri, de Thai-Nguyen, de Langson,
de Caobang, de Bac-Kan, pour s'enfoncer au cœur
de la jungle ennemie. On frappera partout à la fois
— sinon les Viets glisseront entre les doigts comme
du mercure.

Tout est « paufiné ». Le Deuxième Bureau a mis
des mois à déceler, à repérer les « objectifs », tout ce
que les Viets ont camouflé tellement soigneusement,
leurs dépôts, leurs camps, leurs usines. Le Troisième
Bureau a indéfiniment mijoté les plans d'opérations
— ce sera la marche sur les pistes, sans arrêt, dans de
véritables quadrilles guerriers où les groupements
et les bataillons se sépareront, se rejoindront pour
tout ratisser, pour tout encercler; on a partout préparé les D.Z. [1] pour lâcher les paras. On se servira
de la chasse, mais pas de l'artillerie — il faut que
les hommes soient légers, que les mouvements soient
rapides, que tout se fasse à toute allure. Ce sera

---

1. *Dropping zone:* le terrain sur lequel on largue
des parachutistes.

la bataille absolue, à l'état pur, hommes contre
hommes, selon l'ancien système colonial de la
« colonne ». Le Quatrième Bureau a accumulé à tous
les points-clefs les vivres et les munitions pour des
semaines de cette guerre de poursuite.

Tout est réglé à l'avance comme un mécanisme
d'horlogerie. Pour diriger les mouvements, il y aura
Alessandri lui-même. Et qui mieux que lui connaît
le Haut-Tonkin, sa jungle, ses peuplades, leurs chefs?
N'a-t-il pas jadis fait à pied toutes les pistes? Rien
n'est négligé d'ailleurs — pas même la préparation
psychologique. Se présentant en vieil ami, assistant
à d'étranges cérémonies, Alessandri couvre de
cadeaux et de promesses les Mans, les Méos, les
Nungs, tous les gens étranges et redoutables des
hauteurs — il fait acheter leurs récoltes d'opium
presque au double du prix. Il fait recruter parmi les
montagnards toutes sortes de partisans, qui serviront de guides et qui même feront une guérilla anti-
viet pour appuyer l'action des colonnes du Corps
Expéditionnaire. Il envoie aussi le fameux Bigeard
et une compagnie de paras chez le despote Deo
Van-long, afin d'entraîner son « armée ». Il est vrai
que Bigeard se brouille rapidement avec le seigneur
de la guerre de Laichau, qui envoie un ultimatum
à Alessandri : « Lui ou moi, l'un de nous deux doit
partir. » Mais ce n'est rien. Bigeard est muté dans le
delta, où, avec des moyens à lui, il transforme un
bataillon vietnamien médiocre en un bataillon de
paras jaunes de choc.

On fait même une répétition. Un groupement de
quatre bataillons commandé par le colonel Carbonel
— un vieux colonial râblé et plein d'expérience —

s'enfonce en pleine jungle jusque vers Tuyen-Quang, très loin chez les Viets. Pendant quinze jours, la colonne marche selon des azimuts différents, donnés par radio, en fonction des renseignements sur les dépôts viets. De cette façon, avançant en zigzag, elle casse un matériel viet considérable — mais, sur le chemin du retour, elle manque elle-même de se faire casser. Pourtant, Alessandri est satisfait, il jure l'expérience concluante.

Ce programme mirifique, Alessandri l'a concocté dans le secret le plus absolu, rien qu'avec sa tête et quelques officiers sûrs, aussi muets que lui. Rien n'aurait dû transpirer au dehors. Le Commandant en Chef n'est pas au courant, le Haut-Commissaire non plus, du moins le croit-il. Le petit général leur en réserve la surprise et la joie — il n'a pas seulement l'idée qu'on puisse lui dire « non ». N'apporte-t-il pas la victoire sur un plateau? Tout ce qu'il réclame, c'est qu'on lui envoie quelques bataillons supplémentaires. Et cependant, quelques jours après, le 1er juin 1950, c'est la révolte de Carpentier : sa réponse est une note très courte, ce qu'il y a de pis dans le refus absolu, hautain et formel : toute offensive est interdite. Et Carpentier ajoute qu'il a l'accord de M. Pignon pour condamner ces projets trop aventureux — c'est là le suprême affront, le véritable coup de poignard dans le dos, car de tout temps Pignon a été l'ami, le protecteur, le partenaire d'Alessandri.

Que s'est-il passé? On ne peut imaginer la fureur, le désespoir d'Alessandri. Le sec et illuminé petit bonhomme s'imagine être la victime d'une conspiration ignoble, des calculs les plus bas. Pour lui, ce

Carpentier qui ne connaissait rien à l'Indochine, qui ne l'aimait pas, qui le disait d'ailleurs, l'a laissé faire, lui a permis de remporter des victoires, de conquérir le delta tant que cela lui servait, tant que cela rejaillissait sur lui. Mais une fois sa cinquième étoile assurée, il n'a eu qu'une peur — c'est qu'Alessandri ne l'éclipse, ne le supplante par la gloire formidable d'avoir écrasé à jamais les Viets. C'est pour cela qu'il lui lie les mains, l'empêchant de lancer dans la jungle l'assaut décisif. Il est certain que Carpentier dit dans son entourage : « Qu'il nous laisse tranquille. »

Une chose est sûre. Les deux hommes ne s'aiment pas. On sait qu'Alessandri comptait être nommé commandant en chef et que Carpentier le supplanta. Malgré tout, il y eut d'abord un « gentleman's agreement » entre les deux généraux. Mais, peu à peu, les rapports entre Hanoï et Saigon se sont gâtés. Tout était équivoque. Alessandri agissait comme si Carpentier n'existait pas, ne rendant compte qu'à Pignon. Carpentier aurait pu, en sa qualité de Commandant en Chef, ramener à la discipline et à l'obéissance son subordonné. Mais il n'aimait pas les éclats voyants, les actes d'énergie : ce n'était pas dans la tradition de l'Armée. D'une façon tatillonne et méticuleuse, il se bornait à gêner, à tracasser son subalterne, mais sans rien pousser à bout. C'était entre les généraux la guerre des « coups fourrés ».

Carpentier mit même un certain temps à « se monter » contre Alessandri. Ce n'était pas sans une certaine appréhension qu'il était arrivé en Asie. Au fond, il ne désirait pas venir; il craignait de compromettre sa réputation dans une aventure extrême-orientale. Car, jusque-là, il avait été le « monsieur heureux » qui, à l'ombre propice du maréchal Juin, avait réussi sans « crasse », sans « casse », bien plus même qu'il n'aurait pu l'espérer. Le seul souvenir pénible de son passé, c'était d'avoir été prêté par son patron à de Lattre à titre de chef d'état-major lors de la campagne d'Allemagne. De Lattre l'avait rapidement réexpédié à Juin pour incapacité. Mais cet incident était oublié depuis longtemps.

Quand Carpentier avait été choisi par le Gouvernement comme Commandant en Chef en Indochine, Juin lui avait prescrit d'accepter : il ne lui restait plus qu'à obéir. Mais il était embarrassé. Il raconta plus tard : « Quand j'ai été nommé, mon premier soin a été d'acheter à Paris, dans une librairie, une carte de l'Indochine. Car je ne savais pas comment c'était fait. » Un peu plus tard, à Saigon, il reçut deux très jeunes journalistes français. Quarante ans auparavant, à Tours, il avait été le danseur attitré de la mère de l'un d'eux. Il se confia à eux : « Moi, je n'aime pas l'Indochine. » Ils lui demandèrent : « Mais pourquoi y restez-vous? » Malgré cette impertinence, le général leur prêta sa voiture de Commandant en Chef, marquée de ses étoiles. Le chauffeur oublia de les cacher quand les jeunes gens s'en servirent pour aller au Parc au Buffle, l'immense bordel militaire du bouleverd Gallieni. Le lendemain, tout Saigon apprenait que Carpentier avait été au « claque » — pauvre Carpentier!

Longtemps Carpentier était resté confiné dans son bureau de Saigon, les cheveux en brosse et une vieille

cantine d'officier bien visible dans un coin. Mais,
peu à peu, ne se contentant plus d'être une « dou-
blure » de Juin, il se persuada qu'il était un « chef »
par lui-même. Pourtant, il ne faisait toujours rien.
Quand il allait en voyage ou en inspection, il ne voyait
rien. Pourtant de retour devant son écritoire, il
s'apercevait avec indignation que l'encre manquait
à son encrier.

Carpentier, à sa façon sommaire, était complexe
— plein de confiance bourrue et plein de la peur
du « pépin ». Il était modeste et vaniteux, bravache
et dégonflé. Faisant sonner son titre, il avait pourtant une étrange notion du commandement. Pour
lui, un général en chef n'était pas fait pour commander. Il avait délégué ses pouvoirs aux généraux commandants de territoire — ceux-là faisaient la guerre
comme ils le voulaient, sans qu'il s'en mêle. L'important était qu'ils vinssent le voir, sachent lui parler
et le flatter comme doivent le faire de bons militaires. Il ouvrait les oreilles aux gens de partout,
à condition qu'ils lui disent que tout allait bien.
La suprême habileté était de déclarer : « J'ai assaini
ma région, mais ne m'enlevez pas mes moyens. »
Carpentier n'avait aucune idée générale sur la
Guerre d'Indochine, sur la façon de la conduire. Il
aurait presque dit que cela ne le regardait pas.
En fait, il accordait des effectifs et de l'équipement
à qui savait lui plaire — et puis il attendait les résultats. Son rôle, selon lui, c'était d' « éclairer » Paris,
c'est-à-dire de rassurer Paris.

Pourtant il arriva que Carpentier, si béat pendant
des mois, fut tiré de sa tranquillité. Ce fut par le
colonel Domergue, un grand escogriffe maigre,

violent et grossier, à la trogne décharnée d'ivrogne agressif — personnage qu'il avait étrangement choisi comme chef de l'État-Major Général du Corps Expéditionnaire. Il se signalait par un énorme nez coupant et violacé, une voix éraillée, des yeux rougeâtres et mauvais. Il avait vraiment beaucoup bu et il était très sensibilisé à l'alcool, complètement imprégné malgré sa maigreur. Il était, de plus, brutal et méchant, en homme qui souffrait de n'avoir pas été suffisamment récompensé. Mais ce Domergue avait une puissance de travail énorme et une haute valeur intellectuelle et morale. Ce personnage truculent et toujours de mauvaise humeur était, de l'avis unanime, le militaire de beaucoup le plus intelligent, le plus énergique d'Indochine. Cette brute clairvoyante ne respectait pas les traditions. Il voulait tailler dans le tas, réorganiser entièrement — par le fer et le feu — le Corps Expéditionnaire, qui n'était plus qu'une vaste féodalité. Et surtout il disait à Carpentier : « Commandez vous-même. Prenez des initiatives au lieu d'approuver les programmes de travail qu'on vous présente. »

En somme, Domergue voulait faire de Carpentier, ce général de base arrière, sérieux et honnête au fond, mais un peu hypocrite, peu guerrier, habitué à recevoir des ordres, à n'être qu'un instrument, le vrai chef de la guerre. Et, dans une certaine mesure, il y réussit, en piquant sa vanité contre Alessandri. Pour Carpentier, Alessandri était une obsession. A son arrivée, dans son ignorance, il avait dû lui faire entièrement confiance. Il n'attendait que le moment d'éclater contre lui. Il suffisait qu'Alessandri ait une idée fixe pour que Carpentier ait l'idée fixe

contraire. Et contre l'obstination illuminée d'Alessandri, Carpentier, généralement si mou, montra
soudain une sorte de ténacité paysanne, épaisse
et roublarde, absolument inflexible aussi.

Dans l'esprit de Carpentier, tout se combinait contre
le petit général. Il pouvait désormais le condamner
en connaissance de cause, sur le plan même de la
guerre. Domergue lui avait dit : « Alessandri a raison
en affirmant que le sort de l'Indochine va se jouer
au Tonkin dans les mois qui viennent. Le malheur,
c'est qu'il est fou. Ce sera la catastrophe s'il entraîne
les bataillons du Corps Expéditionnaire dans les
jungles et les montagnes du Haut-Tonkin, contre les
Viets : on se fera tailler en pièces ou on fera chou
blanc. » Carpentier avait pris la peine de faire faire
le procès des grandioses projets d'Alessandri. Étrange
comédie! Alessandri préparait ses plans dans le
secret de son cabinet à Hanoï sans se douter que c'était
le secret de Polichinelle à Saigon. Aussi, les bureaux
de l'état-major de Saigon avaient travaillé sur
ces plans autant que ceux d'Hanoï, pour parvenir
à des conclusions diamétralement opposées. Au
Deuxième Bureau, un polytechnicien tout en maigreur, les yeux en feu, un peu poussiéreux, vêtu
n'importe comment, inquiétant d'intelligence, de
pédantisme, de passion, de logique et de sarcasmes,
du nom de Boussary, était capable de tout démontrer,
en croyant à ses démonstrations. Il avait fait un
travail qui était un chef-d'œuvre, le tableau infiniment précis et exact de l'Armée de Giap, avec la
nomenclature de toutes les unités, de tout l'armement.
Et cela donnait un résultat si inquiétant que Carpentier avait dit : « Bougre! » Au Troisième Bureau,

on avait étudié toutes les hypothèses stratégiques de l'offensive en Haute Région, celle que voulait Alessandri. C'était pour mieux la proscrire. On avait chiffré tout ce qu'il aurait fallu comme effectifs, comme matériel, comme moyens de toutes sortes; et on avait conclu : « Ça ne tient pas debout. »

Et puis, chez Carpentier, il y avait la rancune. C'était quand même lui le général en chef et, dans sa bonhomie pointilleuse, il tenait excessivement aux marques de respect. Et il sentait bien qu'Alessandri ne le respectait pas, le méprisait même. Il n'était qu'une « bête » pour le petit général qui se croyait un génie. Carpentier continuait à le laisser faire pourtant, infiniment patient, infiniment modéré dans les mauvais procédés. Alessandri, lui, orgueilleusement solitaire, ne se doutant de rien, se laissait entraîner de son côté à toutes sortes de manœuvres, d'habiletés, de tricheries contre Carpentier. A Saigon, on l'appelait désormais « le joueur de bonneteau ». Et on l'attendait au tournant. Le terrain avait été bien préparé, bien miné — on avait même débauché Pignon.

Et c'est ainsi que l'on arrive au 1er juin 1950, jour où Carpentier, sortant de son immobilisme, fait son coup d'État — il remet dans le rang cet Alessandri qui était le seigneur de la guerre, l'homme qui savait, l'expert de l'Indochine. Il le condamne à ne rien faire, à n'être rien, au moment où il annonçait : « Je vous apporte la solution, je vous apporte la victoire. »

Après le petit général, plus personne — pas même de Lattre — n'a pensé à lancer le Corps Expéditionnaire dans une offensive totale en pleine jungle contre les Viets. On ne fera plus qu'une défensive

de plus en plus dure, de plus en plus désespérée.
Logiquement, Alessandri avait raison en disant :
« Il faut rester sur la frontière de Chine. Mais on ne
peut la tenir que si on s'empare de toute la Haute
Région. C'est mon but : il faut absolument maintenir
les Viets le plus loin possible, loin du cœur du pays.
Mon offensive, c'est la dernière chance — sinon,
à Caobang et à Langson, tout craquera. Et ce sera
fatal, car les armées de Giap et les colonnes de camions
Molotova iront toujours plus loin. Quelle illusion
de croire qu'on pourra anéantir les Viets quand ils
arriveront devant le delta! Car ils le pourriront, ils
pourriront tout le pays, et le Corps Expéditionnaire,
acculé, ira de défaite en défaite jusqu'à la catastrophe
finale. C'est maintenant le moment d'oser en portant
la guerre là où on peut encore écraser Ho Chi-minh,
dans son " quadrilatère ". » Alessandri voit juste
comme théoricien et comme prophète — le futur
le prouvera. Et cependant ce qu'il propose, cette
invasion de la jungle par l'armada du Corps Expédion-
naire, sa grande, sa glorieuse campagne, n'est-ce pas
déjà un rêve, n'est-ce pas déjà une chimère? C'est
sans doute, dans la réalité, une impossibilité — les
Viets sont déjà trop forts, et cela aurait mal fini.

En tout cas, contre le romantisme d'Alessandri,
Carpentier jette le poids de son bon sens, un bon sens
absurde, et à qui il ne faudra que quelques semaines
pour finir très mal, horriblement mal. Mais on n'en
est pas là. Car Alessandri se révolte, il n'accepte
pas — et ce qui va suivre est vraiment sordide,
montre jusqu'où peut aller le byzantinisme militaire.
Il est vrai qu'il est difficile de distinguer, dans ces
querelles entre généraux, si extraordinairement

âpres et mesquines, l'intérêt personnel — l'égoïsme,
la vanité, la rancune, l'ambition —, de la bonne foi,
la certitude d'incarner l'hypothèse stratégique juste.
Il y a probablement un mélange des deux, comme
chez les autres hommes; mais, chez les militaires,
ces querelles sont portées à un degré fantastique
d'acharnement. Même les débats les plus nobles
deviennent aussitôt des affaires personnelles inouïes,
avec une impudeur totale — et pourtant ce qui est
en cause, c'est la France, c'est la défaite ou la victoire,
c'est la vie de milliers et de milliers de soldats.

LES PETITS JEUX DES GRANDS GÉNÉRAUX

Une fois son coup monté, Carpentier reste très
prudent : il lui faut prendre ses allures de Command-
dant en Chef, abruptes évidemment pour marquer
son autorité, un peu geignardes comme s'il était
victime de l'incompréhension, mais aussi un peu
bonhommes comme s'il était prêt à s'entendre.
Il lui faut ruser. Car Alessandri a de puissants alliés
sur la place, en particulier l'amiral Ortoli, le commandant des Forces maritimes françaises en Extrême-
Orient, un petit bout de Corse aussi, mais cent fois
plus farouche encore, cent fois plus exalté, tout
électrique, électrisant tout, et lui complètement
désintéressé, intégralement patriote, incapable d'une
manœuvre, d'un mensonge, d'une habileté; toujours
nerveux, sous pression, silencieux pour mieux éclater en flammes, en passions, son petit corps se gran-
dissant, sa petite voix se gonflant d'indignation et
de douleur, il se transfigure, il n'a vraiment peur

de rien, il prend des décisions terribles; et comme il
est très pur et qu'il a aussi son charme, il est très
redoutable. Du temps où le général Revers voulait
déjà qu'on allège la frontière, n'a-t-il pas tout bonne-
ment annoncé, dans une lettre, tout à fait officielle,
qu'il refusait le concours de la Marine? Et ce n'était
pas de l'insubordination — il suivait sa conscience.
Aussi, un homme comme Carpentier craint de le
contrarier, par peur de son caractère et de son personnage; et puis parce que c'est un ami très proche
du général de Gaulle.

Alessandri peut aussi compter, quoique dans une
mesure moindre, sur le général commandant l'aviation, Hartmann. Il vient d'arriver, gaillard sec
et noir, le genre vieil « as » un peu dégingandé,
un peu usé, un peu noceur, mais pas commode
non plus, et qui connaît bougrement son affaire.
Il trouve qu'en Indochine tout est en pleine « fou-
taise » et qu'il faut s'y mettre sérieusement. Il trouve
surtout que, pour l'aviation, tout est à refaire,
et qu'ensuite les Viets comprendront leur bonheur.

Et il y a aussi Pignon, l'honnête Pignon qui a
perdu sa joie de vivre, qui est tout douloureux,
tout plongé dans ses cas de conscience. Il n'est
aucunement militaire, il voulait une solution politique, mais c'est raté — et les militaires l'assiègent.
Il faut même qu'il tranche entre eux. De cœur,
il est avec Alessandri, le vieux camarade, le vieux
colonial, honnête aussi, sincère aussi; et il sait bien
que la seule chance, c'est l'offensive, c'est de démolir
le « quadrilatère » d'Ho Chi-minh, de prendre la
jungle de la frontière de Chine. Mais Carpentier lui
a démontré, preuves à l'appui, chiffres et dossiers

en mains, que c'est impossible. Alors, il se range
de son côté, mais à contrecœur, avec mauvaise conscience. Plus que jamais, il tient sa tête trop lourde
entre ses mains, plus que jamais il est tire-bouchonné
dans son uniforme. Impossible d'en référer à Paris,
au Gouvernement, car là-bas personne ne compren-
drait! Pignon est dramatiquement seul, il est
désespéré, il est écartelé aussi — il n'a le choix
qu'entre des solutions mauvaises. Alors il tergiverse.
Et l'entourage de Carpentier se demande si Pignon,
pris au milieu de ses incertitudes, de ses hésitations, ne retournera pas à nouveau sa position, ne
finira pas par se ranger du côté d'Alessandri.

Ce que craint avant tout Carpentier, c'est le Conseil
de Défense. C'était le comité suprême « responsable
de la conduite des opérations en Indochine » — un
petit conclave ou siégeaient le Commandant en Chef,
le Haut-Commissaire, le Commandant de l'Armée
de Terre, le Commandant des Forces maritimes,
le Commandant des Forces aériennes. S'il se réunis-
sait, Carpentier serait en minorité, avec Pignon
incertain, Alessandri, Ortoli et Hartmann en pleine
révolte. Officiellement, on avait supprimé cet aréopage — mais, comme toujours, cela avait été fait
par un tour de passe-passe, en pleine confusion,
de telle sorte que les opposants risquaient quand
même d'en exiger la convocation.

Pour Carpentier, la planche de salut, c'est Paris.
Il faut qu'il y aille, pour parler à qui de droit, à
Juin, au ministère de la Guerre, à toutes les hautes
personnalités, à tout ce qui est important, pompeux,
établi, hiérarchique. Mais surtout il faut qu'il y
arrive avant Alessandri — car le petit Corse muet,

qui dédaigne la presse et toutes les formes de publicité, décide d'aller lui-même faire le siège de la Quatrième République, de se lancer dans la grande croisade auprès des « pékins » de toutes espèces qu'en général il méprise. Il veut les séduire, les charmer, les convaincre pour sauver son plan, pour sauver l'Indochine. Et comme il ne peut partir officiellement, il parle de démission, il réclame son rapatriement sur la métropole.

Pour le retenir un peu, Carpentier lui envoie ce message à Hanoï : « Mes tâches m'appellent en France pour quelques semaines. Venez me remplacer à Saigon, vous commanderez jusqu'à mon retour. » Mais il est bien obligé d'attendre Alessandri. Et, au Palais Norodom, c'est la grande confrontation entre l'homme qui part d'abord et l'homme qui partira ensuite — l'un et l'autre sachant que c'est pour se torpiller mutuellement. Aux reproches d'un Alessandri verdâtre, défait, crispé d'amertume, Carpentier répond avec une grosse gaillardise : « Je vous ai laissé être vice-roi au Tonkin. Vous en avez abusé. Cela ne peut pas continuer. » Il ne reste plus à Alessandri qu'à se plaindre auprès de Pignon. Il lui dit : « Je croyais que nous étions en parfaite conformité de vues. Je regrette que vous m'ayez désavoué. » Mais Pignon proteste de sa bonne foi.

A Paris, Carpentier fait figure d'un bien brave général en chef, peut-être pas très brillant, mais si rassurant par sa solidité. Il tient des propos d'un épais bon sens. Grâce à lui, il n'y a pas à s'inquiéter. Il a tout ce qu'il faut, pas besoin de renforts. La situation est bonne, très bonne, la victoire est certaine — mais il faudra peut-être manœuvrer.

Il s'en charge. Il a étudié toutes les éventualités, il est paré pour tout. Peut-être sera-t-il amené à évacuer ce Caobang perdu dans la jungle — mais ce sera pour attendre les Viets sur le bon champ de bataille, les écraser à l'orée du delta. On peut lui faire confiance. Il y aura sans doute quelques semaines un peu difficiles — mais un vieux soldat comme lui, ça ne fait pas de bêtises. Il y a bien en Indochine des généraux vaniteux et indisciplinés qui tomberaient facilement dans les pièges des Viets — lui, il mettra le temps qu'il faudra, mais il les « aura » scientifiquement. D'ailleurs, dans quelques mois, tout ira bien mieux — et il pourra enfin rapatrier sur la France ces bataillons du Corps Expéditionnaire dont il avait dû retarder le retour par prudence.

Carpentier revient ravi à Saigon, avec toutes les approbations, toutes les félicitations gouvernementales. Au fond, Alessandri serait moins gênant en France qu'en Indochine — même s'il fait là-bas sa campagne de démarches. Car que risque-t-il, lui Carpentier, puisqu'il a toujours l'appui inébranlable, massif, de son patron Juin? Au contraire, à Paris, Alessandri va se casser les dents.

Et c'est ainsi que le « petit Corse » s'en va, sans que personne sache si c'est définitif ou non, s'il s'agit de vacances, de démission ou de renvoi. On parle vaguement d'un autre général pour le remplacer — mais rien ne se fait et même Pignon n'est pas au courant. C'est l'incertitude complète au sein du Corps Expéditionnaire, où l'on attend le résultat des courses.

Seul Alessandri sait vraiment ce qu'il veut : la peau de Carpentier, pour revenir à sa place. Et

c'est ainsi qu'il prend la terrible responsabilité de
s'en aller en France au début de la « grande attente »,
au moment où l'armée de Giap s'accumule sur la
frontière, s'apprête à déferler. Mais il croit avoir le
temps. Pour lui, l'essentiel c'est d'avoir gain de
cause à Paris, d'arracher les pleins pouvoirs pour lui,
de réduire à l'impuissance ou d'éliminer Carpentier.
Alors, à son retour, il sera en état de triompher des
Viets.

Alessandri prend donc l'avion. Et le miracle,
c'est qu'en France il réussit presque. Ce petit général
inconnu, sans protections, sans relations, arrive à
convaincre ses interlocuteurs. Jour après jour,
pendant deux mois, il voit une à une toutes les
notabilités du régime, patiemment, longuement.
Il « vend son plan » au Président de la République,
au Président du Conseil, aux ministres, aux hommes
politiques, aux grands financiers. Lui, généralement
si taciturne, est soudain devenu loquace et persuasif,
multipliant les arguments, les raisonnements, les
exemples, les professions de foi. Avant tout, constamment, il répète qu'il est « l'homme qui connaît
l'Asie ». Lui sait vraiment ce que sont les Annamites,
les Chinois, ces Jaunes mystérieux de toutes espèces.
Il les aime, il les comprend, il les manie à sa guise.
Et il dit cela avec une telle pureté, une telle convic-
tion ! Même dans ces démarches de racolage, dans ce
métier de commis voyageur, tout indique qu'il
n'agit pas par égoïsme mais par amour de la France.

Et ce qu'il promet est tellement plus séduisant
que ce qu'a dit le lourd Carpentier ! Qu'on le laisse
faire, et il aura réglé en quelques semaines, en
quelques mois au plus, le problème apparemment

insoluble de la Guerre d'Indochine. Qu'on le laisse attaquer, qu'on lui donne juste quelques moyens supplémentaires et, dans moins d'un an, il aura liquidé Ho Chi-minh et Giap, il aura renvoyé en France le Corps Expéditionnaire en entier.

Carpentier avait été optimiste. Mais ce que dit Alessandri, c'est du miel aux oreilles des dirigeants de la Quatrième République. Le nouveau ministre de la France d'Outre-Mer, Letourneau, un M.R.P. qui a la bonne figure rouge, ronde, digne et bonhomme d'un président de comice agricole, est impressionné; il l'est d'autant plus que, de l'Asie, il ne connaît rien, strictement rien, il n'en a pas la moindre idée. Il a comme directeur de cabinet un certain Delavignette, un ancien gouverneur qui a fait toute sa carrière en Afrique et qui ne parle que des Noirs. Mais on pense que ce petit général connaît bien son affaire — il faudrait l'utiliser.

Le plus charmé, le plus béat, le plus heureux, c'est Vincent Auriol lui-même. Comme tout le monde cet été-là — comme Pignon, comme Bao-Daï — je me trouve à Paris. J'ai l'honneur d'obtenir une audience de monsieur le Président de la République. Il me reçoit dans son grand bureau. Il n'est pas aimable — important et glacé malgré son accent méridional. Il me regarde de son œil de verre. Enfin, il me demande comment cela va en Indochine. Je lui réponds que les progrès de la Pacification sont énormes, surtout dans les deltas de la Cochinchine et du Tonkin. Il m'interrompt : « Alors, c'est bientôt gagné? » La victoire, c'est son obsession, à la fois patriotique et électorale. J'ai l'imprudence de dire qu'à mon avis une grave menace pèse sur la frontière de la Chine. Vincent Auriol me foudroie : « Je n'ai pas les mêmes renseignements que vous, monsieur, pas du tout les mêmes. Au revoir, monsieur. » En fait, le général Alessandri était passé par là.

Le « petit général » remporte de tels succès sur la scène parisienne qu'à Saigon, Carpentier s'en inquiète. Avec sa grosse ruse et ses gros souliers, il écrit à Alessandri le 25 août 1950 : « J'avais vu effectivement avec quelque surprise que vous aviez été reçu par M. Vincent Auriol. Quand j'ai appris, quelques jours plus tard, que vous l'aviez été par M. Jules Moch et par M. Pleven, je me suis dit que pour une " permission " c'était une drôle de formule. » Carpentier change une nouvelle fois d'avis. Somme toute, Alessandri est encore moins dangereux en Indochine qu'en France. Il ajoute donc dans sa lettre : « En ce qui concerne votre retour, je pense qu'il y a malentendu. Vous m'aviez parlé d'un mois et demi à deux mois d'absence. Et maintenant vous m'avertissez que vous reviendrez après avoir bénéficié d'une permission de deux mois et demi comme convenu. Je ne puis absolument pas souscrire à cette prolongation. »

Le « petit général » n'est pas pressé du tout de retourner. C'est que, quels que soient ses triomphes de propagandiste, il n'en est rien sorti de concret : de bonnes paroles, des promesses en masse, toutes les hyperboles, toutes les congratulations, mais pas un résultat. La machine républicaine et gouvernementale se révèle d'un poids effrayant; c'est quelque chose de grippé, d'impossible à remuer, le colosse de l'inertie, le monde du néant. D'ailleurs, puisque Alessandri a tout peint en rose, pourquoi se dépêcher, prendre des décisions? Dans les conseils ministériels on ne parle jamais de l'Indochine. Mais lui ne renonce pas, il poursuit ses visites, ses démarches, ses démonstrations, avec encore plus de ténacité. Rien ne le décourage. A la fin, il en est sûr, il aura satisfaction, il réapparaîtra à Saigon en triomphateur, comme le maître. On entretient ses illusions. Vincent Auriol, Jules Moch, Max Lejeune lui disent également : « Le général Carpentier est malade. Attendez que son état se soit aggravé. Alors, vous serez son successeur. »

Après tous ces efforts, Alessandri se repose à Cannes. Un jour, il reçoit un coup de téléphone de Bao-Daï, lui aussi sur la Côte d'Azur :

— Venez me voir. M. Letourneau et M. Pignon désirent s'entretenir avec vous.

M. Letourneau a sa figure la plus solennelle :

— Général, vous avez fait une grosse impression sur le Président de la République. Il vous demande de repartir pour l'Indochine tout de suite. On a absolument besoin de votre expérience là-bas. Vous êtes l'homme de la situation. Vous seul pouvez mener les opérations prévues.

Alessandri s'enquiert de la politique militaire qu'on va suivre — si c'est la sienne. S'il est chargé d'en appliquer une tout opposée, il préfère demeurer en France, où il a commencé un traitement médical. Letourneau est évasif. Pourtant, le « petit général » faiblit. Il demande :

— Dois-je comprendre que le désir du Président de la République est un ordre?

— C'en est un.

Il ne reste plus à Alessandri qu'à obéir à sa conscience. En réalité il est vaniteusement certain

que là-bas, sur place, il imposera ses conceptions.
Il prend l'avion pour Saigon le 17 septembre, plein
d'espoir. Pourtant un camarade, le colonel R...,
le prévient : on l'attend pour lui jouer un mauvais
tour, pour en faire un bouc émissaire.

A la vérité, le Gouvernement n'a pas de si mauvaises intentions. Il ne pèche que par l'absurdité,
une incompréhension congénitale. On garde Carpentier parce qu'il a des appuis et qu'on préfère la prudence. Pour les principes, on lui donne raison : pas
de grande offensive dans la jungle. Mais, pour
l'exécution, on n'a pas confiance en lui. Il vaudrait
bien mieux avoir Alessandri, le spécialiste sur le
terrain. Dans l'idée du Gouvernement, la vieille
baderne trop sage et le jeune excité trop entrepre-
nant se compléteront au mieux, formant une bonne
paire, bien moyenne, ce qu'il faut entre le gâtisme
et l'imprudence. On oublie seulement leur haine
féroce, leur opposition en tout, la certitude qu'ils
feront tout l'un contre l'autre.

A vrai dire, c'est Carpentier le plus virulent.
Alessandri arrive après le second Dong-Khé, pour
faire de grandes choses. Carpentier lui dit aussitôt
qu'il n'a rien à faire, ou presque rien : c'est lui-même,
le général en chef, qui a dressé les grands plans
d'opérations, et il a ses hommes pour les appliquer.
Carpentier, si longtemps le général en chambre,
n'a guère quitté sa chambre. Mais il s'est quand
même transformé en homme de guerre — le malheur,
c'est que sa guerre est idiote.

Pauvre Alessandri! Comme il a eu tort d'être
absent tout l'été! Carpentier a tout pris pour lui.
Et quand le « petit Corse » revient, il se retrouve

complètement impuissant, désarmé; ses colères ne
servent à rien. Il est associé, complice même d'une
stratégie qu'il abomine, dont il prévoit le désastre.
A cause de sa vanité, de sa présomption, de ses
faiblesses de caractère, il est finalement « roulé ».
Il ira au-devant de malheurs qui ne lui sont pas
vraiment imputables, mais qui lui seront affreusement reprochés, qui l'accableront pour le reste de sa
vie. Au fond, dans le grand jeu du monde, c'est ce
Carpentier à l'aspect rustique et lourdaud qui a été
le plus malin. Ce sera lui le plus responsable — mais
il paiera le moins, il poursuivra même une grande
carrière, simplement à cause de ses relations.

LE GRAND NÉANT

Dans ces semaines où, sur la frontière, le Corps
Expéditionnaire attend le choc, Carpentier et
Alessandri, également inconscients, sont tout à
leurs querelles. Chacun veut s'assurer, au détriment
de l'autre, la gloire de la victoire future. Au milieu
de ces compétitions sordides, la désorganisation est
si grande qu'on peut dire qu'il n'y a pratiquement
plus de commandement. Jusque-là, l'insubordination
larvée avait constitué une sorte d'équilibre. Carpentier accusait Alessandri de saboter ses ordres, mais
Alessandri accusait Carpentier de le court-circuiter.
Il y avait depuis longtemps un axe Hanoï-Saigon,
ou plutôt Alessandri-Pignon. Mais il y avait aussi un
axe Langson-Saigon, ou plutôt Constans-Carpentier.
Car à Langson, pour la R.C. 4 et toute la zone frontière qui dépendaient, en principe, au premier degré

d'Alessandri, Carpentier avait nommé une créature
à lui, le colonel Constans, qui lui rendait compte
directement et en recevait directement les ordres.
De cette façon, cela marchait tant bien que mal.

Mais, l'été 1950, Saigon se met à vouloir tout
commander. A vrai dire, Saigon et Carpentier s'y
prennent de telle façon qu'ils ne commandent que le
vide, le néant. Pour le Corps Expéditionnaire, ce
n'est pas seulement la grande attente; c'est aussi le
grand sommeil.

Pour Carpentier, c'est sa grande heure : plus personne ne lui porte ombrage. Alessandri est en France.
A Saigon même, son mentor, le fâcheux génial et
intempestif, le fameux chef d'état-major alcoolique
du Corps Expéditionnaire, le colonel Domergue,
disparaît, en disgrâce ou malade, je ne sais. Sa place
est prise par des hommes infiniment plus courtois et
normaux, comme Brebisson, Crèvecœur, Lennuyeux
— ils sont très estimables, mais tout à fait incapables
d'en remonter au Commandant en Chef, qui ne
croit plus qu'en lui-même.

Carpentier, dans son bureau du Palais Norodom,
est le roi. Il règne sur quelques mètres carrés de
plancher, tout ce qui s'étend entre la porte soigneusement gardée de l'entrée et sa vieille cantine au
fond, dans un coin : pour lui, c'est l'Indochine. Sa
santé est plutôt meilleure. Ses rides tannées portent
généralement la marque de la bienveillance gaillarde
— mais parfois un pli est le signe d'une condamnation sans appel. En fait sa bonhomie est de plus en
plus autoritaire. Malheur à qui lui déplaît! Et il
s'agit presque toujours d'un détail. Il a tout un code
du favoritisme, une sorte de règlement de campagne

sur la faveur, la défaveur — l'application d'un manuel avec chapitres et alinéas, qu'il porte en lui.

Sa nature profonde n'a pas changé. C'est le vieil instinct de la bravache militaire, c'est le vieux réflexe de la peur de Paris. Il est toujours aussi imprégné de la gloire de l'Armée française, du Corps Expéditionnaire et de lui-même, il est toujours aussi déférent devant les grands et les puissants. Mais aussi, dans son tréfonds de terrien, il y a désormais une vague crainte de l'ennemi — comme un paysan s'inquiète quand le ciel se couvre. C'est qu'il commence à prendre au sérieux les Viets et les Chinois — à moins qu'il ne fasse semblant de les prendre au sérieux.

Comment savoir? Carpentier est au fond, au-delà de ses naïvetés vraies ou fausses, très rusé. Et cela peut être avantageux pour lui, pour sa « cote » à Paris, de reconnaître l'existence de « problèmes » — il n'y en avait pas pour lui autrefois, sauf Alessandri. Il s'arrange désormais pour n'être pas seulement Carpentier le Brave mais aussi Carpentier le Raisonnable. Tout est dans l'attitude, savoir mêler à beaucoup d'optimisme un peu de pessimisme. Carpentier est admirable, avec ses airs épais, dans ce dosage. Il dit toujours : « Mais que Giap se frotte à nous, qu'on le déculotte. » D'autres fois il ajoute en confidence, comme s'il révélait un grand secret : « Voyez la tannée que les Américains prennent en Corée. Ces jaunes, quand même, ce sont des soldats. » Il veut même bien croire à la prochaine « contre-offensive générale des Viets » sur la frontière nord-est du Tonkin. Mais il est là — et il prend des mesures.

Lesquelles? Car il est bien difficile de décider
quelque chose sans risquer de mécontenter quelqu'un
en haut lieu. On ne sait jamais ce qu'on dira au
Gouvernement et au ministère de la Guerre. Et puis
Carpentier ne sait pas décider, en stratégie aussi
il fait de la petite cuisine. Alors, il ne prend que des
demi-mesures, des quarts de mesure, des apparences
de mesure.

Carpentier est bien satisfait, en sachant se donner de temps en temps une expression soucieuse. Il
ne résout rien pourtant, mais il multiplie les instructions — un pêle-mêle contradictoire où, sous la
gloriole, il « se dégonfle » toujours un peu militairement, sans en avoir l'air. Il y a deux hommes en lui
— le vieux Carpentier qui tape du poing sur la table
et un Carpentier nouveau qui craint le « pépin »,
pas seulement le pépin politique, son obsession,
mais aussi le pépin dans la guerre. C'est encore le
vieux Carpentier qui l'emporte, mais il transparaît
parfois un Carpentier nouveau, qui a peur, qui du
moins est prêt à avoir peur et qui même, le cas
échéant, peut se laisser emporter par la grande peur,
par la vraie panique — et cela sans pudeur, sans
honte, au nom de son éternel bon sens.

Le résultat étrange, c'est que Carpentier prépare
une stratégie « prudente », mais avec des tactiques
insensées, pleines de toutes les bravades, les imprudences, les défis, les incohérences — pleines aussi de
considérations sans rapport avec l'art de la guerre,
faites pour plaire ou ne pas déplaire à qui il faut.

La somme de tout cela, c'est un document connu
comme « l'instruction personnelle et secrète pour la
défense de la frontière sino-tonkinoise » en date du

18 août 1950. On défend toujours la R.C. 4 — les verrous fortifiés de Caobang, de That-Khé, de Langson, de Dong-Dang feront office de « brise-lames » face à l'offensive ennemie. Caobang et Langson seront défendus sans esprit de retour. Les postes secondaires pourront être repliés — mais les colonnes viets qui auront franchi la R.C. 4 seront attaquées au cours de leur progression dans la jungle par des « éléments retardateurs ». Enfin, on livrera la bataille décisive à la lisière du delta, avec le « maximum de moyens ».

C'est rédigé comme pour l'École de Guerre, doctrinalement, scientifiquement, avec le vocabulaire adéquat et les théories napoléoniennes — comme si cela se passait sur la Meuse ou la Marne. On ne tient compte ni de ce qu'est la jungle ni de ce qu'est l'ennemi — on veut tout ignorer de la « guerre populaire ». Tout est insensé. Ainsi Carpentier répugne à évacuer la R.C. 4, parce que cela ferait quand même mauvais effet à Paris : au lieu de la dégarnir complètement ou de la renforcer solidement — seule alternative évidente — il y abandonne quelques milliers de soldats, juste ce qu'il faut pour une défaite écrasante qui fera apparaître l'ennemi encore bien plus formidable qu'il n'est, qui « cassera » le courage et l'âme de tout le Corps Expéditionnaire. Et, dans le désastre presque certain, l'évacuation des petits postes, les replis seront un sauve-qui-peut ou de lamentables capitulations. Quant aux « éléments retardateurs » chargés de ralentir l'avance des Viets, ils n'existent pas — ce sont au plus quelques compagnies qui s'engloutiront dans la masse des envahisseurs.

Ce n'est pas tout. Après la catastrophe prévisible de la frontière, le gros du Corps Expéditionnaire ne sera plus moralement en état de résister devant le delta, tellement il sera surpris, stupéfait, accablé. Il ne le sera pas non plus matériellement — car Carpentier, dans son inconscience, tout en annonçant de prochaines grandes batailles au Tonkin, au lieu d'y envoyer des troupes, en prélève : on voit des bataillons s'embarquer à Haiphong pour l'Annam ou d'autres régions lointaines de l'Indochine, où des généraux réclament des renforts. On les leur envoie parce que ce sont des « amis » — et parce qu'il y a bien assez d'effectifs au Tonkin pour donner une leçon à Giap.

Les seules mesures véritables que prend Carpentier, c'est pour diffuser sa gloire à travers le monde, informer pleinement l'opinion des prochaines victoires françaises. En effet, le Commandant en Chef n'est pas content du tout des journalistes professionnels qui, d'après lui, renseignent mal, à contretemps ou avec mauvais esprit. C'est alors qu'il imagine de faire lui-même sa propre publicité. Là où il n'y avait rien, il crée soudain un Service Militaire d'Information énorme — une véritable unité opérationnelle du porte-plume. Les effectifs se montent à une cinquantaine d'officiers et de sous-officiers, tous connus pour leur bonne mentalité. A la tête, un rassemblement extraordinaire de colonels et de commandants « scrogneugneu ». En dessous, un certain nombre de jeunes lieutenants réputés pour leur « brin de plume » : après avoir suivi les opérations, ils feront des « reportages » qui, dûment pesés, corrigés, améliorés, approuvés par les successives

autorités hiérarchiques de l'Armée et par Carpentier
lui-même, seront offerts gratuitement à la presse du
monde entier. Pendant ces « corrections » de texte,
que de discussions entre galonnés! Et on se tient au
garde-à-vous, et on se salue militairement, et les
subordonnés présentent leurs respects à leurs supérieurs.

Carpentier, dans sa puérilité, s'imagine que des
articles aussi « excellents », fournis gratis, seront
avidement reproduits à travers l'univers. L'idée
profonde est de persuader les grands organes de
presse français et internationaux de ne plus envoyer
leurs reporters — des civils — en Indochine : ils
feraient tellement mieux de se fier aux « officiers
intellectuels » du S.M.I. (Service Militaire d'Information), tous gens du meilleur monde et en même
temps « soldats » tenus par l'honneur et la discipline. A la vérité, malgré tant d'efforts, de millions,
de moyens, une seule de ces productions militaires
fut imprimée en France, une seule fois, dans une
minuscule feuille de province, et parce que son
auteur — un lieutenant — y avait de proches
parents.

N'arrivant pas à supprimer les journalistes professionnels en Indochine, Carpentier a alors l'idée
plus ingénieuse de les amadouer. Tandis que tout se
passait dans le secret le plus hermétique, il fait
désormais rédiger pour eux des communiqués
officiels. Et même il leur désigne un « porte-parole ».
Pour ce rôle — celui d'un homme de confiance
chargé de séduire et de convaincre des gens douteux
et un peu méprisables — il choisit le plus beau des
capitaines, le plus décoré, un jeune aux yeux bleus,

à l'allure noblement cordiale, à la poignée de main ferme, aux convictions ardentes : il est si bien qu'il paraît incapable de mentir — ce qui est pourtant sa tâche. C'est lui qui communiquera sa foi, sa flamme aux correspondants les plus blasés; c'est lui qui leur annoncera, dans une atmosphère d'enthousiasme viril et sobre, les victoires de la prochaine campagne d'automne.

Ainsi, à Saigon, on s'agite, on se prépare, tout au moins autour du général Carpentier, dans les bureaux où sont les fidèles pénétrés de son esprit. Mais là où l'on doit se battre, au Tonkin, c'est l'immobilisme absolu. Personne ne s'occupe de rien. A Hanoï, dans les états-majors d'Alessandri, on ne fait rien — en se demandant s'il reviendra et en craignant les colères du « patron » si jamais il réapparaissait, victorieux à Paris. Officiellement, les responsabilités reposent sur le général Marchand, l'adjoint d'Alessandri, qui n'a que deux étoiles, à son plus grand émoi. Il n'avait pas désiré cela! Il est le premier à clamer qu'il est bien incapable d'assumer, même pour quelques semaines, un pareil commandement, aussi important, aussi dangereux. Il ne cesse de s'écrier sur tous les tons, devant tout le monde : « Et moi qui voulais seulement parvenir bien tranquillement à ma retraite! Quelle tuile, mon Dieu, quelle tuile! Que va-t-il m'arriver? » Il est complètement écrasé. C'est un bien brave homme, c'est aussi un homme excellent, très aimé, très bon. En sa jeunesse, il composa des chansonnettes célèbres comme *La trompette en bois*, et puis il n'a plus jamais eu d'autre célébrité. Mais il n'en désirait pas. Et maintenant dans quel pétrin il se trouve! Avant de s'en aller,

Alessandri lui avait donné certains ordres bien précis. Mais voilà qu'un des colonels de Carpentier arrive à Hanoï, avec la fameuse « instruction personnelle et secrète du 18 août », pour lui demander : « Vous êtes bien d'accord? » Le pauvre Marchand est bien forcé de l'être, mais il a l'impression d'être un renégat, d'avoir trahi Alessandri.

Si tout est mort à Hanoï, tout est glorieux à Langson, la magnifique capitale de la zone frontière. Mais c'est une gloire comme au théâtre — comme dans Shakespeare — où des fous jouent les paladins, avant de s'effondrer dans le sang et le ridicule.

C'est là que le colonel Constans est en représentation permanente — il est le héros, la cité entière sert de décor, et les légionnaires sont utilisés comme acteurs. Ce colonel est apparemment destiné au plus magnifique avenir, à être général, à être maréchal, à être le chef de la France. C'est un très bel homme en tous genres — il est à la fois le magnifique soldat plein de prestance, le jeune premier à peine vieilli, le très grand seigneur noblement dédaigneux et bienveillant, le mondain qui, d'un mot, d'un sourire, fait savoir qu'il connaît les grands, les puissants, les riches de l'univers entier. Et c'est vrai. Bourgeois d'une riche famille, il a déjà un passé prodigieux par ses relations, par ses agréments. Il parle très bien et il séduit encore mieux. Né réactionnaire, d'amitiés socialisantes, il a été chef du cabinet d'Erik Labonne au Maroc, il est le grand compagnon de Soustelle. Mais quelle duchesse, quel ministre ne fréquente-t-il pas? Il écrit directement aux plus grands personnages du Gouvernement, de la République, comme si le règlement

ne s'appliquait pas à lui. En fait, ayant dépassé
la quarantaine, il ne lui manque — pour monter
très haut, toujours plus haut — que la réussite d'un
grand commandement. Car, breveté d'état-major,
officier de la Légion, il n'a jamais vraiment fait la
guerre. Alors il vient la faire là où elle est la plus
dangereuse, là où elle lui donnera le plus de renom,
à Langson, comme chef de la zone frontière.

Il a été nommé en dépit d'Alessandri. Mais comme
potentiel d'influence, il représente tellement plus
que le petit général corse et colonial qui se démène
si furieusement! Par contre, Carpentier, qui a l'appui
de Juin, se sent du même monde que Constans, qui
a le Tout-Paris derrière lui, qui va incarner le Tout-
Paris dans la jungle. Carpentier et Constans, ces deux
alliés — le général à quatre étoiles et le colonel à cinq
galons — vont donc faire leur guerre ensemble, de pair
à compagnon, comme si Alessandri n'existait pas.

Curieusement, Constans à Langson est aussi
immobile, encore plus même, que Carpentier à
Saigon. Il se déplace très peu, va rarement voir ses
troupes et ses postes de la R.C. 4. En tout et pour
tout, il ne s'est rendu à Caobang qu'une fois, peu
après son arrivée. Il n'y est plus retourné. C'est qu'il
n'aime pas du tout prendre l'avion — selon certains,
c'est parce qu'il a le cœur faible; selon d'autres, c'est
parce qu'un devin lui a prédit un accident. Il déteste
tellement la navigation aérienne qu'il a même eu,
tout au début, un petit différend avec Carpentier.
Celui-ci, qui l'avait choisi, qui l'avait obtenu au
prix d'immenses efforts, qui l'avait littéralement
arraché au ministère de la Guerre, l'attendait à
Saigon avec une impatience folle. Les jours se

passent — rien. Car Constans, pour venir de France, au lieu de prendre « Air France », s'était embarqué sur un luxueux paquebot. Quand il débarque, Carpentier furieux lui ordonne : « Allez tout de suite à l'aérodrome de Tan Son Nhut. Et un Dakota militaire vous amènera immédiatement à votre poste de commandement, à Langson. »

Naturellement, la fâcherie n'a pas duré. Au contraire, Constans est le « chouchou » de Carpentier, qui, à la moindre occasion, lui prodigue les félicitations, les citations et les décorations. En échange, le colonel couvre le général en chef de flatteries. Une fois, il fait faire un portrait de Carpentier, entièrement brodé à la chinoise. Il le lui offre. Et Carpentier de murmurer : « Quelle délicatesse, ce Constans! » Qui plus est, Constans a l'habileté d'affirmer à Carpentier que, dans ses lettres à Paris, il ne cesse de vanter ses mérites, de dire tout le bien qu'il pense de lui.

Le splendide Constans ne comprend rien à la guerre, encore bien moins que le besogneux Carpentier. Il n'est pas capable de rédiger un ordre d'opérations — il faut que ce soit Charton, le « dur » qu'on lui a mis comme adjoint, qui le fasse. Tout est drame autour de lui, à quelques kilomètres, mais il le sait à peine. Il veut faire de Langson son Versailles, le fief merveilleux de la grandeur militaire, de la magnificence mondaine et même de la subtilité politique. Sa première parole, c'est pour dire :

— Je vais recevoir beaucoup. Je voudrais un majordome.

— Il y a Burgens, alias de Broca, un ancien sous-secrétaire d'État de Pétain.

— C'est épatant. Ce sera ma carte de visite vichyste.

Car Constans se constitue un état-major qui est un arc-en-ciel politique, de quoi plaire à tout le monde. Quelques officiers « marsouins » lui servent de carte de visite pour la « coloniale », si importante au ministère de la Guerre à cause des Valluy, des Salan, etc. Un officier de tabors est sa carte de visite pour l'Armée d'Afrique, qui envahit l'Indo-chine avec ses goums, ses spahis et ses tirailleurs. Un lieutenant de légion, neveu du général d'Anselme, est sa carte de visite F.F.I., un autre officier sa carte de visite F.F.L. Il n'y a que le capitaine Vaillant qui, dans ce milieu bien apparenté, soit un indépendant, ne représentant que lui-même — mais il est très utile, il fait toutes les corvées.

Et, au milieu de cela, quel luxe, quel raffinement de luxe ! Il n'y a pas au monde de meilleure figuration que la Légion. Tout son cérémonial, toutes ses antiques traditions sont exploitées à fond : pour tout, pour les plus humbles besognes domestiques, pour les défilés superbement martiaux, pour les relèves, rien que des hommes beaux, splendidement dressés, de merveilleuses statues vivantes. Et toujours, comme fond sonore, du matin au soir, le *Boudin*, *La Marche consulaire*, toutes les fanfares. Mais cela ne suffit pas au colonel. Il crée « La Royale », sa section de protection personnelle, pour laquelle il choisit un à un soixante purs Aryens de un mètre quatre-vingt-dix au minimum — ils n'ont rien à faire que de toujours parader autour de lui, d'être ses larbins romantiques. Le rude Charton, pour ne pas être en reste, se constitue « L'Impériale » — une petite phalange de légionnaires aussi beaux, aussi grands, mais avant tout des « baroudeurs »; lui s'en sert comme corps francs pour faire des coups de main près de Langson, la nuit, pendant que Constans offre des dîners de gala.

Tout est calculé pour l'effet. Quand Constans reçoit à Langson un hôte de marque, par exemple un brave général américain qui vient se faire une opinion, il téléphone à tous ses services : « Préparez-moi le grand jeu. » Comment lui résister, comment ne pas le croire quand, dans la chambre des cartes, tous ses officiers au garde-à-vous, dans une extraordinaire atmosphère de sérieux, il décrit avec une grandeur sereine, avec une simplicité envoûtante, « son » dispositif de la frontière? Et tout ce qu'il dit, il le prouve, par des faits, des chiffres, de ces détails incroyablement précis, comme les aiment tant les militaires yankees qui arrivent pleins de doutes. Avec quelle aisance il répond à leurs questions, même les plus perfides! Immanquablement, il les persuade, il les conquiert. Pour eux, il est l'homme toujours sur la brèche, celui qui étudie tout, qui s'acharne à trouver des stratégies toujours plus efficaces, qui veille comme un lynx à leur exécution. C'est un numéro fantastique — car Constans ne sait rien.

Ensuite, après le travail, tout est pour le plaisir. On « gueuletonne », mais c'est somptueux, somptuaire même. Les dîners sont du grand art. Autour d'une table magnifique sont rangés les hommes de guerre, martiaux à souhait, mondains à souhait, mannequins merveilleux de tous les uniformes, de toutes les décorations de l'Armée française. Ils sont placés

selon une étiquette rigoureuse. Les plats les plus
raffinés se succèdent, apportés par les géants impas-
sibles de « La Royale ». Constans dirige la conversation comme une maîtresse de maison — tout est
dosé, les sujets graves, les plaisanteries, les rires.
Constans, d'un rien — d'un silence, d'une ombre
fugitive de mécontentement ou d'approbation —,
fait parler les uns, taire les autres. Et quand lui-
même parle, on sent son charme qui opère, tel un
fluide. Tout ce temps, en fond sonore, on entend
des chants graves, de merveilleux chants allemands.
Il y a aussi, au dessert, un spectacle — un orchestre
de chambre, des mimes et même un danseur déguisé
en « Coccinelle ». C'est la Légion qui fournit tout
cela.

Mais le personnage le plus étonnant, c'est encore
Burgens, le majordome. C'est l'homme que j'avais vu
autrefois à Caobang, où il servait de ministre de
l'Économie à A..,. l'administrateur des Services
civils, qui me disait de lui avec admiration : « Il
arrive à faire de l'argent avec tout, il roule même
les Chinois. » On l'a retrouvé sergent-major à That-
Khé, où il avait des ennuis : la Justice civile voulait
le récupérer. Mais la Légion l'a caché, l'a sauvegardé.
D'ailleurs, très dignement, Burgens s'explique :
« J'ai cinquante-huit ans. Au moment de la Libéra-
tion, rien ne m'obligeait à m'engager, sinon ma
conscience. Avec la fortune que j'avais, pensez
comme je pourrais être pénard en Suisse! »

A Langson, c'est le maître de cérémonies. Il en
impose extraordinairement à Constans. Sa prestance
est telle qu'il y a parfois erreur : des visiteurs s'inclinent devant lui, le prenant pour le colonel qui se

trouve pourtant juste à côté. Mais celui-ci ne se
fâche pas. Il dit : « C'est une perle. » Tout est permis
à Burgens. Quand il y a un cocktail ou un buffet froid,
il se met à parler devant toute l'assistance en grand
personnage, comme si c'était lui le seigneur. Il fait
de longs discours sur l'Indochine, sur Pétain et de
Gaulle, sur Staline, sur la bombe atomique, sur les
finances françaises. Et ce qu'il dit est intelligent,
si intéressant que personne ne pense à l'interrompre
— même les officiers supérieurs oublient que ce n'est
qu'un sergent.

Burgens a un sens prodigieux de l'organisation.
Il a aménagé, pour les visiteurs de marque, un
pavillon qui est presque un palais — dans chaque
chambre il y a du whisky, de la glace, une petite
bibliothèque. Il donne des conseils pour les livres :
« Prenez donc ce roman policier — je vous le garantis.
Mais ce gros bouquin-là, c'est rasant. » Rien ne vaut
pourtant la stupéfaction du visiteur quand, le matin,
il voit arriver Burgens auprès de lui, avec deux légionnaires en grande tenue, arme sur l'épaule, qui
encadrent deux prisonniers vietminh. Burgens dit :
« Voilà vos coolies. — Mais pour quoi faire? — Mais
pour vous gratter le dos pendant que vous prendrez
votre douche. »

Cependant, si à Saigon Carpentier commence à
« croire » aux Viets, Constans, lui, estime qu'ils
n'existent pas. Un jour, arrivent deux journalistes
chaudement recommandés par Carpentier — on se
souvient qu'il avait connu la mère de l'un d'eux
il y a bien longtemps. Grand dîner en leur honneur.
Les garçons posent des questions : « Croyez-vous
que vous pourrez résister à la prochaine offensive de

Giap? » Sourire ironique de Constans, approuvé
par toute la tablée — à vrai dire composée uniquement des officiers de son état-major. « Les grands
méchants Viets, les divisions de Giap, c'est une
invention de vos confrères, ces messieurs de la presse.
C'est du bluff. Il n'y a toujours que des guérilleros,
à qui nous ferons prochainement leur affaire. N'ayez
pas peur pour nous mais pour eux. » Le lendemain
soir, les deux compères font la tournée des bars et
des mauvais lieux. Tout naturellement, ils font
connaissance d'un certain Fontange, capitaine avia-
teur. Et quand ils l'interrogent, celui-ci leur répond
de sa voix cassée :

— Les Viets, ça n'existe pas? Mon cul. Je vais
vous les montrer demain. Et vous verrez que ça
grouille.

Ce Fontange, c'est un cadet de la grande noblesse.
Son père est quelque chose comme sénateur, son
frère inspecteur des finances. Mais sa famille, lui,
il s'en fout. C'est le raté. Avec un grand corps dégingandé, une longue figure osseuse, toujours un peu
méprisant, un peu lointain, toujours entre deux vins,
le meilleur garçon du monde, il se fout de tout. Il
n'a rien à faire de quoi que ce soit, du fric, des
honneurs, de l'avancement, de l'Armée, de l'univers
entier. Mais quand on demande un volontaire pour
une mission dangereuse et que tout se tait dans les
rangs, on le voit s'avancer, toujours dédaigneux,
comme indifférent, disant d'une voix embrouillée :
« J'y vais. » Tout ce qu'il y a d'impossible, il le fait
avec son vieux coucou, un Junker bon pour la
ferraille depuis des années, sans même qu'on puisse
deviner s'il est ivre ou pas.

En tout cas, peu après, les deux garçons, dûment
munis d'un ordre de mission, s'envolent pour Caobang
avec Fontange qui se met carrément à piquer sur la
Chine. Il franchit une montagne, il descend au-dessus
d'une clairière, et on voit des Viets, par centaines,
par milliers, à l'exercice. Toujours survolant la
Chine, il refranchit une autre montagne, il redescend au-dessus d'une autre clairière, et encore des
milliers de Viets à l'exercice. Et ainsi de suite jusqu'à
ce qu'enfin il vire de cap et arrive à Caobang, où
tout paraît bien aller.

Quelques jours après, les journalistes sont de
retour à Langson. De nouveau un grand dîner.
Constans leur demande ironiquement : « Alors, des
Viets, vous en avez vu? » Et les garçons de répondre :
« Oui, mon colonel, en masse, par dizaines de milliers,
en faisant un petit détour au-dessus de la Chine. »
Saisissement. Silence total. Effroyable pâleur de
Constans. On entend seulement le bruit des four-
chettes que les officiers d'état-major, affolés, laissent
tomber dans leurs assiettes.

En réalité, sur la frontière, tout le monde sait —
Constans sans doute aussi — que les fêtes si gaies
de Langson, ce sont déjà des carnavals funèbres.
Personne n'ignore la gravité de la situation. Le
Song Ky Kong — le fleuve rougeâtre qui entoure la
ville — déborde. Les jours passent, les renseignements sont toujours plus inquiétants, les galas continuent.

Arrivant de France, un jeune lieutenant du
1er Chasseurs, R..., se présente à l'état-major à
Hanoï. Là, un colonel lui demande : « Êtes-vous
marié? — Non. — Alors, je suis obligé de vous dési-

gner pour Langson. On n'envoie plus là-bas que les
célibataires, des gens qui peuvent mourir sans trop
d'histoires de famille. »

A Langson, ce lieutenant trouve des gens livrés
à eux-mêmes, anxieux. Et c'est là qu'il fait ce qu'il
appelle sa « partie de roulette russe ». Le 1er Chasseurs
a un peloton à That-Khé. Son chef tombe malade —
il faut le remplacer. Alors, les trois officiers de
blindés de Langson tirent au sort celui d'entre eux
qui ira là-bas : c'est le lieutenant Pascal. Les trois
camarades boivent toute la nuit — Pascal le
condamné et les deux autres, qui ont un peu plus de
chances de survivre.

Personne ne donne d'ordre, personne n'en reçoit.
A Langson, au milieu de la grande vie, les chefs se
regardent le nombril : que faire d'autre, puisqu'il
n'y a comme réserve que deux sections d'intervention? On n'ose même plus envoyer de colonnes de
ravitaillement sur la R.C. 4, sauf à proximité immédiate, jusqu'à Na-Chan. Ce ne sont plus seulement
Caobang et Dong-Khé qui sont des « hérissons »,
mais aussi That-Khé et bien d'autres postes. Tout est
abandonné aux Viets.

Personne ne sait ce qui va arriver. L'attaque viet
est imminente. Mais le Commandement français est
toujours muet, inexistant.

Soudain, le 8 septembre, à la stupéfaction générale,
Constans donne l'ordre d'organiser un convoi pour
Dong-Khé. Officiellement, il s'agit de ramener de
là-bas les tabors qui sont rapatriables. Mais on
pense plutôt que c'est pour l'évacuation de Caobang.

En tout cas, les camions partent à vide, en longues
rames, sur cette R. C. 4 où l'on n'osait plus s'aven-

turer depuis des mois. C'est une opération-suicide.
Il y a tout juste une « ouverture » et une protection
rapprochée. Les Viets peuvent tout massacrer s'ils
le veulent. A chaque tournant, les Français se
disent : « Ça y est; ça va péter. » Rien ne se passe.
Quelle heureuse stupeur d'arriver à That-Khé sans
aucun accrochage, intacts.

Mais on comprend encore moins ce que veut le
Commandement. Il y a un bataillon de légionnaires
à That-Ké. Il faut en transporter la moitié à Dong-
Khé — d'où l'on reviendra sur Langson avec les
tabors. En somme, par ces étranges mouvements de
troupes, au lieu de deux garnisons fortes à That-
Khé et à Dong-Khé, il y aura deux garnisons faibles.
Le convoi, sa mission accomplie, revient avec les
Marocains, qui sourient béatement. Et au retour,
mystérieusement, pas plus de « pépin » qu'à l'aller.

Les légionnaires qu'on a amenés à Dong-Khé
savent ce qui les attend. Mais ils s'en foutent. Sur
cette frontière qui va tomber, il y a quand même de
drôles de lascars. Par exemple, ce fameux chef de
poste qui a transformé son mess en bordel et en
salle de jeux. Il fait venir par avion un « pigeon »,
un bon camarade militaire bien naïf, et on se met
à trois contre lui pour le plumer au « poke ». Une autre
manie de ce personnage est de fusiller ses propres
soldats. Il faut lui envoyer un colonel pour limiter
les exécutions. Un autre spécimen, c'est un lieutenant
de la Légion d'origine hollandaise. Sa spécialité
est de faire griller les Viets. Quand il en repère dans
un coin de jungle, il opère ainsi : « Je distribue du
chum à mes hommes, pour leur donner du courage.
Je leur distribue des bouteilles d'essence, en leur

disant où les lancer. Je leur distribue enfin des grenades, qu'ils jettent au même endroit, pour enflammer à la fois la paillotte imbibée et les Viets cachés. » Mais, une fois, c'est une patrouille française qui est sortie d'un fourré au moment où le lieute-nant commençait ses petites opérations : il était déjà en train de boire et faire boire son chum. Tout le monde a bien rigolé.

Tel a été le grand néant du Commandement français dans l'été de 1950 — celui qui s'est terminé, comme on l'a vu, par la deuxième chute de Dong-Khé, le 18 septembre 1950. C'est alors que Carpentier, passant de sa passivité à une extraordinaire activité, entre en action. Autrement dit, en quelques semaines, on va passer du néant à la catastrophe.

LE GRAND BLUFF

Tout l'été le général Carpentier n'avait voulu prendre aucune décision, s'engager dans aucune « affaire ». Sur le terrain, les officiers avaient péni-blement souffert de « l'attentisme » d'un Comman-dement soucieux de minimiser le danger et d'apaiser l'opinion. Comment oublier les visages de ceux des leurs, les premiers vaincus, qui étaient marqués par le spectre de leurs défaites. Et surtout il y avait chez ces revenants, ces rescapés, cet air égaré d'hommes qui ont vu l'inexprimable — quelque chose de terrifiant promettant de bien plus grands désastres. Alors, tous les officiers de la frontière, à qui personne ne disait : « Voilà votre tâche, voilà votre devoir », ne se sentaient plus tenus que par

une dernière et suprême responsabilité : vis-à-vis
de leurs hommes. Fallait-il les faire mourir, pour rien
sans doute, ou les faire se sauver, au prix de la
honte? Et, dans leur solitude, ils cherchaient vainement auprès de l'autorité une aide matérielle, un
soutien moral, un signe de caractère. Mais le Commandement ne s'engageait pas, en rien.

Et ce sont les Viets qui, au moment choisi par eux,
déclenchent la « grande affaire » avec la seconde
chute de Dong-Khé. Il allait s'ensuivre quarante
jours de tempête, quarante jours d'une chute continue, vertigineuse, suffocante; l'effondrement était
tel que tout le « système » français semblait sans
ressource, sans possibilité de réaction, à bout. Il n'y
avait plus de « patron » d'aucune sorte, rien que le
désarroi complet. L'Indochine et le Tonkin allaient-
ils être perdus dans cet orage montagneux venu des
confins de la Chine, pouvaient-ils encore être sauvés?

Si précise est la menace que, dès la chute de Dong-
Khé, le Commandement reconnaît son erreur :
l'Armée de Giap est bien une réalité. C'est soudain
la « découverte officielle de ces divisions régulières
que l'on ne peut atteindre, que l'on repère à peine
et qui surgissent avec une force extraordinaire pour
frapper ». Il y a maintenant deux concentrations de
troupes de Giap — l'une est celle de la R.C. 4, dont
les éléments avancés ont pris Dong-Khé, l'autre
encercle Laokay. Et alors le général Carpentier,
qui n'avait à peu près rien prévu, dit, dans son
langage, que « les positions statiques doivent être
abandonnées, au profit d'une défense mobile avec
occupation des crêtes ». Puisque l'on se fait assommer
dans les trous, ordre est donné d'évacuer les postes

dans les creux, — les postes dits de cuvette, les plus
nombreux — et de monter sur les pitons. C'est ce
que l'on fait autour de Laokay. Mais sera-t-on plus
capable de se battre en pleine nature, dans la jungle
même, que de résister dans les postes?

A cette époque, Carpentier fait une sorte d'orai-
son funèbre pour ce que l'on appelle maintenant les
« antennes de la jungle ». Il me dit que c'est volon-
tairement, en connaissance de cause, qu'il avait pris
le risque de maintenir des hérissons comme Caobang
et même Laokay. « De cette façon, nous avons pu
embarrasser l'ennemi, mais ces places ne sont aucunement vitales pour nous. C'est tout à l'extrémité
de notre système — Laokay est à 250 kilomètres de
sa base de ravitaillement la plus proche. Les Viets
sont autour, pleinement chez eux, dans leur " carré ",
à quelques kilomètres de la Chine. Cela fait que les
Viets peuvent remporter certains succès spectacu-
laires contre ces antennes avancées — contre ces
hérissons si vous voulez — en concentrant sur ces
points choisis le maximum d'hommes et d'efforts.
Mais c'est pour nous une lutte en marge. Je vous
affirme que les Viets sont incapables d'affronter le
" carré " français, le delta tonkinois et son prolonge-
ment en Haute Région. » Ainsi, Carpentier, au lieu
de maintenir, comme avant, l'intégralité du système
français, reconnaît qu'il y a un « carré » viet; il lui
oppose un « carré » français, il en proclame bien
haut l'existence. Mais cela n'annonce-t-il pas que
tout ce qui est au-delà va être abandonné? Cela ne
présage-t-il pas l'évacuation de Caobang? Carpentier
dément presque avec furie. Pourtant la décision
est déjà prise.

En fait, ce n'est pas la bataille que cherche Carpentier, mais l'esquive. L'évacuation de Caobang, c'est vraiment comme les trois coups qui annoncent le début de la pièce — à ses yeux ce n'est pas une tragédie, mais de la *commedia dell'arte*, de l'opéra-comique. A ce qui est le début de l'offensive générale viet, Carpentier répond par un double bluff — bluff vis-à-vis des Viets en faisant semblant de renforcer la R.C. 4 pour une lutte jusqu'au-boutiste alors qu'il ne veut qu'une fuite; et bluff vis-à-vis de la France en organisant une immense et facile expédition pour s'emparer de Thai-Nguyen, la « capitale » d'Ho Chiminh si proche du delta. Cette « victoire » proclamée à coups de fanfares fera oublier le petit repli dans la jungle, qui n'aura lieu qu'après.

La pièce capitale commandant ce double bluff, c'est l'ordre numéro 46 en date du 16 septembre 1956, dans lequel il écrit :

« J'ai décidé l'occupation de Thai-Nguyen à une date aussi rapprochée que possible du 1er octobre.

« J'ai décidé que l'évacuation de Caobang sera entreprise dès la mainmise sur la région de Thai-Nguyen. »

Dans tout cela, on ne pense pas à la tragédie possible, mais à la mise en scène : on a la préoccupation d'une bonne représentation. Une fois la décision d'évacuation prise, il y a une première chose à faire, selon Carpentier. C'est de masquer à l'avance l'échec qu'elle pourrait représenter pour lui — lui qui a tellement répété qu'on devait rester à Caobang. Pour cela un triomphe est nécessaire : puisqu'une ville est « donnée » aux Viets, il faut que cet abandon soit compensé par la prise d'une autre ville bien plus importante. Ceci fera passer cela.

Telle est l'activité de ce Carpentier, placide
généralement, qu'il sort de sa chambre, qu'il sort
de son bureau, qu'il sort du Palais Norodom, qu'il
sort de Saigon, et qu'il prend son avion de Commandant en Chef pour Hanoï et Langson. Lui aussi a
cette fois la tête pleine, la tête bourrée — ce n'est pas
de la grande stratégie comme celle du petit Alessandri, mais de la bonne grosse ruse paysanne. Il se
croit assez malin pour tromper les Viets, Giap et
leurs trente bataillons. L'essentiel — la « combine » —,
il le garde au plus profond de lui-même, dans le
secret absolu, total, derrière son bon masque, ses
rides. Personne, pas plus les états-majors que les
exécutants, ne doit être au courant, ne doit deviner.
Ce qu'il faut, c'est donner l'impression de la force,
de la colère, frapper de tous côtés. Carpentier fait
préparer, avec le maximum de publicité, la grande
entreprise, la croisade de Thaï-Nguyen. Mais surtout,
de Langson, on fait partir par la route maudite de
la R.C. 4 une colonne, comme si on voulait renforcer
That-Khé menacé, comme si même on voulait
reprendre Dong-Khé. Et tout ce que l'on peut
concevoir pour Caobang, pour une lutte absolue,
totale, impitoyable, pour un Camerone à l'échelle
mille, on le fait. On envoie là-bas, en tant que chef
qui ira jusqu'au bout, Charton, le « dieu » des légionnaires, le bonhomme tanné, rabougri, à qui rien ne
fait peur, ni la bagarre, ni le plaisir, ni aucune espèce
de moralité ou d'immoralité. On l'y expédie aussi
parce qu'il est, aux yeux des Viets et de tout le
monde, le symbole même de la guerre à outrance,
sans quartier; et puis il y a le fait — mais on le

cache soigneusement — que c'est un débarras parce
que, comme adjoint de Constans le chouchou, il ne
cache guère qu'il prend celui-ci pour une pâle
mauviette. On fait vraiment tout pour duper Giap,
pour lui faire croire à une résistance inébranlable.
Les jours où le ciel désespérément mauvais s'éclaircit
un peu, on enlève de là-bas, par un pont aérien de
poussifs Junkers, tout ce qui est faible, inutile,
encombrant, tout ce qui peut gêner la bataille
inexorable, les malades, les fiévreux, les pensionnaires
de l'hôpital et aussi les putains, les boutiquiers,
tous les Vietnamiens mâles et femelles servant
normalement aux nécessités et au confort de la
troupe. Et on amène des combattants, encore des
combattants, des tabors.

Alors, quand Giap sera complètement égaré,
complètement dans l'erreur, Carpentier abattra
ses cartes : la garnison de Caobang, le plus discrètement possible, sans donner l'éveil par le grand jeu
de massacre des destructions, « filera à l'anglaise »
par la R.C. 4 avant que les Viets ne comprennent,
ne réagissent. Tout doit consister dans la rapidité
de la marche; et, vers Dong-Khé, il y aura pour
l'accueillir la colonne partie de Langson il y a une
quinzaine de jours, sans que personne ait su très
bien ce qu'elle allait faire, pas même son chef, le
colonel Lepage. Discrétion, discrétion, tout est là
pour le général Carpentier — une discrétion à gros
sabots. A vrai dire, le général Commandant en Chef
n'a pas fait œuvre, pour tout son système de fanfares,
de silence et de ruse, d'une bien grande imagination :
il n'a fait que reprendre un vieux plan qui traînait
dans les archives de l'état-major depuis l'époque

Revers, quand on a commencé à envisager l'évacuation de Caobang. Mais, en ce temps-là, il n'y avait pas
d'Armée Giap, d'innombrables bataillons viets en
travers de l'itinéraire de repli, sur la R.C. 4. « Cela
ne fait rien, dit Carpentier aux rares initiés. On les
surprendra. » Et, à Saigon, dans le mystère feutré du
Troisième Bureau du Grand État-Major, on apporte
juste quelques retouches à l'ancien et vénérable
programme.

Pour Carpentier, c'est Constans le féal qui sera le
« servo command », dirigeant tout à partir de son
magnifique P.C. de Langson. Mais voilà qu'éclatent
inopinément l'orage, la tempête. Voilà que tout est
remis en question par le petit général Alessandri que,
pour plus de sûreté, les « huiles » en France ont réexpédié en Indochine, à son poste de général commandant le Tonkin. Elles l'ont fait avec les meilleures
intentions du monde, se basant sur sa bonne réputation, sa mine d' « honnête homme », sa réputation
de « colonial compétent »; mais elles ne lui ont donné
aucune instruction, elles ne l'ont absolument pas
prévenu de ce qui l'attendait. Alessandri s'imagine
arriver en gagnant, en homme qui va imposer ses
conceptions. En quelques minutes, il découvre
qu'il est là en trop, en superflu, et encore pour
s'associer à l' « abjection ». Mais, avant de se rési-
gner aux combats « défaitistes » voulus par Carpentier dans les jungles et les rizières, il va livrer le
combat de sa vie dans les états-majors, au Haut-
Commissariat, auprès de toutes les autorités. Mais il
sera trop tard et lui, le petit bonhomme grisé par
les encens parisiens, découvrira soudain qu'il est seul,
tragiquement seul et impuissant.

Le temps d'arriver à Saigon, le temps de sauter immédiatement dans un Dakota pour Hanoï où sont Carpentier et Pignon, Alessandri se trouve face à l'affreuse vérité : tout est prêt. L'évacuation de Caobang commencera dans quelques jours. Toutes les modalités de l'opération ont été mises au point par le chef d'état-major de Carpentier, le colonel Lennuyeux. Les principaux exécutants ne seront mis au courant que juste vingt-quatre heures avant le déclenchement — à cause du secret, du fameux secret sur lequel Carpentier joue son va-tout. Et alors tout ce qu'un homme désespéré, acharné, fou d'indignation, d'émotion, de colère, peut faire, Alessandri le fait. En vain. Et pourtant que n'essaiet-il pas ! Mais il se heurte à un « système ».

La bataille dure dix jours. D'abord, c'est la confrontation face à face — comme en juin — du général Commandant en Chef et de son général au Tonkin. Avant, ce n'étaient que des ennemis inavoués, qui se faisaient encore des politesses. Maintenant, ce sont des ennemis avoués, officiels, implacables, pour qui tous les coups sont bons.

Alessandri débarque à Hanoï à midi. De l'aérodrome, à la minute même, il téléphone — il veut être reçu immédiatement par Carpentier. Un aide de camp lui répond : « Le général Commandant en Chef est occupé. Venez après déjeuner. » D'emblée, Alessandri déclare à son supérieur : « Ce que vous faites, c'est la démission de la France, c'est la perte prochaine de toute l'Indochine. Les conséquences de l'abandon de Caobang seront immédiates et catastrophiques — c'est là qu'on bloque la grandroute allant de la Chine vers le Fleuve Rouge et le delta. Malgré tout ce qu'on dit, les Viets ne pourront jamais nous battre de façon décisive en faisant leurs transports sur les pistes, même avec des masses de coolies. Mais ils nous écraseront plus tard, quand leurs convois de camions pourront rouler jusqu'auprès du delta. Et si Caobang, laissé à lui-même, isolé comme maintenant, est indéfendable, qu'on conquière véritablement la Haute Région. Nous le pouvons, nous avons encore la supériorité des forces. » Carpentier répond : « Ce n'est pas vrai. Vous avez toujours gonflé le chiffre des effectifs français. Nous n'avons pas les moyens de faire la guerre dans la jungle. Et si nous évacuons Caobang, c'est pour prendre Thai-Nguyen — un autre nœud de routes, à peine cent kilomètres plus bas, où on arrêtera encore bien plus facilement les masses de Molotova et tous les véhicules des Viets et des Chinois. » Alessandri bondit : « Caobang est, pour les camions, un point de passage obligé entre des montagnes infranchissables ; mais ils contourneront comme ils voudront Thai-Nguyen qui est déjà dans la plaine, et le ravitaillement chinois arrivera jusqu'aux portes même d'Hanoï. »

Vaine est la discussion. Vains sont les arguments entre ces généraux haineux, aussi sûrs l'un que l'autre de leurs stratégies opposées — le petit bien robuste s'appuyant sur une sorte de mysticisme éclairé, le grand en mauvaise santé brandissant un bon sens épais. L'antagonisme est total, et rien n'est plus inexpiable qu'un antagonisme entre généraux. Alessandri demande à Carpentier d'aller à Paris, pour que le Gouvernement tranche entre leurs conceptions opposées. Mais Carpentier refuse —

Alessandri est naturellement sec, mais Carpentier sait avoir un air de bonhomie sèche qui est encore plus insultant : « Je suis le Commandant en Chef. Vous n'avez qu'à m'obéir, à exécuter les ordres que je donne. »

Mais Alessandri ne s'avoue pas vaincu. Il recourt à l'arbitrage de Pignon, son vieil ami — Carpentier peut difficilement le refuser. Comme toujours, le Haut-Commissaire est très embarrassé, d'autant plus que les deux généraux le placent devant de véritables ultimatums, Carpentier avec une éloquence véhémente, Alessandri en petites phrases cassantes. Pignon laisse Alessandri développer longuement ses plans, ce qui exaspère encore plus Carpentier; pourtant, finalement, après des considérations sur le pour et le contre, c'est vers Carpentier qu'il penche. Alessandri, sentant le terrain se dérober sous lui, supplie Pignon de se rendre à Paris puisque Carpentier ne le veut pas, « pour que le Gouvernement prenne ses responsabilités en pleine connaissance de cause ». « C'est impossible, dit le Haut-Commissaire, tout moite et fatigué, mais je promets de relater notre conversation au Président du Conseil par un télégramme chiffré. » Est-il jamais parti? On ne sait.

Alessandri a encore une ressource — la réunion du Conseil de Défense, où il aura la majorité grâce à l'amiral Ortoli, qui lui envoie des messages déchirants, et au général d'aviation Hartmann. Il obtient un accord de principe, mais on recule la convocation de semaine en semaine, elle n'aura jamais lieu. Tout est joué. Pignon est rentré à Saigon. Alessandri lui envoie une lettre, une sorte de cri de désespoir. Le

Haut-Commissaire lui répond : « Je pense entièrement comme vous, mais il est dur de faire passer
les convictions qui nous animent à Paris. »

Alessandri ne peut plus rien. Carpentier est le
vainqueur — sur le tapis vert. Pourtant tout est
équivoque. Carpentier fait toutes sortes de comédies,
sans qu'on sache si c'est pour tromper Alessandri
ou pour tromper les Viets. Il y a toute une série
d'ordres à double sens, où tout le monde s'empêtre.
Alessandri est hiérarchiquement le chef de Constans; c'est cependant en Constans — qui ne bouge
toujours pas de Langson — que Carpentier a confiance. Carpentier accuse Alessandri de saboter ses
ordres, et Alessandri accuse Carpentier de passer
au-dessus de lui. Tout cela est un peu vrai.

Au fond, le petit Corse aurait dû donner sa démission plutôt que d'être l'instrument d'une stratégie
dont il prophétise les malheurs : il n'en a pas le
courage. Et puis Pignon lui dit que ce serait une
désertion. Alors il reste. Il attend un miracle — hélas!
il ne peut compter que sur le mauvais temps, qui lui
permet de faire retarder à deux reprises l'opération
« Thérèse », c'est-à-dire l'évacuation de Caobang.
Alors le général Carpentier s'impatiente et, au début
d'octobre, il n'y a plus rien à faire, qu'à exécuter —
qu'à exécuter « Thérèse ».

LE RENDEZ-VOUS DE LA MORT

D'abord, il n'y a que des communiqués de victoire.
Le 1er octobre, à cinq heures de l'après-midi, les
premiers éléments français pénètrent à Thai-Nguyen,

la « capitale » d'Ho Chi-minh à quatre-vingts kilomètres d'Hanoï : c'est l'opération « Phoque », destinée à faire oublier l'opération « Thérèse ». Que la
terminologie militaire est étrange, aussi bien pour
la conquête que pour la retraite! Mais, après une
aussi glorieuse conquête que « Phoque », qui pensera
à « Thérèse » et à l'évacuation de Caobang?

Peut-être le nom de « Phoque » a-t-il été choisi en
raison des circonstances atmosphériques. Car deux
jours avant le jour J, c'est un typhon, l'eau qui
tombe à seaux, l'inondation, la tempête, le froid.
Jamais le delta n'a paru aussi lugubre. La mise en
place se fait dans des conditions épouvantables. A
Dap-Cau, le port fluvial de Bacninh, on charge dans
les engins de la Marine, sous une pluie battante, les
bataillons, l'artillerie, les mulets, l'antenne chirurgicale, les dépôts de vivres, de munitions et de matériel. Des L.C.T. doivent porter cela vers l'avant,
en se glissant dans les arroyos. L'infanterie est
transportée de nuit par camions vers la base de
Phulo, tous phares allumés, à cause des ténèbres
et du mauvais temps. Tout effet de surprise est
désormais complètement exclu.

Malgré tout, l'opération se déclenche le 29 septembre. La tempête a cessé; cependant il tombe
un crachin froid et pénétrant. La nuit, l'obscurité
est totale. Mais les forces françaises sont énormes.
Et elles sont commandées par le plus curieux
petit colonel du Corps Expéditionnaire, le colonel
Gambiez — un gnome à la grosse figure et au corps
minuscule, avec cela, un parler noble et des manières
onctueuses qui le font appeler le « chanoine ». C'est
vrai qu'il n'aime rien tant que les curés, les évêques et

les bonnes sœurs, si ce n'est les tueurs. Tout pater-
nellement, il apprend aux commandos de choc à
opérer de la façon la plus efficace, par tous les moyens
que Dieu met au service des justes causes — les
mains, les poignards et couteaux, les cordes, les
pistolets, les mitraillettes. Il a une bénigne prédilec-
tion pour les brutes de génie — ce sont ses « enfants
chéris ». Évidemment, il est très pieux. Évidemment
aussi, en dépit de ses jambes ridiculement courtes,
il trottine tellement vite qu'il a dix mètres d'avance
sur ses soldats qui galopent autant qu'ils peuvent —
et cela chaque fois qu'il s'agit de charger.

C'est une immense expédition — près de dix
mille hommes et à peu près tout le gros matériel
du Corps Expéditionnaire — qui part du delta pour
s'emparer de ce Thai-Nguyen qui est encore dans le
delta, à son bout nord, à l'orée de la Moyenne Région.
C'est prévu comme une de ces opérations majes-
tueuses et martiales ainsi que les aiment les grands
états-majors — elle est merveilleusement léchée.
Il y a trois colonnes. A droite, une « dinazo » (division navale d'assaut) remonte le canal boueux du
Song-Cau. A gauche, des tabors fouillent les pistes
au pied du Tam Dao — la grande montagne qui
ferme l'horizon quand on est à Hanoï. Au milieu,
c'est le groupement de combat — l'Armée qui suit
l'ancienne route coloniale numéro 3 avec ses blindés,
ses canons, son infanterie portée dans des camions,
et aussi ses autres bataillons qui s'en vont indéfiniment à pied, en arrière.

Mais, malgré la puissance des moyens, la progression est lente. Ce n'est pas à cause de l'ennemi
presque inexistant, mais partout on s'enlise — les

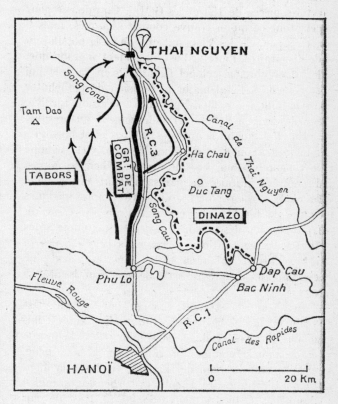

L'OPÉRATION « PHOQUE »

bateaux comme les engins de toutes sortes, comme les hommes. Il faut des milliers de coolies pour pousser les pièces de 155 et les G.M.C. On ramasse pour cela tout ce qu'on trouve comme nha-qués, mais il y en a peu, car les Viets ont ordonné à la population de disparaître. Le retard est finalement si grand que, le 1er octobre, le colonel Gambiez s'en va à Hanoï et arrache à l'état-major la décision de parachuter un bataillon sur Thai-Nguyen — décision tardive, inutile, mais à l'effet merveilleusement pittoresque.

En effet, quand le gros des troupes n'est plus qu'à quelques kilomètres de Thai-Nguyen, c'est comme le « bouquet final » — il y a le lâcher des paras. D'énormes grappes de paras tombent sur la ville, les chars se ruent pour les rejoindre et, après quelques coups de feu, la cité est aux Français. C'est un Thai-Nguyen désert, sans un habitant, comme après toutes les évacuations viets; mais ce n'est pas la « terre brûlée », comme si les Viets croyaient que c'était inutile, que ce sera de nouveau bientôt à eux.

Les Français exultent. Car ce Thai-Nguyen, c'est vraiment la cité chère à Ho Chi-minh — il a dit lui-même que c'est celle de son cœur. C'est là que le delta avance comme un coin dans la montagne, c'est comme la main de la plaine tendue à la montagne. C'est une cité de collines herbeuses, au milieu desquelles se tord le fleuve Song-Cau. Rien de plus gracieux — mais ce paysage d'estampe est enserré entre de formidables massifs, le Tam Dao bossu et le soulèvement du Bacson. D'un côté il y a tout le delta, de l'autre toute la jungle. Aussi, pour les Viets, c'est une position-clef, à la fois leur débouché sur la plaine aux hommes innombrables et leur nœud de communications avec la Chine; là sortent de la jungle les grandes routes du nord, celles qui viennent de chez Mao et de chez Giap — le Giap de la R.C. 4. Tout le mouvement vietminh, toute son histoire, avec sa clandestinité dans la montagne et son « pourrissement » de la plaine, sont liés à Thai-Nguyen. A côté, c'est le village de Dinh-Cah qui a servi de berceau aux Viets en 1943; et, pendant la révolte d'Hanoï, en 1946, ce fut à Thai-Nguyen qu'Ho Chiminh se réfugia, dans l'attente du « résultat ». Depuis lors, Thai-Nguyen sert de capitale aux Viets — là, au milieu de précautions infinies, siège le tout-puissant Comité du Tongbo; là apparaît parfois Ho Chi-minh entre ses circuits d'éternel errant; là pullulent toutes les institutions d'un gouvernement rouge.

Ainsi, ce Thai-Nguyen, depuis si longtemps à sa portée, Carpentier l'a enfin « ramassé ». L'étonnant, c'est que cela s'est fait sans coup férir. Les Viets n'ont même pas défendu leur ville sacrée — on s'est à peine battu. Il y a eu six tués chez les Français, cinquante-huit chez les Viets, dont quarante-six « régionaux ». En réalité, il ne se trouvait aucune troupe viet à Thai-Nguyen, à peine quelques miliciens. A un signal donné, tous les organismes — le Tongbo et les comités — ont simplement disparu dans la montagne, à quelques kilomètres. Tout s'est passé comme si les Viets savaient depuis longtemps que les Français voulaient prendre Thai-Nguyen et qu'ils avaient eux-mêmes résolu de ne pas se battre pour la cité, simplement de l'évacuer. Leurs troupes, ils les gardaient pour ailleurs — pour la

R.C. 4 où ils attendaient les colonnes de Charton et
de Lepage.

Mais alors — et là est l'énorme responsabilité de
Carpentier — pourquoi cette accumulation de puissance quand quelques bataillons auraient suffi, et
surtout à un pareil moment, juste quand les hommes
de Caobang se mettent en route pour leur mortelle
aventure? Quand, quelques jours plus tard, commencera la débâcle sur la frontière et que, de là-bas,
on réclamera des secours, il n'y en aura pas à envoyer.
Car tout ce qui aurait pu servir à sauver les colonnes
de la R.C. 4 est à Thai-Nguyen, autour de Thai-
Nguyen, à « pacifier », à étendre la zone d'occupation.
Et on n'aura pas le temps de prendre toutes ces forces
et de les expédier à la « vraie » bataille, à deux cents
kilomètres, par-delà l'immense massif du Mauson.
Quand toute l'Armée de Giap sera en train de procéder à l'anéantissement des quelques bataillons de
Charton et de Lepage, on aura à Thai-Nguyen dix
mille hommes à ne rien faire. Et ils ne savent même
pas qu'ils sont inutiles! Car le général Carpentier —
le général de la « grande muette » — n'a même pas
prévenu Gambiez que, pendant qu'il conquerrait
glorieusement Thai-Nguyen, on ferait en douce
l'évacuation de Caobang. Le 10 octobre encore,
quand déjà sur la R.C. 4 c'est la catastrophe terrifiante, le colonel Gambiez, toujours ignorant, est
occupé à parfaire son implantation, selon les plans
soigneusement préparés à l'avance. « Je ne savais
rien », m'a-t-il confirmé plus tard. Mais, ce jour-là,
il a un tout petit ennui et demande à Hanoï un avion
supplémentaire d'observation. Quelle est sa stupéfaction de s'entendre répondre : « On ne peut pas

vous le donner pour des raisons graves, à cause de ce qui se passe sur la R.C. 4. » C'est de cette façon que Gambiez a compris! Peu après, il reçoit l'ordre d'abandonner tout ce qu'il a occupé, Thai-Nguyen et sa région.

En effet, quand l'Armée de Giap sera victorieuse sur la frontière, les dix mille hommes de Gambiez, qui n'auront servi à rien, devront évacuer Thai-Nguyen, qui sera plus que jamais la grande cité rouge. Ils s'en iront en toute hâte pour préparer la défense désespérée du delta, pour la défense de Hanoï contre lequel Giap va se ruer. En somme on aura pris Thai-Nguyen et annoncé cela comme « la » victoire — pour deux semaines.

Il y aurait encore eu un sens à cette opération si le Corps Expéditionnaire avait été à Thai-Nguyen pour tendre la main à Charton évacuant Caobang — un Charton qui aurait marché plein sud à travers le massif du Mauson, qui aurait débouché là. Mais ce n'est même pas le cas, car il a pris une tout autre direction, celle de la R.C. 4 vers That-Khé et Langson. A Thai-Nguyen, on est donc complètement hors du drame, on ne peut rien. Il ne s'agissait que de faire plaisir au Gouvernement de Paris, pour qu'il obtienne la majorité à la Chambre.

Car, pendant ce temps, pendant la « victoire », l'évacuation a commencé à Caobang. On sait bien que l'affaire aurait été aisée plus tôt, quelques mois plus tôt, quand l'Armée de Giap n'était pas encore « refaite », quand elle se trouvait toujours dans ses camps. Maintenant, en haut lieu, cela apparaît risqué — mais simplement risqué. Car personne ne croit encore — malgré la « surprise » qu'est pour tous une armée viet aussi forte — que cette armée puisse vaincre en bataille rangée contre une dizaine de bataillons français, ceux que l'on a sur la frontière. Là-dessus, Carpentier n'a aucun doute. Même le personnage le plus intelligent, le plus averti d'Indochine, le Haut-Commissaire Pignon, ce civil qui n'a pas tellement confiance dans la capacité des militaires, me dit : « Eh bien, si les Viets veulent « se frotter » à nous, qu'ils s'y frottent. Cela les guérira de l'envie de recommencer. »

Tout l'état-major a longuement étudié le problème de l'évacuation. Il y a trois solutions possibles. D'abord, celle de l'évacuation par avions, celle d'un court pont aérien vers Langson. C'est très possible, car l'administrateur A..., avant d'être évacué lui-même il y a un an, avait achevé un superbe aérodrome pour Junkers et Dakotas. Et c'est un terrain très facile à protéger et à défendre — de plus, le gros des Viets n'est pas auprès de Caobang, mais toujours à Dong-Khé, à une soixantaine de kilomètres. Il suffit d'attendre le beau temps, et on met les Viets devant la surprise de l'opération « embarquement ». Cela peut être fait très rapidement. En deux ou trois jours, par le va-et-vient incessant d'une trentaine d'appareils, on peut emmener tout ce qu'il y a comme vivants à Caobang — quelques derniers civils et toute la garnison, tous les légionnaires et tous les tabors. Mais Carpentier refuse, car ce n'est pas « noble », pas digne de l'Armée. Il faudrait que les dernières troupes — même si ce n'était qu'une compagnie ou deux — soient sacrifiées : celles qui repousseraient les Viets pendant le « ramassage » du gros de la garnison.

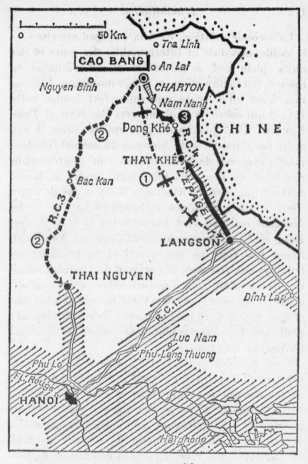

LES TROIS PROJETS D'ÉVACUATION
DE CAOBANG

(1) *Pont aérien vers Langson.*
(2) *La R.C. 3 vers Thai-Nguyen.*
(3) *La R.C. 4 : jonction des colonnes Charton et
Lepage près de Nam-Nang, avant le repli sur That-Khé.*

La seconde solution, c'est la « longue marche » —
la randonnée dure et interminable, des jours et des
nuits, plein sud, à travers le massif déchaîné du
Bacson, par la pire jungle et la pire montagne. L'avantage c'est qu'il existe une route fort bonne, cette
R.C. 3 qui mène de Caobang vers Bac-Kan et Thai-
Nguyen. C'est justement celle qu'ont prise, à son
autre bout, les dix mille hommes du colonel Gambiez
pour s'emparer de Thai-Nguyen : ne pourraient-ils
remonter un peu plus loin, pour tendre la main ?
Surtout que, sur cet itinéraire, il n'y a pas de « gros
Viets », juste quelques compagnies locales — les
divisions de Giap sont toujours sur la R.C. 4, vers
Dong-Khé, pas même auprès de Caobang. Au départ,
avant que Giap ne soit averti et ne lui lance ses
hommes aux trousses, la garnison de Caobang aurait
cinquante kilomètres d'avance. Mais, quand même,
le risque demeure que les Viets marchent plus vite
et que, sur un aussi long parcours, ils la « rattrapent »
peut-être. La « course-poursuite » aussi est écartée :
Carpentier est « contre ».

C'est la solution de la R.C. 4 qu'il impose. Cela
consiste à franchir un « trou » de cent kilomètres
entre Caobang que l'on évacue et That-Khé que l'on
tient toujours. Il existe un ancien plan, préparé
presque un an auparavant pour cette « éventualité ».
Il prévoyait qu'une colonne de secours partirait
de That-Khé à la rencontre de la colonne de repli —
le rendez-vous étant fixé à Dong-Khé. Ce plan avait
été fait quand les Viets étaient encore faibles et
que Dong-Khé était aux mains des Français. C'est
pourtant lui qu'on sort des classeurs, qu'on reprend,
qu'on adapte, qu'on va appliquer. La seule modi-

fication, c'est que la colonne de secours ira plus loin,
poussera plus loin sur la R.C. 4. Le rendez-vous est
désormais dans le minuscule village de Nam-Nang,
à une trentaine de kilomètres de Caobang. Quand
tout le monde se sera retrouvé là-bas, on se repliera
tous ensemble, en force, sur That-Khé.

Mais cela suppose que d'abord la colonne de
secours reprenne au passage, à l'aller, Dong-Khé, toujours fortement occupé par les Viets, et y laisse des
éléments pour le garder jusqu'à ce que le grand reflux
venant de Caobang se soit écoulé. Mais qu'arrivera-
t-il si elle ne s'en empare pas? Personne ne l'a prévu.

Ce rendez-vous fixé sur la R.C. 4, quelque part
entre Dong-Khé et Nam-Dang, c'est vraiment celui
de la mort. Car la rencontre de ces quelques bataillons
français doit se faire à l'endroit même où toutes les
divisions viets sont à l'affût, là où Giap attend sa
proie. Jamais n'a été plus littéralement exacte cette
expression : se jeter dans la gueule du loup. Même
Carpentier en est conscient. Aussi, avant tout, il
essaie de tromper les Viets, de leur faire le coup de
l'évacuation-muscade. Tout repose sur cette « grosse
ficelle » — leur faire croire qu'on défendra Caobang
plus que jamais et en profiter pour décamper par la
R.C. 4, à l'esbroufe. Carpentier prend ce risque
énorme : celui de duper Giap sous peine de catastrophe. Évidemment, il perdra son « pari ». Ce sera
le désastre parce que la dupe, ce ne sera pas Giap,
mais lui le Commandant en Chef, lui le général
Carpentier, avec ses finesses. Dès le début, Giap
sait que les Français vont évacuer Caobang par la
R.C. 4. Tout le prouve, à commencer par les pauvres
ruses de Carpentier. Plus tard, il dira — et avec

quelle obstination — que le malheur est arrivé parce que ses ordres ont été mal exécutés. Ce n'est pas vrai. C'est arrivé parce que les ordres étaient mauvais : Giap n'avait qu'à attendre.

A vrai dire, Alessandri tente de « raisonner » Carpentier, de l'avertir du piège mortel préparé par Giap sur la R.C. 4. Pour cela, il ose lui dire : « Comme général Commandant en Chef, vous aviez le droit de décider l'évacuation de Caobang; mais, comme général commandant au Tonkin, c'est moi que les modalités concernent, c'est à moi de faire l'opération. Et pourtant, vous voulez m'imposer la solution la plus mauvaise, que je désapprouve, dont j'ai peur. C'est de la folie de faire le repli par la R.C. 4, à côté de la frontière, de la Chine, au milieu de la masse des Viets. C'est de la folie d'envoyer deux faibles colonnes là où Giap les attend, sans rien pour les soutenir, sans appuis d'artillerie, avec ce mauvais temps qui paralysera l'aviation. Laissez-moi faire. Moi, je ne perdrai pas un homme. » Et le petit Corse de reprendre, encore une fois, les possibilités écartées, l'escamotage aérien d'abord : « Je vous le jure, l'honneur de l'Armée sera intact, il n'y aura pas de sacrifiés. Ce seront mes partisans montagnards, mes Thos, qui protégeront l'aérodrome jusqu'à ce que le dernier avion français ait enlevé les derniers soldats français. Et pour mes Thos, ne craignez rien. Je les aime, moi. Ce sont de vieux compagnons. Comme consigne, je leur dirai simplement " Langson ". Et eux, à travers leur jungle, en suivant leurs pistes, par petits groupes, en mettant le temps qu'il faudra, ils y arriveront tous, je vous le garantis. » Mais Carpentier dit non. Alors Alessandri tente un dernier effort : « S'il faut que l'évacuation se fasse par voie de terre, prenez la R.C. 3 et non la R.C. 4, je vous adjure. Car il y aura mille fois moins de dangers. »

Mais Alessandri n'est plus qu'un pauvre homme, l'ombre de lui-même depuis qu'il a perdu sa vraie bataille — qu'on a repoussé sa grande campagne de jungle et qu'on a sacrifié son Caobang. Il n'est que souffrance, l'abîme même du désespoir. Ce qu'un petit homme pareil peut contenir d'affreuse amertume! Autrefois, il avait déjà dans l'expression quelque chose de furtif, mais d'une façon impérieuse, comme le petit chef dur et secret qui jauge en un éclair ce qui se met en travers de sa route, pour l'écraser. Maintenant, il est bien plus furtif encore, mais pareil à un être traqué, affolé, angoissé. Comme il méprisait Carpentier! Et Carpentier, par deux fois, l'a réduit au néant. Désormais, il en a peur, il ne lui parle plus que par acquit de conscience, en de petites révoltes qui finissent par une soumission taciturne. C'est vrai que Carpentier est un roc. Rien ne l'entame. Il est absolument sûr de lui-même. Là aussi, quelle transformation! Les petits généraux qu'il laissait faire au nom de leur « expérience », de leur passé, de leur Indochine, qu'ils se mettent au garde-à-vous, qu'ils obéissent! Lui sait mieux. Lui sait. C'est une étrangeté que ce Carpentier si prudent, au point de laisser prendre toutes les initiatives à ses subordonnés, au point de ne penser qu'à « ouvrir le parapluie », soit désormais l'homme à l'idée fixe, le stratège impérieux qui a « sa » solution, comme Napoléon à la veille d'une bataille. Ce n'est pas qu'il se prenne pour Napoléon, ni même

pour un génie militaire. C'est plutôt le paysan qui
croit en son « astuce », qui a trouvé le « truc » pour
rouler le voisin, et que plus rien ne peut arrêter dans
sa machination, dans ses combines bien mijotées.
Giap aussi, lui le « vieux » plein de malice, il va le
traiter en petit garçon, comme un vulgaire Alessandri.

LA MÈCHE ÉVENTÉE

Comment la mèche ne serait-elle pas éventée depuis
le temps qu'on tergiverse, qu'on « pinaille » dans les
états-majors de Saigon, d'Hanoï et de Langson sur
l'évacuation de Caobang par la R.C. 4 ? Certes,
seules quelques grandes « têtes pensantes » sont au
courant — et on affirme violemment le contraire au
Corps Expéditionnaire et à tout le Vietnam. Mais,
dans ces cas-là, tout le monde « sait ». Il y a toujours
une fuite, des fuites — mais, bavardages ou trahi-
sons, le résultat est le même. En tout cas, Giap est
informé ; et, avec toutes ses divisions, il reste à
Dong-Khé, il attend ce qui va lui tomber sous la
main, au minimum sept à huit bataillons. Et il est
sûr de les détruire, car il est également averti que le
gros du Corps Expéditionnaire — 16 bataillons,
2 escadrons de chars, 4 groupes d'artillerie, 800 véhicules, presque toute l'aviation — est occupé à
prendre Thai-Nguyen, trop loin pour intervenir.
Là-bas, dans le delta, les Français tirent dix-huit
mille coups de 105 les trois premiers jours, contre
rien, contre le vide. Et sur la R.C. 4 ils n'auront pas
de canons.

A Dong-Khé, Giap ne fait rien : pour l'affût, aucune position ne peut être meilleure. Et, jour après jour, il voit le gibier s'approcher. Tout d'abord, c'est la colonne Lepage partie de Langson vers That-Khé et Dong-Khé — elle est faible, mais il ne se hâte pas de l'attaquer, de la détruire. Il patiente, il espère faire coup double — il veut anéantir aussi, simultanément, la colonne Charton qui, il en a la certitude, va bientôt quitter Caobang pour le rendez-vous mortel.

Dès la deuxième chute de Dong-Khé, la colonne Lepage se met en marche, sans instructions précises, par la sinistre R.C. 4. Rien que des Nord-Africains, trois tabors et le 8e R.T.M. — c'est un groupement tactique fait de bric et de broc, en toute hâte, avec des hommes fatigués, ne valant plus rien, mal encadrés. La troupe a mauvais moral et, paraît-il, son chef aussi. C'est un artilleur peu connu, sans autorité, qui n'a jamais manœuvré en jungle, pas du tout un « seigneur ». Jamais on ne saura pourquoi on l'a nommé. Mais c'est un homme de devoir cependant; il est pieux, il prie, il communie comme s'il partait en sacrifié, vers une mission sans espoir.

La colonne s'en va vers l'inconnu, avec la peur. Dès le début, dès après Na-Chan, il y a des coupures sur la chaussée, des accrochages, des pertes. Plus loin, la route n'est plus que destruction. Partout des entonnoirs, des éboulis, des ponts sautés — nul moyen de faire passer les canons, le matériel lourd, les camions qu'on renvoie sur Langson. Il faut continuer à pied, interminablement, à travers les coupe-gorge — mais il n'y a pas de « gros Viets ».

Enfin le 19 septembre, après quatre nuits de marche
exténuante, les hommes de la colonne, recrus de
fatigue, se croient sauvés : ils aperçoivent au loin,
au fond de la cuvette de That-Khé, la citadelle
toujours intacte, et, surtout, le plus fameux bataillon
du Corps Expéditionnaire, le 1er B.E.P., qui a sauté
là la veille, en deux vagues.

La situation est étrange. That-Khé est serré de
près par les Viets, mais n'a pas été attaqué. Un des
tabors est renvoyé à l'arrière — c'est le B.E.P. qui
prend sa place. Ses jeunes officiers — des hommes de
fer, des durs comme Jeanpierre, comme Faulques —
ne connaissent pas Lepage. Ils le trouvent mou.
D'ailleurs les paras, presque tous des Allemands,
n'ont guère confiance dans les tabors. Ce rassemblement hétéroclite reçoit le nom de « Bayard ». Il n'y a
toujours pas d'ordres. Chacun de se demander :
« Pourquoi est-on là? Personne n'en sait rien, pas
même Lepage. Pendant huit jours, comme pour
s'occuper, on monte de petites opérations auprès de
That-Khé. Une fois, c'est un succès. Après une
longue marche de nuit, près de Poma, les paras qui
sont en tête de colonne débouchent au petit jour,
dans la brume, sur un convoi de coolies en train
de transporter des mortiers. Ils en font un massacre,
mais des réguliers contre-attaquent à l'arrière, sur
les tabors, où c'est bientôt le « bordel ». L'affaire est
officiellement présentée comme une « victoire » —
mais ses effets psychologiques sont désastreux.
De plus en plus les paras se sentent seuls, se méfiant
de Lepage qui commande mal, se méfiant des Arabes
qu'ils ne trouvent pas sûrs.

Au bout d'une semaine, il apparaît quand même

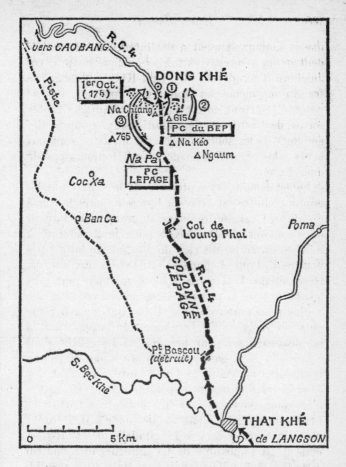

L'ÉCHEC DE LEPAGE DEVANT DONG-KHÉ

*Stoppé devant Dong-Khé, le capitaine Jeanpierre
pousse une reconnaissance le 1er octobre au soir (1).*

*Le lendemain, Lepage va s'efforcer en vain de déborder
la ville par l'est avec le B.E.P. (2) et par l'ouest avec
le 8e R.T.M. et des tabors (3).*

que le Commandement a des intentions. Il est évident qu'on se prépare à faire « quelque chose ». On améliore l'aérodrome de That-Khé, un bout de terrain où même les Junkers ne peuvent pas se poser. Et surtout on reçoit par parachutages toutes sortes de vivres et de munitions, y compris des godillots — les soldats observent qu'ils ne sont pas neufs mais réparés. Lepage ne sait toujours pas de quoi il s'agit.

Le lendemain 30 septembre, il le sait. Un télégramme chiffré est arrivé à Langson, surcodé, signé Constans. C'est l'ordre donné au groupement Bayard de s'emparer de Dong-Khé pour le 2 octobre, à midi — on ne lui dit rien de plus, on ne lui dit pas pourquoi. Pour Lepage, c'est l'ordre du suicide. Désespérément, il câble à Langson, montrant tous les dangers de la mission — le colonel est trop discipliné pour parler de folie. Il lui faut, avec à peine plus de deux mille hommes, s'enfoncer dans la jungle inconnue, pour prendre un Dong-Khé dont on ne sait rien, sauf que c'est un amas de ruines. D'ailleurs, on ignore tout sur tout, si ce n'est que dans la terrible nature apparemment si vide, il y a d'énormes concentrations de Viets dotées d'artillerie. Les Français, eux, n'ont pas de canons. Il se trouve bien quelques pièces à la citadelle de That-Khé, mais il est impossible de les emmener bien loin sur cette R.C. 4 d'où il va falloir repartir, il est impossible de leur faire passer le pont Bascou qui est détruit. Les hommes qui vont partir en avant ne peuvent compter que sur eux-mêmes et sur ce qu'ils emportent — il sera très difficile de leur faire parvenir du ravitaillement, des secours, avec des arrières aussi incertains. Seule l'aviation peut les aider; mais, encore une fois, c'est le crachin total, le ciel complètement aveugle.

La réponse de Langson est impérative : il faut commencer tout de suite. Lepage, dans un dernier sursaut, demande quand même de retarder le déclenchement de vingt-quatre heures, dans l'espoir que la météo s'améliorera. Refus.

Le soir du 30 septembre, c'est à That-Khé la réunion solennelle des chefs des unités du groupement Bayard — il y a autour de Lepage le commandant Secretain, du 1er B.E.P., le commandant Arnaud du 8e R.T.M., le commandant Delcros du 11e tabor, le capitaine Faugas du 1er tabor. C'est lugubre. Après avoir fait connaître les instructions de Langson, Lepage ajoute : « Mon seul espoir, c'est que Dong-Khé ne soit pas tenu par les Viets. Autrement, je ne sais pas comment on fera pour le prendre. » Les chefs sortent, donnent les ordres à leurs troupes. Les jeunes officiers de paras et les simples paras rigolent — leur habituel défi. Les Marocains ont les figures du fatalisme — mais leur cœur n'est-il pas gangrené? Entre soldats on se raconte que Lepage aurait dit : « On n'en reviendra jamais. » Il aurait pleuré, puis serait allé communier.

Le soir même, la colonne s'enfonce dans la nuit, dans l'atrocité des montagnes — quatre bataillons vont se battre contre trente bataillons. C'est la tactique des dépassements successifs, les unités se relayant en tête. La plupart du temps, les paras de la Légion sont sur la route, les tabors « éclairant » les côtés. Encore une fois les Français remontent le col du sang — ce col de Luong-Phaï. Et cela sans que l'ennemi essaie de résister, sans qu'il se serve de la jungle, des crêtes, des grottes, des rochers pour arrêter la progression. Les soldats disent anxieusement : « C'est trop facile. » Le jour s'est levé depuis longtemps quand la caravane humaine, ayant traversé la principale chaîne des calcaires, arrive au sommet du col. L'allure est lente, le B.E.P. est très en tête. C'est un paysage de centaines de petits pitons — pas un Viet. Les Français prennent au passage l'ancien poste de Napa, vide, lugubrement vide. C'est alors que, sur un contrefort rocheux dominant la chaussée, le peloton des élèves gradés du B.E.P., commandés par le lieutenant Faulques, tombe sur une patrouille ennemie — il abat trois Viets, mais deux autres ont pu s'enfuir, qui vont donner l'alerte à Dong-Khé.

Le capitaine Jeanpierre dit à Faulques :

— Fonce à mort avec ton peloton. C'est encore la dernière chance d'enlever Dong-Khé par surprise en espérant qu'il n'y a pas grand monde là-dedans.

C'est la ruée du peloton, suivi d'une compagnie du B.E.P. Sur des kilomètres, une centaine d'hommes courent. Soudain, très profondément en dessous d'eux, ils voient l'éternelle cuvette avec l'éternel damier de rizières; mais, au centre, au lieu du poste, il n'y a que des restes calcinés. Dans ce « trou », l'ennemi est-il là, caché, en masse, ou n'y a-t-il personne? Faulques et son peloton dégringolent dans la plaine par la R.C. 4 — pas un être vivant, pas un animal, rien. Et personne ne sait si ce vide étrange est mauvais ou bon. La poignée de paras est à huit cents mètres de Dong-Khé, rien ne s'est révélé. Il est dix-sept heures environ, il faut passer

une rivière sur un petit pont, au pied d'un piton.
A cet endroit, les paras sont arrêtés net dans leur
charge, cloués au sol par des tirs très précis de
mitrailleuses et de mortiers. Cela vient des ruines de
l'ancien poste, ainsi que d'un pagodon que jadis la
garnison du Corps Expéditionnaire avait transformé
en blockhaus. Derrière, plus loin, la compagnie
du B.E.P. qui suit met ses engins en batterie, pour
contre-battre les armes automatiques des Viets;
mais c'est en vain — le barrage de feu reste infran-
chissable. Le capitaine Jeanpierre rejoint Faulques
et lui dit : « Il n'y a certainement pas beaucoup de
Viets actuellement dans la cuvette de Dong-Khé.
Si Lepage fait donner le paquet, manœuvre, lance
toute la colonne à l'assaut, on la prend. » Mais rien
ne vient. Tout est arrêté. Le colonel, constatant
l'échec de la « surprise », décide qu'il faut monter
une « grande opération ». Elle est remise au lendemain, car il faudrait de l'aviation, de l'artillerie. On
réclame à Langson le parachutage de deux canons.

A la nuit, la situation est étrange. La cuvette de
Dong-Khé paraît déserte. C'est comme si, ce soir-là,
on en avait peur de part et d'autre, comme si on
redoutait d'être écrasé au fond de cette auge. Les
Français n'osent pas y aller. La colonne Lepage, au
lieu de subir l'attirance de la plaine, d'y descendre
massivement, reste sur les hauteurs et s'installe là,
sur des pitons et des crêtes, en un dispositif savant
et figé. De leur côté, les cinq bataillons viets qui
avaient pris Dong-Khé quinze jours auparavant
s'en étaient retirés presque aussitôt et s'étaient aussi
placés sur des calcaires tout proches — pas au
débouché de la R.C. 4, mais à celui de leur voie de

ravitaillement avec la Chine. Et, derrière ces cinq
bataillons, il y en a beaucoup d'autres, presque
toute l'Armée de Giap est là en réserve. Et tout cela
seulement à quelques heures de la colonne Lepage
qui campe sur la cote 615, le Na-Chiang, le Na-Kéo,
le Ngaum, l'ancien poste de Napa, les derniers
pitons qui enserrent la R.C. 4 quand elle va plonger
vers Dong-Khé.

Cependant, dans la cuvette vide, il reste encore le
peloton du B.E.P. — la compagnie qui le suivait a
pu décrocher. Mais les élèves-gradés sont immobi-
lisés, enfoncés dans les fossés qui bordent la chaussée,
presque à découvert. Ils sont tirés comme des
lapins. Les hommes de pointe gisent pareils à des
cadavres — mais c'est une ruse pour tromper les
Viets. C'est alors que Jeanpierre, se levant au milieu
des balles comme si elles n'existaient pas, dit à
Faulques : « Allons en reconnaissance un peu plus
au nord ; peut-être trouverons-nous un angle mort
par où approcher jusqu'à Dong-Khé. » Quelques
hommes se mettent debout, les suivent. L'un d'eux
tombe aussitôt. Jeanpierre et Faulques progressent
de quelques centaines de mètres — tout près de la
citadelle détruite. Jeanpierre, avec sa petite radio,
demande des ordres à Lepage : « J'ai peut-être une
dernière chance. » On lui répond de ne rien faire,
de remonter sur le piton dès que cela sera possible.
La nuit est tombée. Profitant des ténèbres, tout le
peloton escalade l'à-pic des calcaires, jusqu'au P.C.
du B.E.P. Jeanpierre et Faulques grognent : « Si
on nous avait laissé faire, à cent hommes, nous
aurions bluffé les Viets. »

Le lendemain 2 octobre, c'est l'offensive en règle

des Français. L'idée de Lepage, c'est de prendre la cuvette de Dong-Khé en tenaille, entre une pince à l'est et une autre à l'ouest. On abandonne donc la R.C. 4, et le B.E.P., les tabors, le 8e R.T.M. se faufilent le long des crêtes qui s'affaissent sur la plaine. C'est la pleine jungle — un chaos de pitons, de grottes, de reliefs abrupts. Dans ce déchaînement minéral et végétal, on ne voit pas à deux mètres. On ne sait pas où sont les Viets. Mais ils sont là, toujours plus nombreux, bien trop nombreux à la fin, comme mêlés à l'inexorable végétation.

C'est une extraordinaire bataille. La mission du B.E.P., c'est de s'infiltrer dans un énorme calcaire à l'est de la R.C. 4, qui se termine en à-pic à quelques centaines de mètres de Dong-Khé. La 1re compagnie est en pointe. Tout d'abord rien — jusqu'à ce qu'un adjudant assoiffé, allant remplir son bidon dans un ruisseau, voie un Viet qui se désaltère aussi. Les deux hommes, aussi surpris l'un que l'autre, se tirent dessus et détalent. L'adjudant vient prévenir son capitaine : « Il y a des gaziers à côté. » Mais si extraordinaire est la densité de la végétation qu'elle ne laisse pas de place pour mettre en batterie les armes, s'en servir et tuer. La progression se poursuit mètre par mètre. Soudain, une patrouille aperçoit dans une clairière quelques Viets assis sur l'herbe, penchés sur des cartes et discutant passionnément. Le serveur d'un F.M. ajuste soigneusement son engin et ouvre le feu : un assassinat. La nature aussitôt se remplit d'ennemis et leur riposte est terrible. Les paras n'ont liquidé qu'un P.C., et tout un régiment viet est à côté, caché, en position d'embuscade. Les paras se font tirer de partout, ils « sont aspergés comme des rats ». Leur seule protection est de « se planquer » dans le feuillage inextricable. Ils ne voient pas les Viets, et il semble que les Viets les voient mal eux aussi — ils font un feu d'enfer, mais comme au hasard, sans viser. Il faut quand même se replier d'une vingtaine de mètres. Les paras reviennent à la clairière où ils peuvent se repérer, se reconnaître — mais c'est trop petit pour tout le monde. Le capitaine organise la défense — cinq tireurs en ligne, sur vingt mètres, avec leurs mitrailleuses, et le reste de la compagnie derrière, à l'abri dans la jungle. L'accrochage dure plus d'une heure. Après un matraquage avec des mortiers, les Viets donnent l'assaut par deux fois, mais ils sont repoussés. Deux paras seulement sont tués. Les Viets se retirent mais sont tout près, en masse, attendant l'occasion. Il est impossible d'avancer. Des renforts ne serviraient à rien, car ils ne pourraient même pas se déployer. Finalement, les paras décrochent aussi, rejoignant le P.C. du B.E.P. C'est l'échec.

Cela a été également l'échec pour le 8e R.T.M. et les tabors. Eux aussi ont d'abord progressé malgré des difficultés incroyables, un tabor s'est même faufilé jusqu'à la limite du terrain d'aviation de Dong-Khé. Ils ont cependant été contre-attaqués et ont dû reculer. Tout est d'autant plus inquiétant que l'aviation — il fait un peu plus beau et les chasseurs ont pu sortir — signale de tous côtés d'énormes colonnes de soldats viets, qui arrivent à marche forcée. Il n'est plus question de s'emparer de Dong-Khé de vive force, bien que les deux canons réclamés aient été parachutés avec leurs canonniers.

C'est le moment décisif. C'est le moment où le

Commandement français pourrait encore renoncer à l'évacuation de Caobang par la R.C. 4, puisque la condition première — la prise de Dong-Khé par la colonne Lepage — n'a pas été remplie. Il paraît qu'alors Alessandri câble à Carpentier : « Annulez tout. Si vous persistez, vous commettez un crime. » Mais Carpentier s'obstine. Étant donné que Lepage n'a pu s'emparer de la cuvette de Dong-Khé, il la contournera par l'ouest, en pénétrant au cœur de la jungle, au milieu des calcaires, en pleine région sauvage. Il y a là, dans la forêt vierge, une piste à peine tracée, à peine connue, mais on sait qu'elle va justement vers Caobang, qu'elle débouche précisément sur la R.C. 4 près de Nam-Nang — là où doit arriver par la route la colonne Charton qui n'aura eu que trente kilomètres à faire. La rencontre est prévue pour le 3 octobre.

C'est ce qu'apprend le 2 octobre, à 14 h 30, le pauvre Lepage, par un message lesté qui tombe sur son P.C. opérationnel. Il sait enfin, au bout de quinze jours, à quoi doit servir sa colonne — tendre la main à la garnison de Caobang. Mais il le sait dans les circonstances les plus dramatiques, après son échec sur Dong-Khé, quand on lui ordonne de s'enfoncer dans des montagnes effroyables où les Viets, déjà tellement nombreux, seront encore bien plus redoutables. C'est du massacre.

Il s'agit de s'engager dans ce chaos calcaire, au sud de Dong-Khé, qui est normalement intenable pour des êtres humains. Il faut tout emporter, même l'eau — car il n'y en a pas dans cette jungle fissurée. Les Français vont aller dans une région terrifiante, un labyrinthe de la nature, sans guides, sans ravitaillement, sans rien — avec seulement des cartes inexactes et leur courage. Par contre, là, les Vietminh sont pleinement chez eux. Cela a toujours été un de leurs repaires. Et ils ont des milliers de coolies pour apporter tout ce qu'il faut à leurs soldats, les jarres d'eau et les hottes de munitions. Les munitions arrivent de la Chine qui est tout à côté, à quelques dizaines de kilomètres.

C'est la grande heure de Giap. Il avait bien deviné. Il s'était retenu d'agir tant que les choses n'étaient pas absolument claires. Il se doutait bien que la colonne Lepage, même si Lepage n'en savait rien, n'avait pas comme objectif la réoccupation « vraie » de Dong-Khé, une réinstallation durable — il ne s'agissait de l'occuper que le temps d'un aller-retour. Il l'avait laissée traîner tout ce temps autour de la R.C. 4, sans l'attaquer, sachant qu'elle n'était là que pour attendre, que pour « réceptionner » la garnison de Caobang au moment de son évacuation. Alors, on pourrait tout détruire à la fois. Certes, ce n'était pas absolument sûr. Car à Caobang régnait une énorme activité, comme pour renforcer sa résistance, la rendre éternelle. Mais n'était-ce pas de la mise en scène en vue d'une retraite prochaine ? En tout cas, pour « voir », le mieux était de rester auprès de Dong-Khé — et toute l'Armée de Giap demeura paisiblement dans ses calcaires, laissant venir Lepage et ses soldats.

Désormais tout est certain. Après l'amorçage, c'est l'hallali, c'est le moment de frapper. Les deux premiers jours d'octobre, Giap se borne encore à la défensive, empêchant Lepage de prendre Dong-Khé. Mais, ce 2 octobre, lui aussi a le renseignement capi-

tal — il sait que la garnison de Caobang est sur le
point de se mettre en route. Elle s'en ira paisiblement vers Nam-Nang, où elle ne trouvera pas de
Lepage, pas de colonne de secours, rien. Alors,
continuant d'avancer seule, elle mettra deux ou
trois jours pour arriver aux approches de Dong-Khé.
Il faut que le travail soit fait pendant ce délai,
il faut tout ce temps attaquer la colonne Lepage
errant au milieu des calcaires, la poursuivre, l'encercler, l'écraser, l'anéantir, n'en plus rien laisser.
Alors quand la colonne Charton, épuisée par son
exode, ne trouvera nulle part aucun Français pour
l'accueillir, mais des milliers, des dizaines de milliers
de Viets pour lui donner l'assaut, ce sera son tour —
il sera facile de l'exterminer aussi.

Le plan de Giap a été presque intégralement
réalisé. C'est par un miracle d'héroïsme que, dans
ces calcaires de Dong-Khé, quelques bataillons
français ont pu résister bien plus longtemps qu'il ne
l'avait prévu. Mais le résultat a été celui qu'il attendait — la catastrophe presque complète pour les
Français, la déroute dans les circonstances les plus
affreuses. A peine quelques centaines d'hommes
échapperont. Ce sera un événement incommensurable. Pour la première fois en Indochine, des Jaunes
auront écrasé des Blancs; et, pour la première fois,
la dialectique rouge aura triomphé de la stratégie
de l'École de Guerre. C'est l'écroulement des
dieux.

Voyons comment cela s'est passé. Examinons
d'abord comment, alors que la colonne Lepage est
presque immédiatement traquée et condamnée,
on ne s'inquiète pas trop à Caobang. Au contraire,

on y est optimiste, même si on ne se réjouit pas de
partir d'une ville aussi heureuse.

UN DIEU DE LA LÉGION

A Caobang, tout va bien depuis que Charton,
pour cause d'incompatibilité d'humeur avec le
colonel Constans dont il a été l'adjoint à Langson
quelques mois, est revenu en « patron ». Il est comme
ses légionnaires; c'est une force de la nature, une
sorte de brute adorée, le « baroudeur » qui n'aime pas
se gêner, qui préfère en découdre — mais il sait se
battre. A Caobang, il ne se gêne aucunement, ses
hommes non plus. C'est plus que jamais un paradis.
Plus d'emm... avec la R.C. 4 et ses convois depuis
que c'est un « hérisson ». Les avions, c'est beaucoup
mieux. En une demi-heure on est à Hanoï ou on en
revient, tout à fait « pépères ». Qu'est-ce que les
appareils ne ramènent pas comme « camelote »,
jusqu'aux légumes frais, jusqu'aux fraises! Et les
civils qu'on avait évacués un an auparavant par
camions — comme si la ville était condamnée —
s'arrangent pour revenir. De nouveau, ils sont au
moins trois mille, tout ce qu'il faut comme putains,
comme mères casse-croûte, comme tôlières, comme
tenanciers, comme boutiquiers. Ça grouille. Que n'y
trouve-t-on pas! C'est à nouveau plein de bordels,
de cinémas et de bistrots. Il y a tout ce que la Légion
aime — l'amour, l'alcool, la guerre et même la
tranquillité, en ce sens que personne, qu'aucune
« huile » de Saigon et d'Hanoï ne vient là. Donc pas
d'ennuis. La Légion est chez elle, elle vit comme elle

veut. Le moral est formidable, pas seulement chez les soldats blancs ou jaunes, mais même dans la population qui est là pour satisfaire à tous leurs besoins.

Qu'est-ce qu'on s'en fout que, presque chaque nuit, les haut-parleurs viets hurlent : « Rendez-vous. Car dans quelques jours nous attaquerons Caobang, nous le prendrons. Et alors malheur aux mercenaires et aux traîtres. » Personne n'y ajoute foi. On croit que la cité est inexpugnable. C'est une presqu'île enserrée étroitement entre deux fleuves qui confluent, le Song Ba Giang et le Song Giam, tous deux profonds, tous deux infranchissables à gué. Caobang est bâti, au milieu de ces eaux protectrices, sur une colline escarpée, facile à défendre. Au sommet, la citadelle a été jadis détruite par les Chinois — mais rien de plus solide que de bonnes ruines contre les bombardements, rien de mieux pour s'abriter; et cela d'autant plus qu'il y a des souterrains de quatre mètres de profondeur. Enfin, à l'extérieur, on a multiplié les lignes de défense et les blockhaus. Et les Viets peuvent difficilement approcher car, tout à l'entour, c'est de la « montagne à vache », sans calcaires ni forêts, où l'aviation peut facilement « strafer » les concentrations viets et l'artillerie les matraquer.

Aussi Charton est sûr de pouvoir tenir au moins deux ans : pour prendre Caobang, il faudrait que Giap sacrifie de 15 000 à 20 000 réguliers, ce qu'il ne peut se permettre, car c'est tout le noyau de sa nouvelle armée. Depuis des mois, Charton ne cesse donc de répéter à Saigon et à Hanoï : « Ne vous inquiétez pas pour nous. Jamais les Viets ne nous attaqueront — ils ont des proies bien plus faciles, comme

Dong-Khé et That-Khé. Évacuez ces places si vous
voulez, d'autant plus qu'elles ne servent à rien, ne
commandant aucune route venant du nord. Et puis
le moral de ces garnisons menacées n'est pas très
bon. Ce n'est pas comme ici. Laissez-nous donc à
Caobang, qui contrôle la grand-route, la route vitale
allant de Chine au Tonkin. Nous, nous sommes tous
très contents d'être là. Si vous voulez bien faire les
choses, envoyez-moi quatre gros canons de 155 et
deux canons de 105, mais modernes — c'est tout ce
qui me manque. Car mon artillerie est un peu fai-
blarde. »

A la vérité, le moral n'était pas très fort à Caobang
avant que n'arrive Charton — il y avait là surtout
un 8e R.T.M. qui avait mauvaise réputation (c'est
un régiment qui fait maintenant partie de la colonne
Lepage). Mais le colonel a rapidement redressé la
situation. D'abord il a « touché » à sa place un bataillon de la Légion, le 3/3 R.E.I. [1]. Ce n'est pas de la
« vieille garde », mais une unité de relève, connaissant mal le pays et sans expérience du combat de
jungle, avec des officiers tout neufs, venant directement de France ou d'Allemagne. Le plus ennuyeux,
c'est que son chef, le commandant Forget, un brave,
un dur, a auparavant été blessé à la poitrine, ce qui
l'empêche de marcher. Charton, avec des méthodes
bien à lui, se met à « éduquer » tous ces gens, gradés
ou pas gradés, mais de la « bonne graine » dans
l'ensemble. Son principe est de leur dire : « Le boulot,
c'est sacré. Là, pas de pitié. Mais ensuite, les gars,

---

1. 3e bataillon du 3e Régiment Étranger d'Infanterie.

vous pouvez rigoler. » Pour les aguerrir, il multiplie les opérations, les coups de main autour de Caobang, il monte une quinzaine d'embuscades par nuit. Ça rend on ne peut mieux. Le résultat est que la guerre marche bien — et le commerce aussi. Les Viets n'osent plus guère s'approcher de Caobang; mais, dans la cité, jamais l'argent n'a roulé aussi vite.

Charton a aussi sa manière avec les civils — les honorables Vietnamiens et Chinois de l'endroit. Un jour, il fait rassembler tous les chefs de quartiers, tous les chefs des corporations, tous les chefs de partisans. Et il leur fait le discours suivant :

— Vous avez choisi de vivre avec les Français — avec la Légion je veux dire. Il y en a parmi vous qui sont ici depuis cinq ans. Il se peut que quelques-uns d'entre vous aient changé de sentiment, soient pris de remords. S'il en est parmi vous qui viennent me dire : « Je me suis trompé, je sais maintenant que mon cœur est avec le Vietminh », il ne leur sera fait aucun mal. Ce sera simplement au revoir et merci — je les ferai conduire à cinq kilomètres de Caobang, pour qu'ils puissent aller où ils veulent. Vous avez quinze jours pour réfléchir, pour choisir. Mais qu'ensuite j'apprenne que quiconque ait le moindre contact, direct ou indirect, avec l'ennemi, je le fais fusiller sur-le-champ. »

Il paraît qu'à la suite de cette allocution il n'y a pas eu une demande pour rejoindre les Viets, pas une trahison. Toute la population, au contraire, proclame sa fidélité. Caobang — cette pointe d'épingle au milieu de la terre viet — c'est le bonheur à la fois militaire et capitaliste. Et tout cela grâce à Charton, ce dieu de la Légion !

Mais, fin septembre, apparaissent des présages de malheur. Cela ne vient pas des Viets, dont le gros est assez loin (seuls des guetteurs et deux ou trois bataillons de Giap « collent » à la ville), mais de la venue inopinée et successive de personnalités considérables, qui n'ont pas l'habitude de se déplacer à la légère, surtout de se rendre à Caobang. Un jour atterrit l'avion aux longues couchettes du général Commandant en Chef lui-même, le général Carpentier. Il est guilleret, cordial, le père même du soldat. Aux troupes, il fait un « laïus » patriotique, grandiloquent : « Il n'y aura pas d'évacuation. Vous défendrez Caobang jusqu'à la fin, jusqu'au dernier homme, s'il le faut. Mais ayez confiance. Comme chef, vous avez Charton. Il a la baraka. Avec lui, vous ne risquez rien. » A Charton lui-même, il dit : « Votre mission est de garder Caobang à la France. Dès demain, je donnerai les ordres pour qu'un pont aérien vous amène un tabor et vous enlève toutes les femmes et tous les enfants. Comme cela, vous serez dans les meilleures conditions pour vous battre et pour repousser les assauts des régiments qui, je le sais, ont Caobang pour prochain objectif. »

C'est ainsi que Caobang est mis ostensiblement en état de siège — pour le combat jusqu'au bout. Effectivement, chaque jour, des Junkers apportent des cargaisons de Marocains — l'effectif en entier du 3e tabor. Et, en échange, chaque appareil emporte des cargaisons d'Annamites et de Chinoises encombrées de mioches et de fardeaux. En somme, sans cesse le pont aérien amène de la force — les soldats — et enlève de la faiblesse — les bouches inutiles.

Mais, en plein milieu de cet étalage, de cet appa-

reillage guerrier, le premier signal d'alarme est donné
à Charton. Car un autre avion couvert d'étoiles[1]
— il y en a une ou deux en moins — atterrit aussi
à Caobang. C'est celui du général Alessandri, lequel
est toujours aussi défait. Ce n'est pas seulement son
âme qui est malade, son corps l'est aussi : il a de
la faiblesse, des fièvres, des amibes. Mais sa douleur,
ce qui le ronge, c'est qu'il doit diriger l'opération
« Thérèse » — cette évacuation de Caobang contre
laquelle il a tant lutté, qu'il abomine. Il va sur place
pour « voir », pour préparer la chose. De plus, il est
en proie à un cas de conscience — il a des instructions
formelles pour jouer la même comédie du « jusqu'au-
boutisme » que Carpentier, il doit ne rien dire de ce
qui se prépare réellement, pas même à Charton : les
ordres du repli ne seront donnés que vingt-quatre
heures à l'avance. En attendant, il doit tromper
Charton.

Pauvre Alessandri! Il est pris entre la discipline
militaire et ce qu'il croit son devoir supérieur.
Comment Charton s'arrangerait-il pour évacuer
une cité comme Caobang avec un préavis aussi court?
Alors Alessandri désobéit à son Commandant en
Chef, il avertit Charton de ce qui va se passer. La
conversation est dramatique — elle est fraternelle
aussi, car les deux hommes sont des amis, ils
s'estiment de longue date. Alessandri ne retient pas
son émotion, il pleure dans le bureau de Charton
tout en lui disant :

— On vous prépare un coup de Jarnac. On va

1. Les avions des principaux généraux portent la
marque de leur grade, avec inscription de leurs étoiles.

évacuer Caobang par la R.C. 4. Qu'en pensez-vous?
Moi, je crois que vous ne réussirez jamais.

— C'est une folie, répond Charton. Ici, je peux me
défendre. Mais, si on m'impose l'évacuation, ce sera
très difficile, très dangereux. Engager une colonne
sur la R.C. 4, dans de pareilles conditions, alors qu'il
n'y a plus un poste français jusqu'à That-Khé et
que les Viets sont partout, c'est risquer la destruction.

— Jouez de vitesse. Glissez entre les pattes des
Viets.

— C'est facile à dire. Avec ces gens-là, jouer la
fille de l'air, c'est tomber entre leurs pattes. Il vaut
mieux faire les choses carrément, solidement, avec
tous les moyens.

— Il n'y en aura que très peu. Carpentier, quand
il est allé à Paris, a averti Bidault, le Président du
Conseil, qu'il comptait abandonner Caobang.
Bidault a répondu : « Moi, je suis un professeur d'histoire. Ce que les Français ont appris dans leurs
livres de classe sur l'Indochine, c'est Hanoï, c'est
Langson, c'est Caobang. Si je laisse évacuer Caobang
comme ça, mon ministère tombe. Il me faut en même
temps une victoire spectaculaire. » C'est alors qu'on
a pensé à Thai-Nguyen, qu'il serait facile de décrire
comme la capitale d'Ho Chi-minh. Le gros des troupes
du Tonkin est là-bas. Malgré tout, une colonne viendra au-devant de vous par la R.C. 4, le plus loin
possible.

— Ce pays, je le connais. Avec mes seuls effectifs,
je ne peux guère m'aventurer. Je demande que la
colonne de secours vienne m'attendre au kilomètre 28,
et même de préférence au kilomètre 22. Sur cette

distance, je me fais fort d'ouvrir la route, de passer mon monde et mon matériel; mais pas au-delà.

— Je vous donne ma parole qu'on vous attendra au kilomètre 28.

En principe tout est clair. Son boulot à lui, Charton, c'est d'arriver au kilomètre 28. Le malheur, c'est qu'il craint qu'on « ne lui pose là un lapin ». Il n'a confiance ni en Lepage ni en ses troupes. Alors, pendant des jours, il harcèle par câbles le P.C. de Langson pour que l'on renforce Lepage. Il demande que l'on répare la route entre Na-Chan et That-Khé, pour lui faire monter des canons, du ravitaillement, des hommes, tout ce qu'il faut. Il demande que l'on attende une bonne météo, pour qu'il ait une couverture de chasse. On peut facilement repousser « Thérèse » de quelques jours, le temps de réunir les meilleures conditions. D'ailleurs, lui-même, Charton, a encore de petites besognes à faire à Caobang — par exemple évacuer par le pont aérien 180 militaires inaptes à la marche et 40 femmes, la plupart enceintes, qui n'ont pu encore partir. Un cyclone a fait qu'il n'y a presque pas eu de Junkers pendant un jour ou deux. Vraiment, rien ne presse. Il vaut beaucoup mieux tout préparer, tout bien organiser.

Mais, à Langson, le colonel Constans n'est pas du tout d'accord. Carpentier se doute qu'Alessandri l'a trahi et le maintient de plus en plus en dehors de tout. Constans, comme un automate, rabâche les consignes du Général en Chef, rentré à Saigon. Pour lui, le succès de « Thérèse » est fonction du secret et de la rapidité. En ce qui concerne le secret, il ne faut faire aucun préparatif voyant, il ne faut procéder

à aucune destruction de matériel, même s'il est
ensuite utilisable par l'ennemi. Au dernier moment
on peut employer des procédés de fortune, comme
jeter de l'équipement dans le fleuve ou préparer
quelques explosions à retardement. Pour la rapidité,
il s'agit avant tout de marcher — il faut progresser
tellement vite que l'ennemi, surpris, ne puisse
engager le combat. Donc, inutile d'emporter trop
d'armes, trop de munitions, trop de matériel, car
le but n'est pas de se battre mais de « filer ». De toute
façon, quoi qu'il arrive, Viets ou pas Viets aux
alentours, beau ou mauvais temps, « Thérèse »
doit commencer au plus tard le 3 octobre.

En somme, c'est le malentendu complet entre
Langson et Caobang, entre Charton et ce Constans
dont il avait été peu auparavant l'adjoint et avec
lequel tout avait déjà si mal marché. L'incompréhension est d'autant plus grande que les échanges se
font à coup de télégrammes. Même dans des circonstances aussi graves, Constans reste dans son luxueux
P.C. de Langson, au lieu de venir « s'expliquer » à
Caobang. Sa seule action, c'est d'y envoyer son chef
d'état-major, ce qui ne sert à rien. L'unique décision
prise, c'est celle d'évacuer par avions les comptables
des unités; et elle n'a même pas été appliquée, faute
de places.

Les premiers jours Constans expédie des câbles
de victoires : pour Thai-Nguyen comme pour la
R.C. 4. Mais, soudain, le ton n'est plus aussi optimiste,
et Charton comprend que cela va mal pour Lepage.
Il craint de plus en plus le « lapin ». Dans un dernier
effort, il demande à ne partir de Caobang que lorsque
Lepage sera lui-même tout près du kilomètre 28.

Au lieu du 3 octobre, ne pourrait-on déclencher l'opération « Thérèse » que le 4? D'ailleurs, il lui reste encore sur les bras des malades, des éclopés, des invalides. Il lui faut huit Junkers pour s'en débarrasser. Sinon, il devra les emmener avec lui, clopinant ou portés sur des civières, — ce qui retardera terriblement la colonne.

La réponse est « non ». Le jour J est toujours le 3 octobre. Alors Charton, après avoir tant essayé de finasser, de ruser, redevient lui-même, le magnifique légionnaire. La ville, sa ville, son Caobang, il ne va pas la laisser comme cela, intacte, magnifique, avec sa splendeur, avec ses richesses, aux Viets. Et c'est la grande destruction. On fait sauter la ville, une bonne partie au moins. Charton est là, dans sa jeep, à ordonner : « Démolissez-moi ceci. Démolissez-moi cela. » Les légionnaires s'en donnent à cœur joie. Tout flambe — l'usine électrique n'est plus qu'une carcasse. Et que ne concasse-t-on pas comme matériel de toutes sortes — c'est incroyable ce qu'une garnison peut accumuler comme « camelote » dans ses dépôts au fur et à mesure des années! Il faut que les Viets n'aient rien; alors on abat même les trois cents buffles, le stock de viande vivante — les animaux beuglent. La détonation la plus formidable — c'est à la fois comme un orage, un tremblement de terre, un embrasement — c'est celle des cent cinquante tonnes de munitions de la citadelle. La mise à feu a été faite un peu tard. Charton n'a pas le temps de s'éloigner, et il reçoit dans sa jeep un énorme parpaing qui manque de le tuer. Cependant, le travail a été bien fait, et le Song Ba Giang, qui coule à côté, est soudain devenu tout jaune — ses

eaux sont couleur de safran. Son seul regret, c'est
de laisser les ponts intacts, mais il a des ordres
absolument formels pour cela.

Qu'importe que ces ravages « avertissent » les
Viets, leur fassent comprendre l'imminence du
grand départ! Charton ne se fait aucune illusion à
cet égard. En fait, il sait que, depuis des jours, tout
Caobang est au courant — depuis longtemps le
Corps Expéditionnaire n'est plus qu'une vaste
indiscrétion. Pauvre Carpentier qui ne se rend pas
compte que, de faire « descendre » ses ruses et ses
secrets à travers la voie hiérarchique des grands
états-majors, c'est comme parler sur la place
publique! En tout cas, la « nouvelle » a été apportée
très tôt à Caobang par les Junkers du « pont aérien »,
par les Junkers du ravitaillement. Les légionnaires
sont au courant, la population est informée — les
Viets aussi. Pour eux, le raisonnement pur et les
rapports d'espions se recoupent. Il paraît que, la
veille de l'évacuation, leurs hauts-parleurs souhai-
taient « bon voyage » à la garnison. Quant à la Légion,
elle ne cache nullement qu'elle s'en va. Charton
profite même de toute cette agitation du départ
pour essayer d'une ruse de guerre — il tâche de
répandre le bruit que c'est par la R.C. 3 et Bac-
Kan que la colonne va passer.

Charton est aussi magnifique envers la population,
ce qui en reste encore. Car tous ces Vietnamiens,
tous ces Chinois de Caobang, qui ont été si dévoués,
si fidèles à la Légion — même si ce n'était que par
intérêt, à cause de la piastre — il les place lui-même,
sans qu'on lui ait donné d'ordres dans un sens ou
dans un autre, sous la protection de la France.

Ce sont « ses » civils : plutôt démissionner que de les abandonner à la vengeance des Vietminh. Alors, il les rassemble; et, leur annonçant officiellement l'évacuation, il leur dit : « Ceux qui le veulent je les emmène avec moi, avec mes soldats; mais il faut qu'ils soient capables de marcher. » Environ cinq cents hommes, en somme presque tous les hommes, demandent à partir avec la colonne. Mais il y a encore quelques vieux, quelques femmes qui n'ont pas été évacués par avions. Ceux-là pleurent. L'un d'eux demande : « Quand il n'y aura plus de soldats français, qui nous protégera contre les Viets? » Et Charton de répondre : « Même si nous sommes tués, nos cadavres bondiront par-dessus les murettes pour venir vous défendre. » La phrase est idiote, Charton le sait, mais que répondre dans certains cas? En tout cas, l'un de ces vieux, qui sait qu'il sera laissé sur place, crie malgré tout : « Vive la France! » Charton va même à la prison civile. Il dit à tous les pauvres hères qui purgent leur peine : « Sortez. Je vous libère. » Mais une femme, une solide putain, proteste : « Nous ne sommes pas contents. Nous voulons bien de la liberté, mais chez les Français, pas chez les Viets. — Je ne peux rien faire pour vous. — Si, nous accepter dans votre colonne. Nous marcherons tant qu'il le faudra, aussi longtemps qu'il le faudra, sans vous gêner, sans rien vous demander. »

Le lendemain, le 3 octobre, l'évacuation est véritablement la grande opération selon l'esprit même de la Légion, lente, lourde, solide, systématique. C'est du travail bien fait où tout est prévu pour faire front courageusement, non pour se débiner à la va-vite. D'ailleurs, autant la colonne Lepage est partie sous le signe de la peur, autant celle de Charton a confiance, trop confiance. On ne se rend compte de rien, surtout pas du danger. Les légionnaires ont très bon esprit, ils sont tout gaillards. Il y a dans leurs cœurs, sur les expressions de leur visage, ce sentiment : comment des gens comme eux pourraient-ils être battus par des Viets, par ceux-là mêmes qui, depuis plus d'un an, n'ont pas osé donner l'assaut à leur Caobang isolé? Seul Charton est inquiet, mais il fait bonne figure, comme tout le monde; et puis il ne croit pas réellement à la grande catastrophe, à la catastrophe totale.

L'heure H c'est minuit, officiellement. Mais ce n'est que vers midi, le 3 octobre, que l'on s'ébranle. Toute la nuit ont continué la destruction et la razzia. Tout ce qu'il peut emmener d'êtres et de choses, Charton le fait. La matinée se passe à mettre de l'ordre dans cet amoncellement humain et matériel. Il faut se replier des quinze postes de la ceinture de Caobang, l'un après l'autre; et surtout, il faut former la colonne. Et elle a des kilomètres de long! Que n'y a-t-il pas? C'est le plus hétéroclite rassemblement d'hommes : des tabors à l'allure fière (le 3e tabor est une bonne unité), des légionnaires à figure de marbre, des partisans — la plupart sont vieux, tout ridés, bien fidèles, mais quand même plus des « boys » ou des « beps » que des guerriers —, et tout en queue la cohorte des civils, presque tous des « bourgeois » jaunes, des boutiquiers et des commerçants à l'allure de braves pépères, quelques femmes aussi, des putains. Et presque tous ces gens, ceux en uniformes, ceux sans uniformes, sont encombrés d'énormes bardas — ce qu'ils ont de plus précieux,

leurs petits trésors personnels, ou ce qu'ils ont pu
chaparder dans la ville à l'abandon. Et puis, au
milieu de l'énorme caravane, deux canons, l'un de 37,
l'autre de 105, et toute une rame de G.M.C., remplis
à ras bords de vivres, de munitions, ainsi que de tout
le matériel qu'on a pu entasser. Il y a aussi là-dedans
des blessés, car, si étrange que cela paraisse, on n'a
pas eu le temps de les évacuer tous par le pont aérien.
Seuls les morts ne sont pas là — contrairement à
tout ce qu'avait jadis proclamé Carpentier, on les a
laissés dans leurs cimetières aux Vietminh. A cette
exception près, l'évacuation de Caobang est d'abord
un déménagement.

Que n'a-t-on ensuite reproché à Charton cette
artillerie et ces camions! C'est vrai qu'il a désobéi.
C'est vrai que les ordres étaient de partir à pied,
sans rien ou presque, en tout cas avec le minimum,
pour « aller plus vite ». Mais lui, le vieux de la vieille,
l'ancien de la R.C. 4, trouve cela « con » : il connaît
trop la route mortelle, ses embuscades, tous ses
pièges. A chaque kilomètre, partout où il y a un
piton, un talus, un défilé, il peut se dire : « Là, on a
eu tant de tués; là, ça a été un massacre; là, j'ai
perdu mon meilleur copain. » C'est toute la litanie
de l'ancienne R.C. 4 sanglante qui lui revient. Alors,
il fait comme autrefois pour tous les convois qui
montaient et descendaient, il pratique « l'ouverture »
— il envoie des hommes occuper tous les coins mauvais aux alentours, et Dieu sait s'il y en a, et Dieu
sait s'il les a pratiqués! Et il prend cette fois d'autant
plus de précautions que ce n'est pas un vrai convoi
militaire, mais plutôt la horde même de l'exode,
de l'évacuation, une proie facile avec tous ces civils,

cette population qui traîne derrière. Cela fait une
chenille gigantesque sur la chaussée, un énorme
encombrement, avec relativement peu de vrais soldats. Combien, au milieu de cette faiblesse, Charton
se félicite d'avoir emmené ses canons et ses camions.
Car, en combattant bien expérimenté, qui en a fait
de toutes sortes, qui en a vu de toutes les couleurs,
il n'aime pas « partir sans biscuits ».

Tout cela s'en va donc sur la R.C. 4. Évidemment,
un pareil caravansérail, ça n'avance pas vite, ça
traîne. Cependant, les Viets n'ont même pas détruit
la chaussée aux abords de Caobang. Il n'y a rien,
pas vraiment un accrochage, à peine quelques rafales,
quelques coups de fusils aux environs du kilomètre 10.
Les Viets sont aux aguets, mais ils ne peuvent rien.
La foule chemine plus que jamais rassurée, en plein
contentement. Il y a largement de quoi boire et
manger.

On franchit un mauvais col d'antan, sans accroc.
A la nuit, on s'arrête. Charton établit son P.C. au
kilomètre 16. Pour le reste, c'est une gigantesque
smala. Tout à l'entour, les soldats montent la garde
avec vigilance; mais sur la chaussée, des kilomètres
durant, corps entassés, le peuple dort. Le sommeil
est paisible — toujours rien, toujours pas d'attaque.
Quand le soleil se lève, on repart sans hâte. Pourquoi se dépêcher puisque Charton sait que la colonne
de secours est toujours très loin du rendez-vous?
Il ignore d'ailleurs exactement où. Il ignore tout.
Tout va bien jusqu'à midi, où l'on arrive enfin au
kilomètre 28, au lieu du rendez-vous : personne.
Mais ce qu'il y a de pis, le terrible « coup dur »,
ce sont deux câbles de Constans qui arrivent coup

sur coup — deux messages de folie et de catastrophe.
Lepage n'a pas pris Dong-Khé. Lepage a été durement accroché à quelques kilomètres au sud de Dong-
Khé, alors qu'il s'engageait sur la piste de Quang-
Liet, pour arriver quand même au rendez-vous du
kilomètre 28. En fait il est encerclé, complètement
acculé, incapable de bouger, en cours de destruction.
C'est à lui, au contraire, Charton, de prendre la
piste de Quang-Liet, d'aller sauver Lepage. Pour
cela, il lui faut pousser à fond, larguer tout poids
inutile, marcher de jour comme de nuit — il doit
être là-bas dans les vingt-quatre heures.

C'est l'appel de détresse. Mais pourquoi ces deux
messages, qui ont été envoyés à Charton le 3 octobre,
ne lui sont-ils arrivés que le 4 ? Mystère. Car cela
aurait tout changé. Il aurait joué tout autrement.
Mais il va lui falloir s'engager dans la jungle la plus
dense, la plus uniforme, la plus inconnue, celle où
l'on ne se repère pas, celle où l'on ne sait pas où est
l'ennemi, pour une longue marche — et cela sans
guides. S'il avait su, il s'en serait procuré, et il
n'aurait pas emmené une pareille armada.

Les heures suivantes, c'est la confusion. Des
officiers, des sous-officiers demandent à chaque
partisan, à chaque civil : « Connais-tu la piste de
Quang-Liet? » La réponse est toujours non.

De toute façon, il faut s'alléger. Tout l'après-midi,
on détruit — on fait sauter les deux fameux canons
et leurs munitions, on fait sauter les camions si
pleins de choses. Auparavant, chaque soldat « touche »
une journée de vivres et une demi-journée de feu.
Cela se passe dans un certain désordre, les partisans
ne sont pas contents, ils réclament, ils veulent

davantage de quoi manger et de quoi tirer. Chacun, cependant, se débarrasse de son barda, de tous les précieux petits trésors personnels qu'il avait emportés. On se contente de cacher l'argent au plus profond des poches intérieures, dans les endroits les plus secrets. La route, ce n'est pas tellement le spectacle du désastre, mais celui d'une « zone », d'une foire aux puces sans acheteurs. Les soldats font encore bonne figure, mais les malheureux civils ont des visages catastrophés — ils savent bien que désormais ils ont toutes chances de mourir.

L'immense colonne est encore bien organisée quand même. Mais un dernier problème se pose : trouver la piste de Quang-Liet. On s'aperçoit qu'elle n'existe pas. La jungle l'a mangée. Les Viets s'en servaient autrefois, puis ils en ont tracé une ailleurs, plus à l'est, par où passent désormais leurs caravanes de coolies et de soldats. Or, dans le déchaînement végétal de ce Haut-Tonkin, tout ce qui est abandonné disparaît en quelques mois, redevient la nature.

Enfin, après bien des tâtonnements, on découvre l'amorce de ce qui a pu jadis être une piste. Et toute la colonne s'engage là-dedans — des kilomètres de gens pénètrent l'un après l'autre dans la prison végétale qui sera leur tombeau. On marche à la file indienne — ce qui fait encore beaucoup plus de kilomètres de gens. Mais il y a toujours un certain ordre : en tête, les partisans que l'on a placés là pour faire une « couverture légère », en croyant qu'ils sauront mieux reconnaître l'itinéraire et détecter les ennemis; ensuite les légionnaires du 3/3 R.E.I. suivis par Charton, son P.C. et « ses » civils; enfin le 3e tabor, qui ferme la marche. Au moment où les arrières-gardes s'enfoncent à leur tour dans la forêt, les Vietminh de la R.C. 4 les harcèlent. Mais ce n'est rien. Ce qui est à craindre, ce sont les Vietminh qui sont déjà par milliers, par dizaines de milliers dans les jungles et les calcaires. La nuit va tomber quand la colonne Charton, dans son immensité, finit de pénétrer dans la forêt — cette obscurité où l'on ne voit rien, où l'on ne voit pas les Viets, où les gens à la queue leu leu arrivent à peine à se voir les uns les autres à deux mètres.

LA PISTE DE QUANG-LIET

Le 3 octobre, le drame s'est déjà noué — une colonne est encerclée, aux abois, et l'autre marche vers sa perte dans l'immensité de la jungle. Je suis à Saigon, dans un Saigon nullement inquiet, où personne ne sait rien — sauf dans les états-majors bardés de secret. Le général Carpentier travaille dans sa chambre à air climatisé — il est si rassuré qu'il a spécialement convoqué le beau capitaine porte-parole récemment nommé par lui, pour bien lui expliquer comment annoncer à la presse les prochaines « victoires », comment les faire valoir. Celui-ci ne dit rien aux journalistes les tout premiers jours d'octobre : silence, silence. Mais ensuite, le 4, extasié, il annonce la grande « nouvelle ». Et c'est ainsi qu'on est renseigné sur le déroulement « heureux » des opérations. On apprend d'abord que la jonction des colonnes est « imminente ». Le 5, on apprend qu'elle n'est pas encore faite, mais qu'elle est toujours imminente. Le 6, on est informé que la

jonction est faite — la totalité de la colonne Charton
est arrivée à la position de « recueil ». Je me souviens
du commentaire de ce capitaine : « Maintenant, on
peut dire que le plus difficile est fait, que l'auda-
cieuse opération du retrait de Caobang a réussi.
Même dans leurs fiefs de jungles et de montagnes,
les Viets n'ont pas été capables d'empêcher les
mouvements de deux colonnes françaises isolées en
pleine nature, et très éloignées de leurs bases. »
Le 7, on apprend que les premiers éléments des deux
colonnes, étroitement soudés, sont arrivés à quelques
kilomètres de That-Khé. Le 8, on annonce que la
totalité des colonnes est sous la protection des
canons de That-Khé. Le 9, on nous communique que
l'avant-garde est à That-Khé et le porte-parole
parle d' « exploit militaire ». Et cependant, au moment
même où l'on dit cela, des milliers de Français
gisent dans la jungle, cadavres ou mourants. Déjà
le désastre est consommé, déjà les fourmis rouges
sont dans les yeux des morts, les dévorant.

Et le pis, c'est que sans doute le capitaine ne
« ment » pas complètement, qu'il croit en partie ce
qu'il dit. Le général Carpentier et l'État-Major de
Saigon mettent eux-mêmes longtemps à « réaliser »
la situation : ils sont victimes de cet art militaire de
« présenter » les choses qui remplit les dépêches
venant d'Hanoï et de Langson. D'ailleurs, là même,
on ne sait pas très bien ce qui se passe. Le scrupuleux
général Alessandri survole sans arrêt, des jours
durant, la jungle, en ne voyant que l'écran formidable des arbres, jamais la colonne Charton : il
n'arrive pas à la découvrir durant son interminable
progression, sa marche tragique. De plus, dans la

grande forêt, dans les calcaires, les petits postes émetteurs-récepteurs fonctionnent mal, très mal. Ils sont frappés de silence — ils n'entendent pas et on ne les entend pas. Rarement on arrive à échanger de très rares, de très courts messages — parfois hallucinants dans leur brièveté, mais la plupart du temps incohérents, décousus, inintelligibles.

Ce n'est que le 8 octobre que les « milieux informés » ont le premier pressentiment du drame. Ils se mettent à parler de durs combats et même de terribles batailles. Le général Carpentier prend son avion pour le Tonkin, en homme préoccupé mais encore sûr de son fait. Et le lendemain, ce qui en revient, c'est un personnage de défaite, une vanité foudroyée qui parvient seulement à murmurer: « Tout ce qui pouvait arriver est arrivé. » Impossible de lui arracher un mot de plus, de lui faire expliquer cette phrase énigmatique. Ce que signifient ces paroles, on ne le sait que le soir, quand le porte-parole — celui-là même qui parlait d'exploit la veille, et avec quelle foi! — laisse tomber les phrases de la mort, en disant : « Ces avant-gardes sont les seules unités importantes arrivées à l'heure actuelle à That-Khé — et il n'en arrivera pas d'autres. » Je me souviendrai longtemps de cette voix de désespoir annonçant soudain au monde que les colonnes Charton et Lepage avaient été anéanties par les divisions de Giap.

En réalité, déjà le 4 octobre au soir, presque tout est désespéré. Ce soir-là, à Langson, le colonel Constans, soudain frappé d'affolement, câble à Charton : « Marchez sans arrêt. Arrivez près de Lepage dans quelques heures, cette nuit même. »

En réalité, il faudra trois jours à la colonne Charton
pour y parvenir — juste à temps pour être prise
dans la catastrophe comme dans une avalanche,
pour y être emportée et détruite.

Pendant ces trois jours, quelle marche effroyable !
« Plus vite, plus vite », disent les rares câbles de
Langson — mais il n'y a pas de piste, il faut avancer
en pleine nature, au coupe-coupe, dans les creux ou
sur les crêtes, parmi des rochers énormes et des arbres
hauts de cinquante mètres, avec la hantise de
l'embuscade au milieu de cette jungle monstrueuse.
Et puis il y a aussi l'angoisse de ne jamais savoir
exactement où l'on est, si l'on ne s'est pas égaré
dans cet univers où tout se ressemble. La colonne
est sans fin, et bientôt la fatigue saisit les hommes,
les accable, fait qu'ils sont pour eux-mêmes des
fardeaux vivants qu'ils doivent pousser en avant
— sous peine de mourir. Bientôt en queue s'affaissent
des « traînards », surtout des civils — certains se
relèvent cependant, et font encore des kilomètres.
La hantise de chacun, c'est de ne plus être capable
de suivre. La radio de Langson, quand on la capte,
répète toujours : « Plus vite. » Mais ce n'est pas
possible, la progression n'est que de quelques kilomètres par jour. Et plus on va, plus on sent la présence viet, d'abord impalpable, presque un fantasme
de l'imagination, devenir une réalité. Bientôt on la
devine partout, elle est partout. Alors, pour continuer, les chefs recourent aux précautions tactiques,
en faisant faire aux troupes accablées des patrouilles,
des reconnaissances, ou bien en leur faisant occuper
des hauteurs — ce qui occasionne encore un plus
grand retard. D'ailleurs, en jungle, tout est retard :

la moindre erreur, la moindre difficulté, ce sont des heures perdues — des heures qui peut-être sauveraient tout.

Il faudrait être le 4 au soir ou le 5 au matin à la hauteur de Dong-Khé, pour secourir « la colonne de secours ». Quelle dérision! Ce jour-là, la colonne de Charton fait à peine dix kilomètres, et dans quelles conditions! Le semblant de piste qu'on avait cru trouver disparaît, sans laisser la moindre trace. Au milieu d'une brousse infernale, il n'y a qu'un ruisseau de trois mètres de large, encombré des lianes et des branches retombant des parois végétales qui l'enserrent comme des murs de prison. Il faut marcher là-dedans, une file d'hommes le long de chaque bord, en butant, avec de l'eau jusqu'aux genoux, jusqu'au ventre parfois, au milieu des nuages de moustiques. Les soldats, avec leurs deux jours de munitions et leurs trois jours de vivres, peinent terriblement; de plus, il leur faut soutenir les malades, parfois les porter. La sylve devient si épaisse, si impénétrable qu'elle envahit finalement le lit du ruisseau — il faut le découvrir mètre par mètre, au fur et à mesure qu'on avance. La colonne, progressant au milieu de ces bas-fonds, ne voit rien, pas même les pitons qui les dominent — pitons où il y a peut-être des régiments viets prêts à attaquer.

En tête, les partisans sont chargés de « faire l'ouverture », d'essayer un peu de « voir ». Mais, avec ce rôle de chiens de garde, ils vont lentement, beaucoup trop lentement, et on leur dit de rentrer dans le rang. D'ailleurs, les légionnaires du 3/3 R.E.I. les dépassent. Eux non plus ne vont pas vite, leur commandant Forget marchant difficilement à cause

de sa vieille blessure. Charton a beau aboyer :
« Pressez-vous, pressez-vous », l'allure reste lente.
D'ailleurs, comment commander une colonne pareille,
étirée sur cinq kilomètres dans ce mince goulet,
comment faire parvenir les ordres aux unités? Le
problème, pour Charton, c'est de savoir où se placer
pour se faire le mieux obéir. Finalement, il choisit
d'être à peu près au milieu de l'interminable caravane, avec son P.C. et ses protégés : les civils.

La nuit tombe. Elle est absolument noire. Les
légionnaires demandent à s'arrêter — dans cette
obscurité totale, ils craignent une embuscade. Charton dit « d'accord ». Les gens se couchent sur les
berges, sous la protection des sentinelles. L'endroit
s'appelle Qui-Ron. Tout est calme.

Dès la première lueur de l'aube, le 5 octobre, la
colonne repart. Au bout de quelques heures, le
ruisseau se tarit complètement. Le paysage est
chaotique, mais la végétation cache entièrement le
relief, laissant juste deviner par-ci par-là des bosses,
qui sont des pitons et des calcaires enfouis en dessous.
Le problème, dans ce monde sans traits, c'est de
trouver le col qui débouche dans la vallée de Quang-
Liet, de l'autre côté. Le commandant Forget, en
tête avec ses légionnaires, essaie vainement de le
découvrir en lisant ses cartes, en envoyant de tous
côtés des patrouilles. Pendant que la colonne attend,
Charton et le commandant du 3e tabor, Chergé, le
rejoignent pour l'aider à se « démerder ». Charton
murmure rageusement entre ses dents : « Ah! si
seulement on avait un Morane pour nous guider. Je
l'avais demandé, mais sans doute que toute l'aviation
est du côté de Thai-Nguyen. » A un moment, un

Morane passe pourtant — mais son pilote ne comprend rien à la situation, il se contente de parachuter un stock de cigarettes anglaises.

Enfin, après bien des difficultés et un long arrêt, le col est enfin repéré. Unité par unité, tout le groupement Charton le franchit et redescend dans une vraie vallée, belle et large — la vallée de Quang-Liet. Il y a là une piste. Les gens sont soulagés, car le groupement Lepage n'est plus très loin; et on sait qu'au-delà il y a les canons de That-Khé. C'est alors l'accrochage. La Légion, qui marche au milieu d'une mince bande de rizières, est soudain arrêtée par des rafales de mitrailleuses, tirées à partir de pitons boisés dominant à l'est la petite cuvette de Quang-Liet. Charton dit à Forget : « Envoyez un détachement repérer l'importance de l'ennemi. » Car c'est là tout le mystère de la guerre de jungle : sur ces hauteurs, il peut n'y avoir qu'une poignée de Viets. Mais ce peut aussi bien être une division entière.

De toute façon, les Viets sont proches, et en masse sans doute. C'est se condamner au massacre que de rester dans la vallée, dans les creux. Il faut grimper. Justement Charton aperçoit à l'ouest, du côté où rien ne s'est révélé encore, une ligne de crêtes — elle est longue, continue, et se poursuit vers les calcaires de Dong-Khé, où est accroché Lepage. Sa décision est vite prise : c'est par là, par le haut, qu'il faut passer. Laissant en bas les légionnaires en bouchon, pour « fixer » tout ce qui peut attaquer par-derrière, peut-être quelques dizaines de Viets, peut-être quelques milliers, il ordonne à l'interminable colonne d'escalader le massif et ensuite de progresser de sommet en sommet. Le but, c'est de déjouer la

gigantesque embuscade que les Viets ont sans doute
tendue sur la piste de Quang-Liet. Mais là, dans
cette ascension à pic au milieu des éboulis, des pré-
cipices, dans une jungle d'épineux qui déchirent,
la marche est encore plus effroyable que dans le
ruisseau de la veille. Peu à peu l'interminable lignée
d'hommes s'étire de plus en plus en groupes, en
poignées d'hommes éloignés les uns des autres, ne
pouvant plus guère s'entraider. Les tabors, les plus
solides, sont en tête. Leur mission, c'est d'atteindre
et de « coiffer » la cote 590, la montagne la plus haute
d'après la carte — mais d'après la carte seulement,
car, dans cette nature, toutes les hauteurs sont
rigoureusement identiques, absolument inidenti-
fiables les unes des autres, des masses vertes avec
des abrupts blanchâtres. C'est le crépuscule. Le
3e tabor, arrivé au faîte d'un piton, fait savoir :
« Nous sommes solidement retranchés sur la cote
590. » Il y a un vide entre les tabors et le reste du
groupement — où, dans l'ordre, suivent Charton,
son P.C., les civils, les partisans et les légionnaires.
Les hommes sont absolument épuisés. Ils titubent
dans la nature, où il n'y a aucun sentier. Beaucoup
n'ont plus à manger, et ils ne trouvent pas à boire.
Les soldats, à bout de forces, ne gardent que leurs
armes et leurs munitions. Mais tous ces gens se
sentent protégés par le tabor installé sur la crête
principale et se couchent à même les rochers pour
la nuit. Charton installe son P.C. sur un contrefort
facile à défendre — avec lui, il n'a pas de soldats,
rien que « ses » civils qu'il conduit lui-même, comme
lié par sa parole d'officier et de légionnaire. Il est
inquiet.

En effet, il y a erreur; et, dans la guerre, les erreurs s'enchaînent — ce qui va arriver. Soudain le tabor s'aperçoit qu'il n'est pas sur la bonne « cote » — le 590 est plus loin, beaucoup plus loin. Profitant de la lueur incertaine qui précède les ténèbres, il marche sur lui. Puis une nuit d'encre, la nuit absolue, l'oblige à s'arrêter quand il en est encore à deux kilomètres. Mais là-bas, en dessous, le reste du groupement est désormais à découvert. Et les hommes, civils, légionnaires, partisans, se relèvent, se remettent à marcher pour arriver au moins à la crête qui est au-dessus d'eux. Marche terrifiante encore. Charton est le plus acharné, il est comme fou — il a l'idée fixe d'avoir commis une faute monstrueuse en restant derrière. A tout prix, il veut rejoindre le tabor — sa place est là, à l'avant, tout à fait à l'avant. Et, derrière lui, tout le monde avance — c'est une marche irréelle, hallucinante. C'est d'autant plus dramatique que Charton vient d'avoir sa première liaison radio avec Lepage, qui est tout près, dans une situation désespérée, qui appelle au secours. Et pourtant, tellement épaisses sont les ténèbres que lui aussi est obligé de donner l'ordre de faire halte, de peur de se perdre, de perdre toute sa colonne dans cette uniformité de la nuit et de la jungle.

Miracle. Tout reste calme jusqu'à l'aube. Alors Charton donne cette consigne absolue à tous : « Par tous les moyens, de toutes les façons, sans tenir compte de rien, marchez le long de la crête à toute allure, même si c'est avec vos dernières forces. Mais il faut arriver à temps pour recueillir Lepage. » Malgré les obstacles épouvantables du terrain, au

début tout va bien. Les hommes — étranges cari-
catures humaines — avancent. Le 3ᵉ tabor occupe
le 590, le vrai. C'est alors qu'intervient la fatalité,
avec des riens, mais de ces riens qui, dans de telles
situations, sont des condamnations. Avant tout, il ne
faut pas perdre une minute. Et on perd des heures, à
cause de deux bêtises.

Ce n'est qu'à onze heures du matin que Charton
lui-même arrive à la cote 590. C'est pour trouver
« un sac de nœuds[1] ». Avant lui, trois compagnies
de partisans, qui étaient passées par la piste de la
vallée, avaient atteint la position — presque en
même temps que les tabors. Leur chef est un brave
de la « coloniale ». Il dit au commandant des tabors :
« Je veux être le premier à serrer la main des hommes
de Lepage. Ils sont certainement sur ces pitons,
en face de nous. Je vais partir à leur rencontre avec
une de mes compagnies. » Le commandant des
tabors lui répond : « Si Charton était là, il vous le
déconseillerait. » On essaie de contacter Charton
par radio — impossible. Le marsouin s'en va avec sa
troupe, pour trouver des Viets là où il croyait tomber
dans les bras des soldats de Lepage. Il faut un long
combat pour le tirer du piège.

C'est un retard désastreux. Il y en a un autre,
encore plus terrible, encore plus stupide. Le groupe
de « civils » est de plus en plus rétif, de plus en plus
difficile à commander. Soudain, sans qu'on sache
pourquoi, il s'arrête de lui-même. Les deux compagnies de la Légion qui sont derrière lui s'arrêtent

---

1. Expression très utilisée dans le Corps Expéditionnaire pour signifier des « embêtements ».

aussi, croyant à une halte. Charton est au 590 avec Forget, le commandant du 3/3 R.E.I. Il lui dit :

— Poussez en avant les deux compagnies que vous avez avec vous vers la cote 515. Là, elles seront sous la protection des canons de That-Khé, elles seront sauvées.

Mais Forget répond :

— Je ne peux abandonner aucun de mes hommes. Les deux compagnies que j'ai ici attendront celles qui sont à l'arrière.

C'est absurde et dramatique. Les Viets sont partout autour, prêts à l'assaut. La colonne Lepage agonise à quelques kilomètres. Et cependant Charton et Forget se disputent — ces deux officiers ont des mots comme dans un mess ou la cour d'une caserne.

Le commandant du 3/3 R.E.I. dit même :

— Vous n'avez pas confiance en moi. Je vous le dis, ce n'est rien. D'un instant à l'autre, mes hommes vont arriver.

Ils n'arrivent pas. Impossible de savoir ce qui se passe — la radio ne marche pas. Forget, héroïquement, décide d'aller voir. Il retourne en arrière, redescendant la colonne interminable, qui s'étire sur des kilomètres — mais il claudique, il marche mal, il peine de plus en plus. Cela prend un temps infini. Il s'en est allé environ vers treize ou quatorze heures. Resté sur place, Charton trépigne. C'est une attente terrible. Les heures s'écoulent, sans nouvelles... Et Charton sait que ce sont les heures décisives, car il pourrait « pousser » au moins la moitié de son groupement — les tabors, les partisans, une partie des légionnaires — là où il n'y aurait plus de danger, jusqu'à l'endroit où s'est avancée la garnison de That-Khé appuyée par ses canons et renforcée par un bataillon de paras, le 3e B.C.C.P., qu'on venait de lui larguer. Ce serait le « recueil ». Peut-être qu'arriver là, de cette façon, constituerait une fuite; mais, dans certains cas, la « fuite » n'est-elle pas une « victoire »? Tel est l'effroyable cas de conscience de Charton.

Mais cela, jeter vers l'avant, vers le salut, ce qu'il a d'hommes sous la main, il ne le peut pas. Il faut d'abord que Forget arrive, avec ses deux compagnies disparues. Et puis, au lieu d'aller se réfugier vers le « recueil » de That-Khé, il est dans cette extraordinaire situation : lui-même, encore intact mais si menacé, doit être le « recueil » de Lepage. C'est l'échelonnement des recueils qui, on le verra, à force de s'attendre les uns les autres, causera l'anéantissement total.

L'interminable, l'inexorable après-midi où rien ne se passe mais où Charton sent qu'il se condamne! Il est d'autant plus impuissant qu'on le met sous les ordres de Lepage dont on ne voit pas le groupement, caché au fond d'un trou effroyable, presque détruit, encerclé de partout, mais qui, le lendemain 7 octobre, va essayer de faire une sortie, de percer, d'arriver jusqu'à la crête où se tient Charton. Sous aucun prétexte, celui-ci ne doit bouger d'ici là. C'est ainsi qu'il arrête le 3e tabor marchant toujours à l'endroit qu'il a atteint, sur la cote 477.

A six heures du soir arrive enfin Forget, qui a finalement retrouvé ses deux compagnies et, par-dessus le marché, le détachement des civils. Tous ces gens n'avaient rien fait pendant des heures, croyant toujours à une pause. Et quand, récupérés par Forget, ils sont repartis, cela avait été en menant de durs combats d'arrière-garde. Car soudain les Viets ont surgi, les attaquant par vagues. Quelques légionnaires ont été tués, et beaucoup de civils.

La nuit du 6 au 7 octobre va tomber. Le groupement Charton est en bon ordre, encore entier. Charton dira plus tard : « Si j'avais continué de nuit, je passais. Il y avait encore sur les hauteurs un " trou " que les Viets n'avaient pas bouché. » Encore une fois, Charton fait un effort pour échapper à la fatalité. Par radio, il envoie à Lepage ce message : « Je demande l'autorisation de poursuivre par la crête. Je suis encore presque intact — j'ai une dizaine de blessés et cinq ou six tués. Une fois arrivé à That-Khé, j'en reviens avec toutes les forces que j'y trouve — je reviens par la R.C. 4, j'ouvre la route, et je parviens jusqu'à votre trou, où vous n'avez qu'à m'attendre. » Lepage n'est pas d'accord, il refuse.

Mais comment aurait-il accepté, comment des hommes aussi désespérés que les siens auraient-ils accepté que le groupement Charton s'en aille, comme s'il les abandonnait? Car d'en bas, de la gorge où ils sont misérablement enfermés, ils voient la solide colonne Charton sur sa crête — même si elle ne les voit pas. Quel extraordinaire soulagement quand, pour la première fois, ils l'ont aperçue; c'était comme si la vie revenait, c'était à nouveau l'espoir. Quand, dans la nuit du 5 au 6, il y avait eu le premier contact radio, les opérateurs de Lepage avaient entendu les voix venues de chez Charton, ils s'étaient écriés : « Nous sommes sauvés. » Et, dans leur joie, ils répondaient « en clair » : « Ici, Lepage; arrivez vite. » Et tout ce qui restait de la colonne Lepage, depuis lors, n'existait que dans l'attente, que par l'attente.

Aussi, au crépuscule du 6, tout le groupement Charton — le groupement du miracle —, au lieu de s'en aller, reste sur place, immobile, en position sur sa crête, entre la cote 590 et la cote 477. La légion tient le 590 et les hauteurs voisines. Le 3e tabor tient le 477 et les pentes d'alentour. Les partisans tiennent aussi des pitons, ceux qui sont à la frange du dispositif — deux compagnies sont envoyées sur les pitons à Qui-Chan, près des gorges de Coc-Xa, d'où doivent déboucher les restes de Lepage; une compagnie est envoyée sur le piton de Ban-Ca, au-delà du 3e tabor, au plus près de That-Khé. Le reste des partisans est mêlé aux légionnaires et aux tabors. Les civils se mettent où ils peuvent. En somme, tout cela paraît solide, même si les défenseurs sont peu nombreux — des poignées d'hommes en face de tous les Vietminh qui vont attaquer.

Dès six heures du soir, l'offensive commence contre la colonne Charton. Avec un matériel énorme — des canons, toutes sortes de mortiers et d'armes automatiques — les Viets donnent l'assaut au 590. Cela dure toute la nuit, mais ils sont repoussés, massacrés par les légionnaires. Au matin, leurs cadavres couvrent les pentes. Aucune des positions du groupement Charton n'a été entamée. Mais Charton est de plus en plus anxieux. Il sait bien que « l'affaire » ne fait que commencer.

Avant l'aube, la jungle entière se remplit d'étranges lueurs. Ce sont les feux de tous les régiments viets qui accourent à la curée, qui ne se cachent même plus, comme si leur victoire était déjà certaine.

La plus grande angoisse de Charton, c'est de

savoir ce qui a pu arriver à Lepage et à ses hommes.
Lepage a averti qu'en pleine obscurité, à trois
heures du matin, il jouerait le tout pour le tout — il
tenterait sa percée dans un effort total, désespéré.
Et en effet, à trois heures du matin, on entend un
fracas extraordinaire d'armes, des détonations assour-
dissantes venant d'en bas — venant des gorges de
Coc-Xa. Ces bruits fantastiques, répercutés par les
échos, renvoyés de muraille calcaire en muraille
calcaire, continuent jusqu'à l'aube, sans qu'on
sache rien, sans qu'on devine rien. Pas un homme
n'apparaît. Tout se passe comme si c'était l'échec
complet, comme si toute la colonne Lepage était en
train d'être exterminée, au fur et à mesure qu'elle
repartait à l'attaque pour sortir de la gorge maudite
de Coc-Xa.

Et puis, dès six heures du matin, Charton a d'autres
soucis. Cette fois c'est la ruée générale des Viets, des
matraquages inouïs, des attaques terribles. Son
propre dispositif se disloque. Les partisans perdent
le piton de Ban-Ca, qui commande la crête en direction de That-Khé. Mais surtout le 3e tabor est pris
de panique. Les tabors se font refouler sans guère
combattre d'une crête à pic et d'un massif à pic : « Ils
ont calté, dira ensuite Charton. J'ai vu les goumiers
foutre le camp alors que les Viets étaient encore à
des centaines de mètres. J'ai su qu'un lieutenant de
tabors avait donné l'exemple du sauve-qui-peut. »
Tout ce qui reste de vraiment solide, c'est encore
le 3/3 R.E.I. Charton le lance à la contre-attaque,
pour reprendre les positions perdues. Il reprend
un piton, mais il échoue devant l'autre. Et le commandant Forget est mortellement blessé en entraî-

nant ses hommes, au dixième assaut. Car dix fois
il a essayé de grimper la paroi à pic avec ses légionnaires, avant d'être lui-même atteint et de tomber.
Dix fois il est reparti pour l'impossible escalade,
et c'est d'autant plus extraordinaire si l'on se souvient qu'il avait de la peine à marcher.

Malgré tout, la colonne Charton résiste encore, se
bat encore. Et c'est alors qu'un peu avant l'aube
surgissent les survivants de la colonne Lepage, ceux
qui ont « percé ». Ils arrivent les uns après les autres,
par petits paquets, mais dans une pagaille épouvantable. Ce ne sont plus des hommes. Ils sont fous.
Ils sont hallucinés. Rien n'est plus fantastique que
le courage des Marocains, mais rien n'est plus fantastique que leur peur quand leur courage s'effondre.
C'est, d'un seul coup, comme une chute dans
l'abîme. Et la plupart de ces rescapés sont justement
des Marocains, des loques forcenées, perdues dans
leur terreur, perdues dans la haine, ne cachant plus
rien, ce qu'ils sont, ce qu'ils font — des fantômes
barbus aux yeux exorbités, n'ayant dans leur
démence que le dernier instinct primaire de ne pas
« crever ». Et pour cela ils hurlent, ils courent, ils
tirent sur tout, les amis, les ennemis, les autres
Marocains, comme si seule la poudre les rassurait,
avait en elle-même, quand il ne restait plus rien,
pas même le stoïcisme du désespoir, pas même l'acceptation de périr noblement, une vertu magique.

Ce sont des tonnes de démoralisation qui tombent
sur la colonne Charton. Les premiers contaminés, ce
sont les goumiers du 3e tabor, qui lâchent leurs
pitons alors qu'ils s'étaient bien battus jusque-là.
Entre ces hauteurs prises par les Viets, il y a un

ensellement à peine long d'un kilomètre. C'est là
que, dans un fantastique tohu-bohu, les gens de
Lepage se mêlent à ceux de Charton, les amenant
au même état d'hystérie. Sur la crête étroite est
entassée, comprimée, littéralement emmêlée, une
foule absolument délirante : que les Viets fassent
tirer là-dessus, et c'est la boucherie. Seul le 3/3 R.E.I.
est encore solide, et Charton lui fait toujours attaquer des pitons, bien que les Viets soient partout,
dans chaque fissure, dans chaque fourré, sur chaque
rocher. Et le 3/3 R.E.I., à chaque assaut, perd tellement d'hommes qu'il ne lui en reste bientôt presque
plus.

Pendant ce temps, les chefs du groupement Lepage
se sont jetés sur Charton et son état-major comme sur
une bouée de sauvetage. Ils croient que tout va bien
se terminer, ils gibernent, ils racontent leur vie.
Lepage « tape » sur Constans, le rend responsable
de tout. Le commandant Secrétain, le chef du B.E.P.,
dit de son côté : « Nous avons été employés de façon
innommable par Lepage. » Après cette conversation,
ces apartés, les différents personnages décident enfin
d'essayer de rassembler leurs gens, de reconstituer
leurs unités. Comme si c'était possible ! Charton,
laissant Lepage, va là où ça va le plus mal, dans
« l'ensellement » où piétine la cohue des fuyards qui
ne savent pas où fuir, que faire, comment faire.
Il essaie de la réorganiser, en vain. Les derniers
pitons tenus par les Français tombent. Les Viets
innombrables se jettent sur tout cela — c'est la
fin, c'est l'agonie, que je raconterai un peu plus
loin. Car il faut d'abord voir comment la colonne
Lepage, pendant que marchait vers elle la colonne

Charton, a été détruite presque entièrement dans les calcaires à l'ouest de Dong-Khé.

LE « TROU » DE COC-XA

En effet, en cinq jours — du 2 au 7 octobre — ce que l'on appelle la colonne Lepage a été systématiquement traquée, poursuivie, repoussée, finalement écrasée au fond d'un trou. Ça a été affreux.

On se souvient que, au début de l'après-midi du 2 octobre, le groupement Lepage, qui n'a pu prendre Dong-Khé, reçoit l'ordre d'aller au-devant de Charton en contournant la cuvette, à travers les calcaires. C'est l'ordre même du sacrifice inutile. Les hommes, complètement épuisés, en sont très conscients. La colonne Lepage, Giap l'a déjà usée moralement. Il y a eu ces quinze jours auprès de That-Khé, auprès de Dong-Khé où les soldats ont eu leurs nerfs rongés par la présence des Viets — ces Viets qui étaient partout dans la jungle, à ne pas attaquer encore, à guetter, à tuer seulement un peu. Il y a eu ces quinze jours presque sans combat et où déjà tout est difficulté : on manque de ravitaillement, on arrive à peine à évacuer les blessés, on est pratiquement coupé de That-Khé. Le complexe de la jungle écrase sans coup férir tous ces gens de Lepage. Chaque jour qui s'écoule, ils sentent qu'ils n'ont aucun secours à espérer. Chaque jour de plus, ils savent que, sur les pistes venant de Chine, s'accroît le pullulement ennemi, invisible, ininterrompu, avec les milliers de soldats qui accourent à marche forcée, avec les dizaines de milliers de coolies

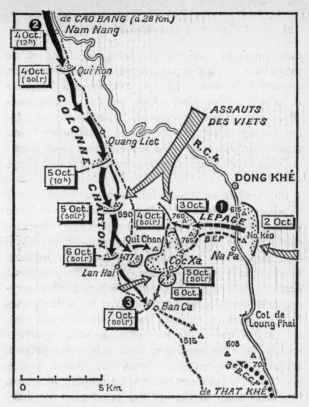

de CAO BANG (à 28 Km.)
Nam Nang

2
4 Oct.
(12 h)

4 Oct.
(soir)

Qui Kon

COLONNE CHARTON

Quang Liet

ASSAUTS
DES VIETS

R.C.4

DONG KHÉ

5 Oct.
(10 h)

5 Oct.
(soir)

590

4 Oct.
(soir)

3 Oct.

1
LEPAGE

760

615

2 Oct.

Na Kéo

765

B.E.P.

Qui Chan

Na Pa

6 Oct.
(soir)

477

Coc Xa

Lan Hai

5 Oct.
(soir)

6 Oct.

3
7 Oct.
(soir)

Ban Ca

Col de
Loung Phai

515

608

703

3e B.C.C.P.

de THAT KHÉ

0   5 Km.

LE RENDEZ-VOUS DE LA MORT

(1) *Ayant laissé le B.E.P. et deux tabors en « abcès de fixation », Lepage part avec le 8e R.T.M. et un tabor à la rencontre de Charton. Mais, submergés par les Viets, légionnaires et tabors tenteront quarante-huit heures plus tard de rejoindre Lepage.*

(2) *Charton reçoit l'ordre de se lancer au plus vite, par la piste de Quang-Liet, au secours de Lepage sévèrement accroché dans la jungle.*

(3) *Traqués par les Viets, les survivants des deux colonnes — qui ont fait leur jonction le matin — vont être anéantis quelques heures plus tard. Seuls quelques « revenants » atteindront That-Khé.*

qui apportent toujours davantage d'armes et de
munitions. « Il n'y a pas moyen, m'a dit ensuite un
homme de la colonne Lepage, d'échapper à l'angoisse
de la préparation viet. » Alors les Viets, même invisibles, s'imposent atrocement. Et le lieutenant-colo-
nel Lepage n'est pas homme à « regonfler » son
monde ; de plus en plus, on le prend pour ce qu'il est :
un vieil artilleur en mauvaise santé, déjà si fatigué,
si las !

Pourtant la colonne a fait bravement son devoir
en attaquant Dong-Khé. Mais c'est après son échec
devant la citadelle, c'est quand elle s'engage dans les
calcaires que les Viets — autour d'elle depuis si
longtemps — se « révèlent » soudain. Par milliers,
avec de la verdure sur les casques, ils surgissent
derrière chaque arbre, chaque rocher. Tout le paysage est mortellement truqué avec les mitrailleuses
qui prennent en enfilade les couloirs rocheux, avec
les canons hissés sur les crêtes, avec les mortiers
cachés dans les feuillages. Tout cela a été préparé
les jours précédents à quelques centaines de mètres
des Français qui n'ont rien vu. La plupart du temps,
les Viets sont descendus des montagnes en face,
proches de la Chine, ils ont passé par la cuvette même
de Dong-Khé et ils ont regrimpé les pentes où se
trouvaient les Français — là, ils ont fait tout ce
travail énorme de transformer la nature en un
piège ; et puis ils ont patienté sans que rien ne révèle
leurs préparatifs, sans que rien ne se décèle, dans
l'immensité de la jungle.

Certes, les Français se doutent bien de cette implantation d'hommes et d'armes. Mais ils ne s'en aperçoivent vraiment que pour être cloués au sol, que

pour en mourir. Et eux n'ont rien pour faire face que leur courage, et puis, presque tout le temps, il y a le crachin, cette pluie grise sur la montagne sombre, qui empêche encore une fois l'emploi de l'aviation. Dès qu'ils essaient de manœuvrer, de faire mouvement, les Français sont aussitôt obligés de se jeter sur la terre, de se coller à elle; et aussitôt se met en action contre eux la masse terne des Viets, couleur de paysage — couleur du crachin, de la jungle et de la terre. Ce sont des bataillons et des bataillons de « choses » complètement silencieuses, qui progressent au sifflet, par rampements et par bonds — il y a dans ces assauts comme une force dépersonnalisée encore bien plus redoutable que l'ancienne vague humaine. Maintenant, dans cette discipline, dans cette mécanique intelligente, on croirait à peine à des hommes.

Comme il est simple, le schéma de la destruction des Français! La « colonne » française se réfugie sur des crêtes de même que l'on s'abrite des innondations en gagnant les hauteurs — mais là l'inondation aborde les crêtes, et il y a de terribles batailles. C'est celle de soldats — d'êtres humains — contre un « phénomène ». Les crêtes sont prises et reprises, mais chaque fois nos soldats sont vaincus — et ce n'est désormais plus qu'une fuite. Dispersés en plusieurs groupes, ils s'enfuient vers l'ouest, vers toujours plus de jungle et de montagnes — l'ordre est d'aller par là, avec l'espoir de faire quand même la jonction avec la colonne Charton, celle qui a été détournée de la R.C. 4, celle qui arrive intacte par sa piste. Mais, dans ce groupement Lepage qui était chargé de « recueillir », il n'y a plus que deux ou trois milliers d'hommes de toutes les misères, complètement traqués. La nuit, cette nuit de la jungle et des calcaires où l'on ne peut pas marcher, ils marchent quand même jusqu'au-delà des forces humaines, pour essayer d'échapper, de distancer. Ce marathon des misérables continue le jour aussi, jusqu'à ce que les Viets les aient retrouvés et rattrapés. Alors, la colonne — en fait ses éléments fragmentés — se réfugie au sommet d'un ou plusieurs pitons pour résister jusqu'à la nuit d'après, qui permettra peut-être de « décrocher » encore, de s'enfuir plus loin. Mais, finalement, chaque fois les Viets sont là — de surcroît, plusieurs fois les pourchassés ont dû faire halte pour que Lepage, le vieil homme qui n'est pas fait pour des fatigues aussi extraordinaires, puisse se reposer. Et puis aussi, parfois, ce Lepage commande à telle ou telle unité de s'arrêter sur telle ou telle position, parce qu'il a lu la carte, parce que c'est conforme à des « raison tactiques » bien classiques. Peut-être que ce sont alors les minutes du salut que Lepage donne ainsi aux Viets. Et puis cet exode, cette traque, cette fuite se font dans un tel chaos de la nature, dans un si effroyable emmêlement de parois, de crêtes, de pitons qu'il est difficile de faire le point — on avance dans des zigzags sans savoir où on est. Lepage est de plus en plus épuisé, il faut le traîner. Un soir, des milliers de Viets vont se refermer sur le gros du groupement, et il n'y a à côté aucune hauteur sur laquelle on puisse grimper — il n'y a qu'un trou calcaire béant, un de ces gouffres fréquents dans ces montagnes. Alors Lepage donne l'ordre de descendre là-dedans — les unités traquées exécutent cet ordre qui est un suicide. Elles s'entassent au fond du trou pour la nuit, pour le jour d'après et encore la nuit suivante, mais dès l'aube du premier lendemain les Viets sont sur les bords avec leurs armes automatiques, et il leur suffit de tirer de haut en bas dans le tas pour faire un carnage. Seul le B.E.P. n'est pas descendu dans cet abîme. Mais bientôt, sur le rebord où il se trouve, il est si pressé, si acculé qu'il doit lui aussi s'enfoncer dans les entrailles de la terre — là où il est, les murailles sont si vertigineuses que les soldats s'accrochent à des lianes pour dégringoler. L'étau se resserre toujours davantage sur ce qui reste de la colonne Lepage parquée dans son trou. En face, sur une belle crête, s'avance superbement la colonne Charton. Pour sortir du gouffre, pour arriver jusqu'à Charton marchant sur sa crête, il faut faire une charge absolument désespérée, prendre une paroi un peu moins à pic du trou de la mort, passer une sorte d'arche calcaire, et surtout forcer un défilé horriblement profond et étroit, un boyau presque souterrain. Et pour cet assaut impossible, mais dont dépend la vie ou la mort pour les débris de son groupement, Lepage n'a que le B.E.P., aux effectifs déjà fortement entamés mais au moral toujours superbe. C'est alors que, dans la nuit, les paras du B.E.P. s'élancent, ils escaladent la pente en s'aidant des mains et des pieds, des ombres qui meurent. Les mitrailleuses viets les perforent comme des cibles et les corps s'écroulent dans le trou. Mais il en reste quelques-uns qui grimpent encore, qui atteignent le rebord du gouffre et attaquent les engins ennemis avec des grenades. Le bataillon est détruit presque complètement, mais tout ce qui subsiste de la colonne Lepage peut s'échapper encore une fois, en s'engouffrant

dans l'étroit défilé, en en débouchant. Ce qui en sort,
ce sont des tabors hystériques, des Marocains qui,
en arrivant sur la colonne Charton, la démolissent
avec leur démence plus encore que les Viets. C'est
cela le dernier rendez-vous — le rendez-vous des
deux colonnes de la cote 470; et quelques heures
après, il n'en restera plus rien.

Tel est le calvaire de la colonne Lepage, comme il
me le fut raconté alors. Cela avait un aspect épique,
comme une légende, comme une chanson de geste.
Mais, depuis lors, l'histoire de ces fatales journées a
été bien précisée. Après avoir montré le schéma de la
destruction, je vais maintenant la décrire, jour par
jour, heure par heure, dans son atroce minutie.

Revenons au 2 octobre. Lepage, pour tendre la
main à Charton sans avoir pu capturer Dong-Khé,
conçoit un plan de grande stratégie. L'idée maîtresse,
c'est « l'abcès de fixation » — fixer le gros des forces
viets tout près de Dong-Khé, en tenant les massifs
au débouché de la R.C. 4, comme la cote 615, le
Nakeo et l'ancien poste de Napa. On laisse là le
B.E.P. et deux tabors, avec mission de se laisser
assiéger aussi longtemps qu'il le faudra par les principaux régiments de Giap. Le but est de les y retenir.
Pendant ce temps, Lepage lui-même, avec le
8e R.T.M. et un tabor, marchera vers Charton à
travers une nature où il devrait y avoir peu de
Viets.

Pourtant, c'est ce même 2 octobre que les Viets
montrent qu'ils sont partout, que leur fourmillement remplit la nature de tous côtés. Quelle illusion
de croire qu'on peut en « fixer » la masse principale
et manœuvrer par ailleurs! Le résultat, c'est que,

dès le début, la colonne Lepage est fractionnée en deux tronçons qui seront à une journée de marche l'un de l'autre, qui ne pourront rien l'un pour l'autre, et qui ne se rejoindront dans la cuvette de Coc-Xa que pour périr ensemble — que pour périr avec la colonne Charton aussi. Ce sera vraiment le rassemblement pour la mort collective.

L'après-midi du 2 octobre, c'est — comme toujours chez les Français — de lourds et longs préparatifs, des mises en place pour le « plan Lepage », qui doit commencer le 3. La « colonne de mouvement » se rassemble près de Napa, pour partir à l'aube. Mais, soudain, vers 17 h 30, un régiment viet surprend, comme s'il sortait du néant, une compagnie du 8e R.T.M., tuant son capitaine et soixante hommes. Les présages sont aussi peu favorables pour la « colonne statique ». A 21 heures, c'est le déluge d'artillerie et de mortiers sur le Nakeo, où il n'y a qu'un tabor. Partout des Viets s'infiltrent. Les pertes des Marocains sont énormes — on rassemble les blessés comme on peut, en désordre, dans l'ancien poste de Napa. Le commandant des tabors appelle au secours le B.E.P. : « Venez vite. L'ennemi a pris pied. C'est fini si la Légion ne donne pas le paquet. »

Malgré tout, le lendemain, la « colonne mobile » s'en va, comme prévu, à travers les terribles calcaires. Pendant ce temps, le B.E.P. arrive sur le Nakeo — des milliers de Viets ont recommencé à attaquer vers 8 heures du matin, anéantissant un goum. Une compagnie du B.E.P. contre-attaque, puis l'ensemble du B.E.P. Les engins viets ne cessent de tirer, les vagues d'assaut viets de s'élancer. Le B.E.P. en repousse trois — les pentes sont jon-

chées de cadavres. Des Junkers viennent bombarder Dong-Khé, en vain. Au loin, on aperçoit le
8e R.T.M. qui s'éloigne sur sa piste — il est engagé
dans de gros combats. A la nuit, il y a partout toujours plus de Viets. L'atmosphère devient lourde,
celle de la catastrophe.

Dès 17 heures, le Nakeo n'est plus tenable — c'est
une crête trop étroite, où on ne peut organiser une
défense en profondeur. Et puis il y a trop de blessés,
au moins une centaine, qu'on entasse dans l'ancien
poste de Napa, gémissants et agonisants, presque
sans soins, à même le sol nu des casemates écroulées.
Il faut les évacuer. Mais comment? Le matraquage
viet redouble. Les deux chefs d'unité, Delcros des
tabors et Secretain du B.E.P., ont une conversation
dramatique. Les deux hommes, des durs qui n'ont
pourtant pas l'habitude de reculer, se confessent
l'un à l'autre : « Nous allons être submergés. Il faut
décrocher. » L'autorisation est demandée par radio
à Lepage, qui suit le 8e R.T.M. avec son P.C. Refus
et enfin, après de longues heures : « Repliez-vous
si la situation est désespérée. » Elle l'est. Les Viets
sont à quelques mètres, leurs clairons sonnent la
charge. La nuit est tombée. Il y a un choix à faire
— rejoindre Lepage dans ses calcaires en abandonnant les blessés, ou retourner d'abord par la R.C. 4
jusqu'à Luong-Phaï, pour s'en décharger d'abord.
C'est ce qui est décidé.

Le mouvement est prévu pour minuit. A 3 heures
du matin, rien n'a encore démarré. Il a fallu détruire
les deux canons qui avaient été parachutés le
2 octobre, abattre les mules, et surtout construire
des brancards pour les blessés. Les officiers, les sous-

officiers ne retrouvent pas leurs hommes. Enfin, les deux tabors démarrent, en tête — le B.E.P. attend, interminablement, bloqué dangereusement à mi-pente du Nakeo. Le convoi s'engage dans ce qu'on appelle le boulevard de la 73 /2 — une énorme tranchée naturelle au fond de laquelle il y a la R.C. 4. A peine au bout d'un kilomètre, la première compagnie des tabors, celle qui porte les blessés, tombe dans une terrible embuscade. Il n'en reste presque plus rien, à peine quelques Marocains qui refluent sur le B.E.P., encore immobile. Leur chef, le commandant Delcros, a disparu. La confusion est totale. La preuve est faite que les Viets investissent les Français de partout dans cette jungle.

Pour le B.E.P. et le tabor qui reste, la seule chance de se sauver, c'est de se jeter dans les calcaires, là où Lepage était parti avec son 8e R.T.M. Encore une fois, le démarrage est très lent. Le terrain est terrible. Dans les dernières heures de la nuit, presque sans voir, le B.E.P. avance à peine de deux cents mètres à l'heure, dans une sorte de forêt minérale, sans arbres, faite de pierres chaotiques. Il y a encore des blessés à brancarder. A l'aube, la colonne pénètre sous le couvert de la jungle. On entend au loin les Viets qui crient victoire — ils ont enfin pénétré dans Napa, où ils ne se sont hasardés qu'avec prudence, craignant que ce ne fût piégé. Maintenant plus que jamais, ils vont faire la chasse à l'homme, ils vont poursuivre. Il faut marcher. On ne boit pas — on n'a pas eu le temps de remplir les bidons auparavant et il n'y a pas un point d'eau dans ce désert de la jungle. Les hommes les moins fatigués se relaient pour porter les blessés, qui dépassent la

centaine, un encombrement qui retarde tout, qui
risque d'être mortel dans cette fuite pour la vie.
A deux heures de l'après-midi, enfin, on fait halte.
Aussitôt, comme pris par la maladie du sommeil,
les gens tombent sur le sol et s'endorment — il y a
quatre nuits qu'ils n'ont pas fermé l'œil. La colonne
n'est plus qu'un troupeau assoupi, somnolant en
dépit de tous les dangers. Quelques sentinelles, auxquelles on a distribué des excitants, montent la garde
autour de l'emmêlement de tous ces corps gisants,
tombés dans l'oubli, dans un épuisement total, et cela
en plein jour, sans se soucier que les Viets peuvent
surgir d'une minute à l'autre.

Secretain et les officiers savent, eux, que cette
pause peut signifier la fin, la destruction. Il ne faut
pas la prolonger. Mais où aller dans cette nature
hostile? Ils demandent des ordres par radio à Lepage,
et ils apprennent avec stupeur que celui-ci est
descendu avec ses troupes dans le « trou » de Coc-Xa
— en fait deux cirques calcaires, deux effondrements
béants séparés entre eux par une petite barre
rocheuse; à l'entour, rien que des parois verticales,
des murs d'éboulis. C'est profond de deux ou trois
cents mètres. Mais que faire d'autre pour le B.E.P.
que de rejoindre là-dedans le gros du groupement
Lepage — comme cela, tout le monde sera réuni.
Ils demandent la permission de faire aussitôt mouvement vers la gorge de Coc-Xa. Lepage ne le veut pas,
il veut encore faire la guerre dans les règles, avec un
dispositif étalé. Il ne se rend aucunement compte de
la situation, et il faut des heures pour le persuader.
Mais c'est trop tard; pendant ce temps, les Viets
se sont infiltrés dans toute la nature. Ils se sont

glissés subrepticement partout, pendant que Secretain et Lepage discutaient interminablement par radio.

Cependant le B.E.P. repart. Les hommes se remettent debout, avancent. On suit une piste épouvantable. On ne peut brancarder les blessés, il faut les porter — un médecin dit que c'est un assassinat médical. Il y a sur le chemin un piton particulièrement élevé par où il faut passer, qu'il faut escalader, le 765. Les premiers éléments qui l'abordent essuient le feu ennemi, mais Lepage affirme par radio que c'est sans importance : il a laissé au sommet un gros détachement du 8e R.T.M., avec l'ordre de rester là jusqu'à ce que le B.E.P. se soit écoulé. Encore une heure de discussion par radio. Finalement, on se remet en route. On abat un éclaireur viet. On continue quand même. C'est un tabor — celui qui est resté avec le B.E.P., celui qui n'a pas été détruit sur la R.C. 4 — qui est en tête. Mais, en quelques minutes, il n'en demeure plus rien; à son tour, il est anéanti dans une embuscade. Sans prévenir qui que ce soit, le 8e R.T.M. a abandonné le 765, où les Viets se sont installés à sa place. Encore une fois, dans cette journée fatale, les Français ont été devancés par eux.

Dans la nuit qui tombe, le B.E.P. est seul, absolument seul. Il essaie malgré tout de trouver une issue pour descendre dans le « trou » de Coc-Xa en évitant le 765. Il reste dans la colonne du B.E.P. juste quelques centaines d'hommes; ils abandonnent la piste et errent dans un terrain chaotique. Après plusieurs vaines tentatives pour déboucher, le B.E.P. marche dans une direction inconnue, plus vers le Sud. Soudain, il s'arrête net — il est tout au bout d'une falaise, au bord d'un à-pic vertigineux. Mais, en dessous, il semble qu'il y a une petite vallée suspendue, qui va vers les gorges de Coc-Xa. C'est peut-être le salut.

Le B.E.P. essaie de dégringoler cet abrupt. Après plusieurs essais infructueux, il y renonce : il faut attendre le jour pour repérer un passage. Les dernières heures de la nuit, tout le bataillon reste à côté du précipice. Il n'y a pas de dispositif de défense — on n'a pas le temps d'en édifier un. Et puis la troupe est trop fatiguée. Mais chacun sait que les Viets sont là, à côté, et que, s'ils attaquent, ce sera le massacre. Dans une pareille position, la défense est impossible. Chacun ne peut compter que sur lui-même; aussi chaque homme passe une nuit blanche, serrant sur lui son arme individuelle.

L'aube arrive sans que les Viets aient surgi. Aussitôt, Secretain et tous les officiers se mettent à rechercher une piste, n'importe quoi, pour descendre. Le lieutenant Faulques finit par trouver, sur ce qui semble une muraille naturelle sans fissure, une sorte de sente à peine discernable. faite sans doute par des animaux sauvages. Aussitôt, il s'engage en reconnaissance avec son peloton d'élèves-gradés, il arrive en bas — c'est extraordinairement acrobatique mais praticable. On se met immédiatement à transporter dans la vallée la centaine de blessés — cela prend des heures, et c'est un spectacle fantastique que ce convoi interminable de gisants accroché à l'à-pic, avançant à la façon d'une chenille, presque centimètre par centimètre. L'effort demandé aux porteurs est énorme. Les blessés gémissent affreusement. Tout se passe bien.

La merveille de la vallée, c'est l'eau — il y en a et on peut boire. Les hommes, se penchant de longues minutes sur un ruisselet, lapent à la manière des chiens, mettant fin au supplice de la soif. On désaltère les blessés. Tout est calme, très calme. L'espoir renaît. Peut-être le salut est-il encore possible.

Il faut maintenant faire descendre le gros du B.E.P. En bas, Faulques prend les précautions d'usage. Il établit un dispositif, il place une section sur une petite crête de l'autre côté de la vallée, juste face à la sente de la muraille à pic, de façon à « couvrir » de ses feux la colonne des paras, quand elle s'y engagera. Tout est prêt, rien ne se passe. C'est que Lepage, changeant d'avis encore une fois, a donné des ordres stricts pour que le bataillon reste là-haut.

La journée est longue, interminable. Le commandant du B.E.P., Secretain, descend dans la vallée, puis il remonte sur le plateau — il ne peut rien faire. A un moment donné, d'un repli des calcaires, on voit surgir comme une troupe de fantômes — ce sont trente ou quarante Marocains qui, échappés à l'embuscade sur la R.C. 4, errent depuis lors perdus dans la nature. Parmi eux, il y a le commandant Delcros. Plus tard, on voit déboucher une autre troupe, celle-là bien ordonnée — elle vient du « trou » de Cox-Xa par la vallée. C'est une « liaison » envoyée par Lepage, qui amène du ravitaillement et emporte les blessés. Le lieutenant Lefebure la commande. On apprend par elle que l'étreinte commense à se resserrer autour du « gouffre » de Coc-Xa. Les Viets s'infiltrent en masse sur les hauteurs, tout autour. Des Junkers ont essayé de parachuter des munitions

aux Français, dans les contrebas, mais la plupart
des colis sont tombés trop loin, chez les Viets. Et
puis tous les Junkers ont été pris comme cibles par
de nombreuses armes automatiques. La chasse
vient de bombarder et strafer les crêtes où sont
retranchés les Viets, mais son intervention n'a pas
eu beaucoup d'efficacité, les Viets s'étant « enterrés »
dans des trous et des tranchées. De Charton, aucune
nouvelle.

En fin d'après-midi, nouvelles instructions de
Lepage à Secretain : « Descendez dans la vallée et
remontez sur les pitons qui sont en face — c'est par
là qu'arrivera Charton. » Mais c'est trop tard déjà
— la nuit est arrivée, et les Viets aussi. C'est alors,
dans les ténèbres, le fantastique épisode de la des-
cente par la fameuse « sente » découverte dans la
matinée le long de la paroi à pic. Les hommes, se
tenant les uns les autres par la main, avancent sans
rien voir, tâtonnant pour marcher sur le peu de
terre qui n'est pas l'abîme. Enfin la première compagnie parvient en bas. A ce moment se produit un
« ramdam » effrayant sur la petite crête de l'autre
côté de la vallée, face à la sente par où descend le
B.E.P., là où le matin Faulques avait mis une section « pour couvrir » l'opération. Au bout de deux
minutes, plus rien — puis les clairons viets de la
victoire. La section a été anéantie. La compagnie,
qui vient à peine de déboucher dans la vallée, se
lance à la contre-attaque sur la montagne d'en face.
C'est l'égorgement mutuel dans l'obscurité.

Cependant, le gros du B.E.P. est toujours en train
de descendre la « sente ». La nuit est encore plus
noire, et les Viets ont réussi à se glisser sur les flancs

de ce vertigineux sentier, en s'accrochant à l'à-pic.
Ils attaquent. La confusion est totale. Le sentier
est coupé par les Viets, toute la queue de la colonne
est isolée. Les légionnaires ne savent plus où ils
sont, ce qu'ils font. Il y a toutes sortes d'accidents, des
chutes dans le vide, dans le néant. Quelle incroyable
mêlée! Une main se tend — une main de Viet —
et arrache une mitrailleuse à son porteur. Plus moyen
d'avancer. Il faut rester là où on se trouve, chacun sur quelques centimètres de terre, les pieds
calés pour que le corps ne soit pas entraîné par son
poids dans le gouffre. Tout autour, les Viets rôdent,
cherchant des proies. Une section s'égare, aboutit
à une plate-forme qui se termine sur l'abîme. Un
homme a la colonne vertébrale fracturée, on le
bâillonne pour étouffer ses gémissements — il ne
faut pas que les Viets l'entendent et viennent tout
massacrer. Que de temps à attendre avant le jour!
Enfin, c'est la première lueur de l'aube, et les légionnaires recommencent à descendre. Tout le B.E.P.
est maintenant dans la vallée — mais cent hommes
ont été perdus, sans doute tués.

Le B.E.P. n'a plus de munitions. Il ne lui est plus
possible de s'installer sur les crêtes de l'autre côté
de la vallée, comme le voulait Lepage. Il ne lui reste
plus qu'à s'agglomérer au gros du groupement, dans
le « trou » de Coc-Xa. Pour cela, il faut l'accord de
Lepage. Mais pas moyen de le contacter — chez lui,
il n'y a pas d'écoute de nuit, ses opérateurs ont
fermé leurs postes. Ce n'est qu'à six heures du
matin qu'ils reprennent le travail. Le colonel donne
son consentement. Et le B.E.P. se met en marche
pour aller s'enfermer dans le trou. La vallée étant

trop dangereuse, il suit une piste à mi-pente des calcaires, se cachant dans certaines traînées de jungle qui arrivent jusque-là.

Dans le gouffre de Coc-Xa, c'est déjà l'angoisse qui règne. La plupart des pitons d'alentour sont en dehors du dispositif français — et ceux qui s'y trouvent sont peu à peu occupés par les Viets. Une compagnie du 8e tabor abandonne le sien. Les Français se cachent derrière des rochers ou se mettent dans des angles morts — dès qu'ils se montrent, des mitrailleuses viets tirent et tuent. Les Viets se glissent en bas, jusque dans les cuvettes — ils s'infiltrent dans la cuvette inférieure et atteignent la « source ». C'est là qu'est le passage par où la colonne Lepage pourrait « sortir » de sa prison, de cet abîme affreux, pour foncer sur la colonne Charton. Car celle-ci, on la voit maintenant arriver, au loin, juste en face, sur sa crête, très ordonnée. Et pourtant la journée s'écoule dans le « trou » de Coc-Xa sans qu'on fasse rien, sans qu'on prenne soin de garder le seul débouché possible, l'issue qui est la vie. Chacun reste à sa place, en tiraillant un peu. Marocains, Viets, tabors, légionnaires se bagarrent à distance — mais pas sérieusement. C'est une apathie étrange et effrayante.

Et c'est la nuit du 6 au 7 octobre. Au B.E.P., on essaie de dormir un peu. On fait le point de ce qui reste comme matériel. Il n'y a presque plus de munitions — une dizaine d'obus de mortiers, quelques grenades. Il n'y a plus de radio — il faut faire les liaisons à pied, et dans quelles conditions, en rampant. Il n'y a plus rien à manger. Les Viets attaquent un peu partout, plus sérieusement. Au P.C. du bataillon, Secretain,

Jeanpierre, Faulques tiennent de grands conciliabules. C'est la mort si on ne sort pas du cirque,
et c'est évidemment le B.E.P., leur B.E.P., qui sera
chargé de la percée. Mais on ne sait même pas qui
tient la « source », là où est le passage. Auparavant,
toute la journée, les rumeurs se sont succédé, absolument contradictoires : « C'est les Viets qui l'occupent.
— Non, ils n'y sont pas; il y a encore là des goumiers
à nous. » Cela se trouve être dans un terrain très
chaotique, couvert de végétation, d'arbres énormes,
dominé par des pitons : il est difficile de se rendre
compte qui s'y trouve. Au crépuscule, Jeanpierre en
personne va y faire une reconnaissance. Et il s'aperçoit que tous les abords de la « source » sont tenus par
les Viets. Il le fait savoir à Lepage, qui l'ignorait.

Cela signifie qu'on ne sortira du cirque que par la
« bagarre » — la grande bagarre. Ce sera la lutte de
quelques centaines d'hommes à découvert contre
des milliers de Viets bien embusqués, qui les
attendent. Et ces officiers du B.E.P., qui ont tant
reproché à Lepage ses tergiversations, ses retards
les jours précédents, lui disent : « Il faut attendre
demain et opérer de jour, en ayant obtenu de Carpentier et d'Alessandri tout l'appui aérien possible,
tout ce qu'on possède de chasse en Indochine. »
Mais cette fois c'est Lepage qui est pressé — il veut
que l'affaire se fasse tout de suite, en pleine nuit.
On réussit à l'y faire renoncer.

Minuit. Les officiers et les hommes, à bout, dorment
dans des creux de rochers. Soudain, Jeanpierre
réveille Faulques : « Lepage a encore changé d'avis.
C'est pour maintenant. On y va. » Il faut réper-
cuter les ordres, trouver, réveiller, rassembler les

hommes. C'est très long, car tout se fait à pied, dans la nuit totale, sans qu'on puisse allumer aucune lumière, en évitant le moindre bruit. Le mouvement commence à partir de trois heures du matin. Il s'agit d'abord de se glisser subrepticement à travers la cuvette inférieure. Elle est traversée par deux pistes. C'est la plus au sud qu'il faut prendre, car elle est en plein sous l'aplomb des parois calcaires du cirque, et on y bénéficie d'un angle mort. Mais une bonne partie de la troupe se trompe et prend la piste nord — un coupe-gorge.

Cependant tout va bien jusqu'à quelques centaines de mètres de la « source ». Là, de derrière chaque fourré, chaque pierre — et ce n'est que fourrés et pierres — les Viets tirent sur tout ce qui avance. Le combat est aussitôt atroce. Le B.E.P. progresse de quelques dizaines de mètres, mètre par mètre, en « nettoyant » ce qui se trouve derrrière chaque arbre, chaque rocher. Le volume de feu est énorme. On se foudroie sans se voir vraiment, juste en se devinant, en profitant de la lueur des coups précédents. C'est un corps à corps d'aveugles, de presque aveugles. Ça tombe. Le B.E.P., parti à 450 hommes, n'en a bientôt plus que 120 — les corps des légionnaires, tués ou blessés, jalonnent chaque mètre de la progression. Presque tous les officiers tombent. Le lieutenant Faulques tombe. Il y a un misérable village, avec quelques paillottes. On s'égorge aussi là-dedans. Bientôt le B.E.P., réduit presque à rien, n'arrive plus à aller de l'avant. Ses survivants, tapis sur le sol, recroquevillés, essaient de se relever, de bondir, d'avancer. Mais on leur tire dans le dos — Viets ou Marocains, on ne sait.

Car, derrière le B.E.P. qui se fait exterminer, se sont amalgamés les Marocains, plus que fous — la horde de la démence; c'est une telle hystérie qu'ils tirent sur les légionnaires devant eux — ceux-ci se retournent pour riposter. Et tout cela au milieu des Viets, partout. On ne peut imaginer plus fantastique embouteillage.

Et pourtant ce sont des Marocains qui permettent de faire la percée. Car il reste une bonne compagnie au 8e R.T.M. — le capitaine Faugas la lance sur le piton qui commande le passage. Les goumiers vont à l'assaut en rangs serrés, au coude à coude, en chantant un chant sacré. Eux aussi tombent presque tous. Mais ils prennent la hauteur — le trou est fait.

Hélas! pour l'utiliser il n'y a plus personne — ou presque. D'une compagnie du B.E.P., il ne reste qu'un seul homme, de tout le B.E.P. quelques dizaines d'hommes, en particulier deux officiers, le commandant Secretain et le capitaine Jeanpierre. Ce qui s'enfuit en avant, ce n'est que la horde en folie, celle qui était derrière. Ces déments arrivent à escalader, avec leurs pieds, avec leurs mains, presque avec leurs dents, une falaise de quarante à cinquante mètres — et ils tombent sur la colonne Charton, pas pour la sauver, mais pour la détruire.

LA FIN DES DEUX COLONNES

Les hommes de Charton, aux loques, aux yeux hagards des rescapés de la colonne Lepage, comprennent aussitôt toute l'étendue du désastre. Mais Charton, qui a quitté Lepage et ses officiers qui

« gibernent », va en avant, au-delà de la cohue des vaincus, de leur amoncellement, de leur entassement, pour jouer sa dernière carte. C'est le 3/3 R.E.I., le bataillon de la Légion qu'il a amené de Caobang, qui est encore la seule force organisée dans ce magma. C'est avec lui qu'il essaie de « percer » — percer, c'est toujours le mot qui revient dans cette bataille de colonnes constamment encerclées séparément ou ensemble. Là, il s'agit de percer le long des crêtes qui mènent jusqu'à la position où est retranché le groupement de recueil de That-Khé, à quelques kilomètres seulement. Depuis le matin, le 3/3 R.E.I. charge, charge encore pour reprendre les pitons perdus qui font obstacle. Charton lui fait donner l'assaut, et bientôt lui aussi — tout comme cela est arrivé au B.E.P. à l'aube — n'a plus d'hommes. Alors, par des câbles courts et désespérés à Langson, Charton demande qu'on lui parachute, là où il est, un bataillon frais à jeter dans la bataille, et il passera. Mais le Commandement, lui, songe avant tout à limiter les pertes — il pense à la comptabilité en hommes qu'il lui faudra faire parvenir à Paris. Il parachute bien un bataillon, le 3ᵉ B.C.C.P., mais pas dans la mêlée, seulement à That-Khé, où il avancera peu, pas loin, pour donner la main sans courir de risques. Ce qui ne l'empêchera d'être détruit aussi — quelques jours après. Charton demande toute l'aviation, mais il n'en vient pas ou presque pas. C'est l'abandon.

Et, à 16 h 30, Charton apprend que le 477 — le piton décisif, celui qui permettait l'espoir — tombe à son tour. Ce qu'il n'apprendra pas, c'est que deux compagnies de partisans — ces partisans qu'on méprisait — le reprennent. Entre-temps, jugeant tout perdu, Charton se met en marche, il avance seul vers la jungle, vers de petites collines, vers des ruisseaux, dans ce qu'il croit être la direction de That-Khé. C'est une tentative grandiose, désespérée, folle — et qu'il sait d'avance condamnée — pour contourner les pitons pris ou qu'il croit pris par les Viets. Et avant de partir ainsi, il se retourne, il crie : « Que tout le monde me suive! » Les gens le regardent et marchent derrière lui. C'est une horde qui le suit. Seuls trois ou quatre légionnaires avancent avec Charton en ordre de bataille. Derrière, c'est indescriptible. Lepage n'est pas là, non plus que ce qui reste du B.E.P. — il y a avant tout des Marocains. Charton hurle à cette cohue : « Mais là-dedans, qui commande? » Personne ne répond. Il paraît que des officiers, qui sont dans cette foule, ont enlevé leurs galons.

Cette horde marche ainsi deux kilomètres, sans ennuis. Charton fait l'éclaireur de pointe — soudain il est en pleine forme, les nerfs tendus, un surhomme. Il se dirige à la boussole. Il reçoit un éclat — le deuxième de la journée — il ne s'arrête pas. On passe sous un piton et les Viets « arrosent ». Dans les bois, Charton entend parler une langue étrangère : est-ce des Allemands ou des Vietminh? Il dit : « On va s'arrêter pour reconnaître. » Mais, derrière lui, de la masse misérable, monte l'énorme cri : « Ce sont les Viets. Ce sont les Viets. » En quelques instants, la débandade est totale — la foule qui suivait Charton a disparu. Il ne reste avec Charton que quelques légionnaires et quelques goumiers. Les Viets sont bien là, ils tirent — Charton reçoit encore deux balles,

l'une lui cassant le nez, l'autre en séton au ventre.
Avec sa carabine, il abat un Viet. Mais il y a toujours
plus de Viets autour de la poignée d'hommes, ils
l'encerclent, ils l'attaquent à la baïonnette, en
lançant des grenades. L'ordonnance de Charton se
place devant lui pour le protéger — il est tué aussitôt. A ses côtés, le sergent-chef Schlumberger tombe,
mais en deux morceaux, le corps tranché par le
milieu. Charton, environné d'éclats, en attrape un
peu partout; il s'effondre à terre. Un Viet se précipite
pour le transpercer, mais un commissaire politique
l'arrête : « C'est un colonel français. Il faut le prendre
vivant, pour l'interroger. » Et c'est ainsi que Charton
l'irréductible, le « dieu de la Légion », l'homme qui
était toujours vainqueur, a commencé sa longue
captivité. Telle est sa version de la défaite.

Au fond, dans les grandes catastrophes, il n'y a pas
de vérité. Tout est trop incohérent pour cela, comme
si un monde avait soudain perdu sa logique, était
tombé dans l'enfer des impossibilités, des contradictions, dans un au-delà horriblement sommaire et
horriblement inextricable. Tout ce que l'on peut
ensuite établir, ce sont quelques faits — pour le
reste, tout est différent. C'est pour cela que, sur la
fin de la colonne Charton, je rapporte un autre
témoignage, celui d'un de ses lieutenants, où tout est
pareil et où tout est opposé :

— En quelques secondes, devant ce qui arrivait
de la colonne Lepage, j'ai senti que nous étions déjà
dans le camp des vaincus — que les Viets étaient
les plus forts. Ces hommes défaits qui surgissaient là
avaient peur. Ils ont semé la peur dans nos propres
rangs. Nous n'avons plus été bientôt qu'une troupe

atterrée et silencieuse. Chacun pensait qu'alentour
les Viets s'accumulaient invisiblement, pour une
gigantesque embuscade. On ne repartait toujours
pas. Les hommes de Lepage étaient là depuis des
heures, ils s'étaient mélangés à nous, mais étaient
trop épuisés même pour nous parler. Ils balbutiaient
à peine quelques mots. Lepage s'était jeté dans les
bras de Charton en lui disant : « Et moi qui pensais
que cette année j'aurais ma cinquième ficelle pleine. »
A quatre heures, on était toujours là, à la cote 470,
sans comprendre pourquoi on ne s'en allait pas; on
se disait qu'on accordait un temps précieux aux
Viets. Juste un peu après quatre heures, on s'est mis
en marche vers That-Khé, à une trentaine de kilomètres. La piste grimpait un petit col; ce n'était
pas de la grande montagne comme auprès de Dong-
Khé, mais une sorte de baie d'Along terrestre, du
calcaire déchiqueté. La colonne était très longue;
il y avait encore en queue des « civils » de Caobang!
Charton a été blessé d'une grenade lancée d'un taillis
et a disparu. Lorsque la colonne est arrivée près d'un
col, l'embuscade s'est déclenchée — tout a été
terminé très vite. Des dizaines de milliers de Viets
se ruaient sur nous. C'était l'assaut abrupt, sans
précautions ni manœuvre, pour en finir, pour liquider. Une mise à mort. Quelques minutes, la colonne
s'est acharnée à résister — elle a oscillé, elle s'est
fragmentée en des milliers de corps à corps au milieu
du fourmillement végétal et minéral de cette nature.
Encore une fois, les rochers et la végétation étaient
si compacts que les hommes combattaient presque
sans se voir et qu'une mitrailleuse ne commandait
presque pas de terrain. Mais il y avait trop de Viets;

ceux qui tombaient ne comptaient pas, d'autres
sortaient de chaque buisson, de derrière chaque
pierre. Pour chacun de nous, il a fallu vivre ces
quelques secondes tragiques où on sentait qu'il n'y
avait plus de résistance possible, qu'on n'était plus
que de la chose à abattre. Et à cela se mêlait encore
chez quelques-uns de nous la révélation de l'impossible : que des Blancs puissent ainsi être anéantis
par les Jaunes. Mais c'était déjà l'agonie de la colonne
— des milliers d'agonies séparées, chacun dans sa
solitude au milieu de la multitude ennemie, qui avait
tout disloqué, qui achevait son travail. On était
assailli par tout ce qui pouvait tuer : on recevait
encore des obus, mais c'étaient de plus en plus la
décharge à bout portant, la grenade et le couteau;
et surtout il y avait tellement de Viets qui se jetaient
sur nous! Il en sortait toujours de la jungle, petits
et lisses, des branchages sur le casque. Il y a eu
cependant le temps pour quelques grands désespoirs.
J'ai vu à côté de moi un capitaine qui s'est effondré
en pleurant, j'ai vu un peu plus loin un sergent qui
errait debout, indifférent à la balle qui l'abattrait,
l'attendant. Des officiers se sont fait suicider par
leurs hommes. Des Marocains encerclés de toutes
parts ont chargé en récitant une mélopée de guerre et
de mort jusqu'à ce qu'ils soient tous tués. Il y a eu
encore quelques mots, entre amis, d'au revoir et
d'éternité; puis tout a cessé.

« Ce qui est retombé sur la colonne détruite : le
silence ... et l'odeur. Vous savez, ce silence avec des
gémissements et cette odeur sortant des cadavres,
qui s'emparent des champs de carnage, qui sont les
premières réalités de la défaite. Et bientôt il y a eu

une autre réalité, bien plus surprenante — celle de
l'ordre vietminh. On s'attendait à de la sauvagerie;
et ce qui s'établissait là, quelques secondes après le
dernier coup de feu, c'était une infinie méticulosité.
Des officiers viets parcouraient le terrain, mais
nullement en vainqueurs — simplement comme si
une mission était terminée et qu'une autre commençait. Je ne discernais en eux aucune vanité, aucun
triomphe. Ils examinaient, ils prenaient des notes,
ils donnaient des ordres à leurs soldats. Des infirmiers
viets, un masque de coton sur la bouche, triaient les
morts et les blessés gisant par plaques, en couches
superposées à même la piste et tout autour, dans les
creux de la végétation. Les morts étaient mis en tas.
Les blessés étaient attachés à des bambous et
emportés, comme ça, par des coolies qui s'en allaient
deux par deux, du pas tressautant de l'Asiatique qui
porte, chacun ayant sur l'épaule un bout du bambou
où était suspendu le blessé. Ailleurs, des soldats à
mitraillettes rassemblaient les prisonniers, les enca-
draient et les emmenaient. Tout ça sans atrocité,
sans brutalité, sans pitié non plus, comme si tout
ce qui relevait de l'humain ou de l'inhumain ne
comptait pas, comme si on était dans un univers de
valeurs nouvelles.

« J'étais devant l'éthique de l'ordre rouge, quelque
chose d'absolu, mille fois au-delà de ce qu'on appelait chez nous la discipline. Au lieu de tout massacrer,
désormais les Viets soignaient les blessés, faisaient
des prisonniers — car, des Chinois, ils avaient appris
une technique nouvelle en ce qui concerne les
hommes, une technique invulnérable, invincible,
encore plus efficace quand appliquée aux pires enne-

mis, aux plus affreux, y compris les « colonialistes ».
C'était la « rééducation ». Il fallait donc aux Viets
une matière première particulièrement « intéressante »
pour cette rééducation. C'était pour se la procurer
qu'ils « exploitaient » aussi méthodiquement ce
champ de bataille. La nuit venue, la jungle était
pleine des flambeaux des vainqueurs en quête de
« sujets ». Et je pensais aux quelques soldats de chez
nous qui avaient pu se jeter dans la jungle, à ceux qui
se cachaient, qui se faufilaient pour parvenir jusqu'à
That-Khé. Hélas, presque tous devaient être pris un
à un. »

En effet, des jours et des nuits, des hommes ont
essayé de se glisser comme des ombres dans cette
jungle de la défaite, jusqu'à That-Khé. Parmi eux,
la centaine d'hommes qui restent du B.E.P. Après la
jonction des deux colonnes dans la matinée du
7 octobre, ils demeurent sur la crête, à l'arrière, avec
Lepage. Ils s'aperçoivent soudain que Charton a
disparu — en fait, il est allé à l'avant livrer et perdre
sa dernière bataille. Ils sont seuls, mais la défaite est
partout, et Lepage dit : « Il n'y a plus moyen de
combattre. Je laisse à chaque officier toute liberté
de manœuvre pour rejoindre That-Khé avec ses
hommes. » C'est-à-dire qu'il s'agit de s'échapper,
par poignées d'hommes, en se cachant, dans une
nature infestée de Viets. Et même comme cela,
même avec cette solution « honteuse », comme les
chances de réussir sont maigres !

C'est la dernière épopée du B.E.P. — il y aura
encore des morts, des prisonniers; mais vingt-trois
hommes « passeront ». Parmi ces « revenants », le
capitaine Jeanpierre.

A la Légion, tout, même une « fuite », est toujours bien organisé. Au départ pour l'ultime aventure, le B.E.P. — ce qui en reste — est trop gros. On le fractionne en cinq détachements de vingt hommes, chacun d'eux commandé par un officier muni d'une carte et d'une boussole. La troupe suit une piste longeant un torrent. L'ouverture est faite par le caporal Hallert, le caporal Constans, le caporal Hai, trois merveilleux combattants. Vers cinq heures, ils signalent un cadavre échoué sur une plage — les Viets sont donc proches. Ordre est donné de marcher dans le lit du cours d'eau. C'est profond et le courant est terrible — mais au moins les remous amortissent les bruits des hommes. Et pourtant, avec quelle intensité ils se crispent pour ne pas en faire. Il y a chez ces « durs » comme une frayeur d' « être » — d'être vus, d'être entendus, par conséquent d'être tués. Cela tourne — ce besoin de disparaître, de s'anéantir pour survivre — jusqu'à la psychose. Soudain, le chef de bataillon Secretain crie de toute sa voix : « Faites silence » à cette troupe affamée de silence. Et il faut que le capitaine Jeanpierre se retourne vers lui pour lui murmurer : « Tais-toi, bon Dieu, tais-toi. » Le cas de Secretain est tragique. Depuis des jours, il fait des efforts surhumains pour être à la hauteur — car il est parti pour la guerre de la frontière avec une sciatique. Par un étrange hasard, le B.E.P. est commandé, pour ces immenses courses-poursuites de la jungle, par un homme qui marche mal — tout comme le 3/3 R.E.I. de Caobang. Mais maintenant Secretain, ce héros, est à bout.

On espère que ces éclats de voix ont échappé aux

Viets. La nuit venue, les hommes se couchent sur les berges. Soudain, dans les ténèbres, il y a des appels — une première rafale de fusil-mitrailleur balaie le torrent et les rives, puis une seconde rafale bien plus longue, puis toutes sortes de rafales de pistolets-mitrailleurs. Alors, les légionnaires « éclatent » dans la jungle et l'obscurité. Secretain, très fatigué, reste là où il est, dans une encoignure de la berge, disant aux autres de s'en aller : « Que chacun tente sa chance. » Il répète cet ordre au caporal Constans qui ne veut pas le quitter. Il demeure seul — il est grièvement blessé au ventre. Plus tard, les Viets, renseignés par des hommes du B.E.P. qu'ils ont capturés, viendront le chercher là où il est demeuré, mourant et solitaire. Ils le brancarderont jusqu'à Dong-Khé, où il périra. Il paraît que les Viets auraient alors promis de rendre son corps aux Français — ils ne le firent pas. On dit qu'en l'enterrant ils lui rendirent les honneurs militaires.

Finalement, il ne reste plus dans la jungle que des hommes isolés, ou par groupes de deux, trois ou quatre. Ils rampent plutôt qu'ils ne marchent, des bêtes aux abois, n'avançant d'un trait que de quelques centaines de mètres, puis se camouflant indéfiniment au moindre signe suspect. Certains ont atteint That-Khé à temps. Mais, ensuite, combien d'autres, et après quelles randonnées, sont arrivés, fous de joie, jusqu'aux premières maisons de That-Khé! Devant eux, ils voient la citadelle; c'est pour eux le havre de grâce, le salut merveilleux. Mais, en y pénétrant, au lieu de trouver la garnison française, ils trouvent des Vietminh — la garnison avait été évacuée! Ces hommes ont fait des efforts bien au-delà de ce que l'on croyait possible de supporter pour des âmes et des corps — et cela pour venir se livrer d'eux-mêmes, pour être cueillis au nid! Et au lieu de l'hospitalité merveilleuse des copains, des frères, ils sont amenés dans un petit bureau, devant un Vietminh anonyme, sans insignes de grade, sans rien, mais qui leur demande très correctement, dans un excellent français :

— Que pensez-vous de la guerre que vous faites au Vietnam? Ne trouvez-vous pas que c'est une guerre injuste? C'est une guerre injuste. Pourquoi ne voulez-vous pas le reconnaître?

Un officier de la Légion répond qu'il ne faisait que son devoir de Français et de soldat. Mais cela n'a pas de sens pour le Vietminh. Il ne comprend que le raisonnement marxiste — la dialectique. Et d'après ce raisonnement, le Français a tort. Du premier coup, il est mis en état d'infériorité, parce qu'il a le cerveau mauvais, l'intelligence mauvaise, adonnés au Mal — il est incapable de comprendre le Bien, et il va falloir le guérir, changer sa pensée, toute sa nature d'homme, par des traitements collectifs — ce « lavage de cerveau » qui est la psychanalyse par le peuple.

Un Français capturé s'est évadé. Il est repris. On le ramène devant le Vietminh qui, très calmement, hausse les épaules et lui dit :

— Ce que vous avez fait ne sert à rien. Vous avez le bonheur d'être aux mains du peuple, qui s'occupera de vous. Le temps n'a plus d'importance pour vous. Apprenez à être patient. Il faut longtemps pour qu'un homme corrompu comme vous devienne

« bon ». Mais vous deviendrez bon. Et quand le peuple aura gagné complètement la guerre contre les « colonialistes », vous serez rendu — un être entièrement « nouveau », entièrement régénéré, qui sera intégré dans le peuple et qui le servira toujours partout où il sera, tout d'abord dans cette France que nous combattons mais que nous ne haïssons pas : un jour, elle aussi passera tout entière du camp du mensonge au camp de la vérité.

Interrogatoires. Interrogatoires pendant des heures et des jours. Et toujours ces mêmes paroles, ces mêmes phrases :

— Au Vietnam, vous avez tué, torturé, massacré. Peut-être vous attendiez-vous à être fusillé. C'est ce que l'on fait chez vous en pareil cas. On ne vous fusillera pas. On ne vous punira pas. Car, pour nous, vous n'êtes plus un prisonnier dans le sens capitaliste du mot. Pour nous, vous n'êtes qu'un homme qui a été trompé. Vous ne comprenez pas encore — vous ne pensez sans doute qu'à vous échapper. C'est normal, cela n'a pas d'importance. Nous allons vous donner la chance de vous améliorer. Mais si vous vous obstinez dans l'erreur, à fuir, on sera impitoyable. Car vous aurez alors démontré que vous n'êtes qu'une bête malfaisante et corrompue qu'il faut abattre. Je vous ai parlé franchement. A That-Khé, faites ce que vous voulez. Demandez ce dont vous avez besoin. Prenez ces bons pour manger et vous habiller.

Étranges jours vietminh de That-Khé! La cité regorge de tous les stocks abandonnés par l'Armée française. Il y a d'énormes dépôts d'habillement et de nourriture. Des soldats vietminh, calepins

en mains, recensent tout cela. Et chaque jour arrivent
des soldats et des officiers français, isolément ou
par groupes, amenés par des soldats vietminh. Et,
quand il y en a assez, l'on en fait deux longues
colonnes, qui marchent dix jours dans la jungle
vers les camps où tout sera fait pour changer leurs
cerveaux et où ils devront livrer, avec bien des hauts
et des bas, une bataille encore plus terrible que dans
la nature — la bataille contre la dialectique, cette
science complexe, inépuisable et contre l'esprit
même du communisme. Et toujours ils se demande-
ront : « Faut-il refuser et mourir, pour rester complètement des officiers français? Mais le devoir n'est-il
pas de ruser, de faire semblant, pour survivre et
servir plus tard encore la patrie? Mais comment
faire semblant sans être pris dans l'engrenage, sans
trahir malgré soi, sans devenir indignes? » Terrible
dilemme où, à la fin, même les plus forts ne sauront
plus ce qu'ils font, où ils en sont, ce qu'ils pensent
véritablement! Ces hommes-là seront pour toujours
marqués.

A la vérité, n'échapperont au désastre des deux
colonnes que quelques centaines de tabors — ceux
du commandant Chargé qui, lui, trouve le « trou »
et arrive à That-Khé avant l'évacuation, avec
son unité. Mais ces Marocains, aussitôt évacués
sur le delta, seront à jamais stigmatisés. Ce sont eux
qui, en racontant ce qu'ils ont subi et vu, contami-
neront peu à peu toutes les forces nord-africaines
du Corps Expéditionnaire, sur lesquelles, année par
année, on pourra toujours moins compter — et qui,
encore plus tard, de retour au Maghreb, serviront
la Révolution. C'est sur la frontière de Chine, au

contact des Vietminh, à leur exemple, que germeront les idées et les tactiques qui mèneront à l'indépendance de la Tunisie, du Maroc et de l'Algérie.

L'ÉVACUATION DE THAT-KHÉ

Après la destruction des colonnes Charton et Lepage dans les calcaires de Dong-Khé, c'est soudain « la grande peur ». Il n'y a plus que ce réflexe : l'évacuation. On évacue tout. Et d'abord That-Khé, le 10 octobre, dans des conditions lamentables, une « véritable course au clocher ». Et, malgré cette hâte, on perd encore un bataillon, le 3e B.C.C.P.

Pour le Commandement — ce Commandement si incapable — se pose quand même un problème tragique : faut-il jeter dans la fournaise de nouveaux bataillons, pour sauver les derniers débris de Lepage et de Charton qui traînent dans la nature? Mais ne serait-ce pas se laisser prendre toujours plus dans l'engrenage de la défaite, condamner pour rien encore plus d'hommes, et finalement augmenter la victoire vietminh? On laisse donc la boucherie s'accomplir, de peur d'une plus grande boucherie. Le seul geste — le geste de Ponce Pilate — c'est de parachuter sur That-Khé un petit bataillon, le 3e B.C.C.P., avec l'ordre de ne pas combattre, juste de « ramasser » les fuyards. Il en recueille quelques centaines. Mais, le 10 octobre, on évacue That-Khé, abandonnant à leur sort, à leur malheur, à la jungle, aux Viets, ce qu'il peut y avoir encore de rescapés. Et même cette évacuation est trop tardive puisque le 3e B.C.C.P. y restera.

C'est à That-Khé que commence la page de honte
qui ne finira qu'avec de Lattre. Ce que fut l'exode
de That-Khé, un des hommes de la garnison me l'a
raconté ensuite :

— Nous étions deux compagnies de légionnaires
dans ce poste, classique comme celui de Dong-Khé,
comme lui mal fait, comme lui au fond d'une cuvette
cernée de montagnes. Là, jour après jour, nous avons
vécu l'agonie des colonnes de Charton et de Lepage :
à la radio, nous leur transmettions les ordres impossibles du Commandement et nous recevions leurs
réponses désespérées. Et c'était nous qui devions les
accueillir, nous étions l'avant-garde du monde civi-
lisé; tout au début, nous avions préparé du champagne et du foie gras pour les réjouissances de leur
arrivée. Et puis, quand il y a eu le drame, nous
n'avons plus eu que le sentiment de notre impuissance, la sensation atroce de ne pouvoir rien. Et
pourtant cela ne se déroulait qu'à quelques dizaines
de kilomètres! Durant quelques jours, on a voulu
néanmoins conserver l'espoir en dépit de tout —
et puis ça a été la complète désespérance. Tout était
terminé. Il ne nous restait plus, après la catastrophe, qu'à retrouver dans la jungle — mais nous
ne pouvions aller loin — ceux qui avaient échappé,
des Arabes, des isolés, tous en proie à l'idée fixe de
la terreur. Longtemps, des jours entiers, nos patrouilles
ont rampé, ont pitonné, mêlées aux rochers et à la
végétation, pour découvrir ceux qui arrivaient, pour
les ramasser. Mais ce n'étaient plus que des rescapés, et il y en avait peu! On savait bien que presque
tous les autres étaient morts ou prisonniers, là où
nous ne pouvions aller, mais nous espérions quand

même davantage d'hommes saufs. Et on voyait
aussi les premiers Viets vainqueurs qui suivaient;
chaque heure, il nous fallait faire davantage attention.

« Toutes les journées du 8, du 9, du 10 octobre,
That-Khé s'est gorgé de la défaite, de ceux qui
avaient échappé, dont l'état d'épuisement et les
blessures étaient indescriptibles. Le poste n'était
qu'un asile, qu'un hôpital. Les médecins travail-
laient à la chaîne. De petits Moranes se posaient
sur le terrain exigu, pour emporter les cas les plus
graves. D'ailleurs, That-Khé ne se remplissait
pas que des restes de la colonne. Déjà se réfugiaient
dans notre enceinte toute l'humanité qui avait peur
à l'entour — les putains, les commerçants de la
ville, des centaines d'Annamites avec des enfants
ou des baluchons attachés dans le dos, avec le
capharnaüm de leurs biens. Il y avait aussi des
prêtres, des bonnes sœurs qui arrivaient. Tout ça
s'empilait.

« Mais déjà on apprenait que le gros de l'Armée
viet, avançant à marche forcée, avait dépassé
That-Khé, que des milliers de coolies achevaient
de démolir la route vers Langson, que les postes
secondaires étaient " tâtés ". Les Viets se refer-
maient sur nous — il fallait partir avant que ce ne
soit trop tard. Nous étions bien trop faibles pour
résister — même après que le 3e B.C.C.P. ait été
largué. C'était un cas de conscience affreux. Des rescapés se présentaient encore : ils étaient fous de joie
en nous trouvant, ils nous disaient leur peur atroce
qu'on ait déjà décampé. Et, certainement, d'autres
cheminaient dans la jungle avec la même hantise, et

on imaginait ce que ce serait pour eux de trouver un poste abandonné, avec les Viets dedans, une " souricière " au lieu du salut. Mais on se disait aussi que chaque heure de plus à That-Khé, c'était peut-être la condamnation à mort, non seulement de notre garnison, mais de tout ce qui était déjà là et qui se croyait sauvé. Il ne fallait pas partir trop tard, car la colonne qui s'en irait serait incapable de se défendre — elle serait lourde, lente, interminable, faite surtout de tous les résidus de la défaite, de blessés, de malades, et de tous les non-combattants qui venaient toujours plus nombreux.

« Les garnisons secondaires des environs avaient rallié That-Khé, et aussi tous les gens des services, avec leur matériel. Dans la nuit, on a reçu l'ordre de départ. Ce qui est parti dans les ténèbres, c'était une cour des miracles de dix kilomètres. Ça s'est formé tant bien que mal — il y a eu des oubliés, par exemple une antenne chirurgicale, un médecin et des infirmières qui se sont découverts seuls et ont couru pour nous rejoindre. Cette foule avait à peine la force de marcher, et il y avait une soixantaine de kilomètres à faire. C'était formé de milliers d'êtres, avec comme seuls combattants valables les légionnaires de That-Khé et les paras du 3e B.C.C.P., qui s'étaient rapprochés autant qu'ils avaient pu du champ de bataille et qui étaient revenus après la catastrophe. Les légionnaires de That-Khé constituaient l'ossature de la colonne, les paras du 3e B.C.C.P. formaient l'arrière-garde. Tout avait mal commencé, dès la sortie de That-Khé, à un kilomètre de la cité. Les Viets avaient fait sauter le pont sur le Song Ky Kong, et il avait fallu toute la

nuit pour faire traverser le fleuve dans des barques
à cet immense caravansérail. On a échappé de justesse. A un défilé, les Viets ont surgi en masse — les
paras se sont sacrifiés pour les " retenir ". Par radio,
ils ont demandé qu'on retourne pour les dégager,
mais on ne pouvait pas, il fallait au contraire avancer, pousser le troupeau. Les paras ont été détruits
dans cette embuscade d'anéantissement, mais la
colonne est passée. Après ça, il n'y eut plus de gros
engagements — heureusement, car on n'avait même
plus une possibilité de défense. On allait dans le
martyre de la fatigue, avec cette seule pensée :
distancer les Viets, passer avant qu'ils ne soient là,
car c'était la seule chance. Quand la R.C. 4 parais-
sait trop dangereuse, on passait par des pistes de
montagnes, ou en pleine jungle, avec tout ce troupeau. Parfois des gens renonçaient, se couchaient,
mais un grand nombre — même les femmes enceintes,
même les blessés qu'on ne pouvait plus transporter en civières — marchaient! Et pourtant la fatigue
était terrible, plus encore qu'une mêlée meurtrière.
Après une montagne, c'était une autre montagne,
indéfiniment, où il fallait grimper comme des bêtes,
les pieds et les mains déchiquetés par les arêtes
calcaires. Il y avait aussi les drames de la soif et de la
faim — on n'avait rien à manger, rien à boire. Cela
a duré deux jours et deux nuits, tant il a fallu faire
de détours. Les civils tenaient mieux que nous les
légionnaires — ils étaient tous acharnés à vivre.
Il est vrai que, pendant dix jours, nous n'avions pas
cessé de marcher, d'explorer la jungle autour de
That-Khé à la recherche des rescapés — un rescapé
dans la jungle, c'était comme une aiguille dans une

botte de foin. Aussi, dans ce convoi de la misère, nous les combattants étions encore plus en loques que les gens que nous protégions. Lorsque nous avons atteint Dongdang où nous attendaient des rames de camions, nous nous serions écroulés s'il avait fallu faire quelques mètres de plus. Cette foule qui est arrivée à Dongdang était apocalyptique. Mais tout ce monde a été enfourné dans des G.M.C., puis dans des avions, et emmené au loin, nettoyé, stérilisé, pansé, caché, comme s'il ne fallait pas que cette colonne soit connue. Toute trace de son histoire a été effacée. Il n'y eut que nous, les combattants, pour être gardés à Langson. »

Cette foule lamentable, ce ramassis même de la défaite, avec ses fuyards, ses vaincus de toutes espèces, ses blessés de toutes sortes, ses affolés, ses hystériques, avec aussi les profiteurs de la piastre qui ne pensent plus qu'à sauver leur vie là où le système de la piastre s'écroule — toujours les fameux commerçants, les fameuses putains, les fameux « bons » Asiatiques nécessaires à toute implantation du Corps Expéditionnaire — n'ont pu s'échapper que grâce à l'extermination, presque au suicide, du dernier « beau » bataillon qui se trouvait sur la R.C. 4, entre les champs de carnage et le P.C. du colonel Constans à Langson, la cité magnifique. Cette liquidation — résultat de trop de bravoure et de générosité —, un des officiers du 3e B.C.C.P. me l'a aussi décrite :

— Le bataillon faisait campagne depuis des mois dans la jungle de Samnea, tout près du Laos, bien loin de la R.C. 4 et de la frontière. Ça avait été très dur, même là-bas : nous étions réduits de plus de

moitié, à 280 hommes, tous très fatigués. Mais nous
étions en fin de séjour, et, après l'épuisement des
interminables et monotones randonnées — en Indochine, la jungle et les Viets, ces deux choses mêlées,
sont en tous lieux identiques — nous n'attendions
qu'un ordre : aller embarquer à Haiphong. A sa
place, nous en avons reçu un autre : revenir à marche
forcée sur Nasan et Hanoï. Là, nous avons appris
que nous allions être largués à That-Khé. Évidemment, nous étions fiers d'aller au secours de nos
amis, de nos camarades traqués sur la R.C. 4, mais
nous nous demandions quand même : pourquoi
a-t-on choisi pour une mission aussi dure un bataillon aussi dégarni, aussi exténué que le nôtre, qui ne
représentait militairement plus grand-chose? De
plus, à Hanoï même, rien n'était prêt. Il n'y avait
même pas de parachutes en bon état. On a fini par
en trouver, mais de piteux : ils étaient humides, sales,
et même pas pliés. On les a pliés à la hâte. Le résultat, c'est que, lorsque nous avons été « largués »
à cinq heures du soir, il y a eu deux « torches » —
ça commençait mal, c'était mauvais signe. On a
enterré aussitôt les cadavres des hommes tombés en
chute libre.

« A That-Khé, c'était sinistre. Le chef de la garnison rédigeait son testament et recherchait un pilote
de Morane à qui le confier. On sentait partout la
" trouille ". On entendait dire : " Nous allons tous
y rester. " On ne savait rien, ni sur les Viets, ni sur
les colonnes Charton et Lepage, sauf que " c'était
foutu ". Mais on ne s'est pas attardés dans la cuvette
de That-Khé, qui se remplissait des débris les plus
hétéroclites de la défaite. Nous nous sommes enfon-

cés en direction de Dong-Khé par une crête, où l'on
s'est implantés pour recueillir tout ce qui arriverait
comme rescapés. La journée s'est écoulée, sans rien.
Nous étions dans le bleu. La nuit, ça a canonné en
dessous de nous, dans la direction de That-Khé :
les Viets venaient de faire sauter le pont de Song
Ky Kong, juste au-delà de That-Khé, pour couper
toute retraite vers Langson à tout ce qui était en
train de s'accumuler dans le poste. Nous nous sommes
dit aussitôt : " Ça va tout bloquer ". Pendant la
nuit, on a reçu l'ordre de " décrocher " — ce qu'on a
fait facilement. Quelques kilomètres avant That-
Khé, on s'est installés sur la R.C. 4 elle-même. On y
est demeuré quarante-huit heures. C'est là qu'on a
vu surgir de la végétation et de la montagne et
courir vers nous d'étranges créatures — les premiers " réchappés " des colonnes Charton et Lepage,
Jeanpierre et une trentaine de légionnaires, plusieurs centaines de Marocains. On espérait qu'il y en
aurait bien d'autres, mais ça a été tout. C'était
comme si la jungle s'était refermée sur elle-même et
que plus rien n'en sortait, sauf des Viets.

« Tous ces " récupérés ", on les descendait au fur et
à mesure sur That-Khé. Là, on a appris qu'il fallait
se préparer à évacuer. De Langson, Constans avait
donné ces instructions : " Sabotez le moins possible,
pour ne pas donner l'impression que vous allez vous
retirer — il ne faut pas alerter les Viets, comme à
Caobang. " A That-Khé, c'était l'angoisse totale.
Il a fallu d'abord établir comment serait composée
la colonne de la grande fuite — dans quel ordre
seraient disposées les unités. La discussion a duré
des heures entre les officiers supérieurs. Certains

disaient : " Il faut mettre les légionnaires en tête et
les tabors en queue. " A quoi d'autres répondaient :
" En queue, les tabors foutront le camp " — il
s'agissait des goumiers rescapés des colonnes Charton et Lepage, qui étaient toujours très " choqués ".
Tout se passait comme si chacun désirait être en tête.

« Le drame, c'était qu'il fallait d'abord franchir
le Song Ky Kong. Le pont détruit, il ne restait plus,
pour faire passer le fleuve à la foule, cette extraordinaire bigarrure de militaires et de civils, que les
quelques bateaux à rames d'une section du génie.
Que de temps ça allait exiger — et les Viets qui pouvaient déboucher à chaque instant sur tous ceux
qui n'auraient pas encore traversé, attendant leur
tour sur la mauvaise rive! Avoir un bon tour, c'était
peut-être sauver sa vie. Finalement, après bien des
tergiversations, on a établi ainsi les priorités de
passage : d'abord les légionnaires, pour " faire l'ouverture "; puis le P.C.; puis le 3e B.C.C.P.; puis les
sept cents tirailleurs et goumiers des colonnes Charton et Lepage; puis les compagnies de partisans de
That-Khé; au milieu de tout ça, pêle-mêle, les civils.
En somme, à l'arrière, on avait laissé les plus
faibles.

« L'opération a commencé à dix heures du soir et
a pris toute la nuit. Imaginez cette masse humaine
accumulée devant le large fleuve, essayant de voir
dans la nuit les pauvres barques surchargées qui
vont et qui viennent avec une lenteur infinie, presque invisibles, repérables seulement par le bruit des
rames. Quelle joie pour ceux qui embarquent, et
quelle anxiété pour ceux qui doivent rester encore,
qui calculent quand ce sera leur tour, dans combien

d'heures, dans combien de minutes. D'abord tout
s'est passé bien, sauf que ça a été plus lent, infiniment plus lent qu'on ne l'avait prévu dans les plans.

« Le 3ᵉ B.C.C.P. tenait toujours la cuvette de That-
Khé. Il lui a fallu encore une fois " décrocher " et il
est arrivé au fleuve très en retard. Les tabors auraient
dû l'attendre et le laisser passer — mais on leur avait
donné du Maxiton et ils s'étaient refait des forces;
ils en ont profité pour s'emparer des barques et se
jeter dedans, sans se soucier de quoi que ce soit, sauf
de s'éloigner. Quand le 3ᵉ B.C.C.P. a été là, il a
constaté qu'on lui avait volé son tour. Sur la berge,
des ombres s'agitaient — c'était un lieutenant de
cavalerie qui, avec ses soldats, essayait de démolir des auto-mitrailleuses sans les faire flamber.
L'attente se prolongeait — minuit vint, puis trois
heures, puis cinq heures du matin. Les Marocains,
malgré leur hâte, mettaient toujours plus de temps à
" passer " le Song Ky Kong. Ils devaient ramer
eux-mêmes, les hommes du génie n'en ayant plus la
force; il est vrai qu'ils étaient très affaiblis. Chaque
traversée se prolongeait davantage. A un moment,
tout s'est arrêté. Au lieu de six barques, il n'y
en a eu plus qu'une en service. Et quand elle a eu
emporté les derniers goumiers, elle est restée échouée
de l'autre côté — il n'y avait plus de bateaux pour
le B.C.C.P.

« Quelques paras ont traversé le fleuve à la nage et
ont ramené les six esquifs que les Marocains, dans
leur indifférence, avaient abandonnés. En une heure,
à force de rames, tout le bataillon était de l'autre
côté, sur la bonne rive. Il était temps. Les mitrailleuses viets commençaient à nous arroser.

« En plein jour, l'immense et misérable colonne marchait sur Na-Chan et Langson. C'était une course de vitesse — nous étions sur la route, les Viets sur les crêtes. A l'avance, nous savions que l'endroit dangereux était une petite plaine fermée à son autre bout par un défilé. En y entrant, on a vu des tabors qui refluaient : il n'y en avait que quelques-uns, ceux de la dernière section du dernier goum; ils ont dit :

« — La colonne vient d'être coupée en deux juste à notre hauteur. Nous étions au milieu de la gorge quand soudain, du sommet des montagnes, des mitrailleuses ont ouvert le feu sur la route, formant un rideau de balles. Sans plus tarder, tout ce qui se trouvait de l'autre côté de ce barrage — en fait le gros de la colonne, des milliers de gens — s'est rué en avant, a pu se sauver. Mais nous autres n'avons pas pu passer.

« Aussitôt, au 3ᵉ B.C.C.P. on s'est dit : " Il n'y a qu'une solution. On est près de quatre cents. Le bataillon entier va foncer, va faire sauter le verrou viet. "

« A neuf heures du matin, le 3ᵉ B.C.C.P. s'engage dans le défilé. C'est impressionnant — d'un côté le gouffre du Song Ky Kong, de l'autre la paroi à pic d'un massif. A peine la première compagnie a-t-elle avancé de quelques centaines de mètres que c'est un déluge de fer. Tout le monde se jette dans les fossés. Il n'y a rien à faire pour " forcer ". Ce qui est arrivé est très simple, catastrophique aussi. Il y avait sur les hauteurs deux postes français, 41 Est et 41 Ouest, qui commandaient la route. Mais leurs garnisons sont parties trop tôt, avant l'écoulement de la colonne. Alors les Viets se sont rués dedans et y ont installé leurs mitrailleuses — ils n'ont eu qu'à appuyer sur la détente pour faire de la R.C. 4 un enfer.

« Le 3e B.C.C.C.P. se replie dans la petite plaine, avec des blessés. Il n'est pas question de forcer le passage — il y a là-haut au moins deux bataillons viets d'instruments lourds. Mais que faire? Un terrible cas de conscience se pose — l'éternel cas de conscience à propos des blessés.

« Entre les officiers, se déroule un débat dramatique. Un lieutenant dit : " On ne peut pas rester là, sous peine d'être coincés dans quelques heures. Il faut manœuvrer tout de suite, contourner le défilé en prenant des sentiers de jungle. " Mais le commandant du bataillon, le capitaine Cazeaux, réplique " Non, nous restons. "

« Sa décision, il le sait, c'est presque un suicide pour lui et ses hommes. Mais un souvenir pèse sur son esprit — celui d'un fait datant d'à peine quelques mois, et qui maintenant semble déjà si ancien, comme d'un autre temps. Pour Cazeaux, ça ne fait rien; car il y a quelque chose d'immuable : l'honneur. A ses gradés qui le pressent, il dit : " On reste. Souvenez-vous, messieurs, de l'affaire de Pholu, et de la honte qui en a rejailli sur nous. Je ne veux pas que ça recommence. "

« Dramatiquement, l'obscure " affaire de Pholu " resurgissait sur la R.C. 4, au moment où toute la frontière craquait, où c'était le désastre complet. A Pholu, dans la vallée du Fleuve Rouge, des milliers de Viets avaient encerclé le 3e B.C.C.P.; et, pour s'échapper, il avait abandonné ses morts — seule-

ment ses morts, pas même ses blessés. Mais ça avait
suffi, à l'époque, pour que le général Carpentier ait
stigmatisé le bataillon, l'ait accusé de lâcheté, de
déshonneur.

« Et maintenant, sur la R.C. 4, le 3ᵉ B.C.C.P.,
pour se sauver, devrait laisser non seulement ses
morts mais aussi ses blessés. Et ça, Cazeaux ne le
veut absolument pas. Il se souvient trop des reproches qui lui avaient été faits.

« Pourtant ses officiers, plus que jamais, tentent
de le fléchir. Ils lui disent : " A quoi servirait de
refaire Camerone dans cette guerre? " A la fin, il
accepte qu'un détachement aille en reconnaissance
dans la montagne pour essayer de trouver une piste.
Les hommes reviennent, disant : " Il y a un passage
qui semble possible, par une crête. "

« Cinq heures de l'après-midi. Les Viets se rappro-
chent. Soudain Cazeaux — peut-être a-t-il reçu la
permission par radio, on ne le sait pas — accepte.
On soigne, on panse les blessés, on les range soigneusement au bord de la route — on les laisse aux Viets.
Les moins atteints décident de suivre. Le 3ᵉ B.C.C.P.
s'enfonce dans la jungle. Cazeaux, lui, ne veut pas
partir. Il reste encore — cependant il rejoindra plus
tard son unité. La journée entière a été perdue.

« Le temps est épouvantable. C'est la marche de
nuit sans guides, sans repères, sans cartes. La colonne
tourne en rond dans une forêt de bambous. A quatre
heures du matin, quelqu'un dit : " Je reconnais l'endroit. On est passé là hier soir, un peu avant minuit.
On a bouclé la boucle, on s'est mordu la queue —
c'est tout. "

« A l'aube, le 3ᵉ B.C.C.P. trouve une autre piste —

il marche, il marche jusqu'au soir. C'est pour aboutir à un cirque calcaire, sans issue. Et pourtant, tout près, il y a un poste, celui de Lungai. Le radio capte un ordre qui est donné à ce poste : " Jusqu'à minuit, vous attendrez le 3e B.C.C.P.; et puis après, même s'il n'est pas là, vous partirez. " Et, à minuit, le bataillon entend les camions démarrer et s'en aller.

« Toute la nuit, le bataillon est resté sur le flanc de la montagne, les soldats dormant par groupes, ici et là. Le lendemain, ce n'est qu'à onze heures du matin qu'il découvre un débouché, qu'il sort du gouffre. A ce moment-là, un avion le survole. Il fait des signes, lâche un paquet contenant des photos aériennes et un message : " Prenez telle piste, et soyez cette nuit à Na-Chan, avant trois heures du matin."

« Tout le monde reprend courage. Le bataillon suit une ligne de crête; mais elle est coupée par une vallée et une route. Chacun pense : " Si les Viets nous attendent, c'est là. " C'était bien là.

« Dans la vallée, la route — une sorte de chemin allant vers le nord, vers la Chine — franchit un petit ruisseau par un pont. Prudemment, la colonne se cache sous les arches. A peine le peloton de tête s'est-il engagé que les Viets surgissent de tous côtés. En quelques minutes, le 3e B.C.C.P. est disloqué, coupé en morceaux, tronçonné en détachements que les Viets éliminent les uns après les autres. C'est la curée. Quelques hommes ont réussi à franchir la route, ils sont poursuivis et tués. Une partie du bataillon, renonçant à passer là, se rejette dans la jungle; un groupe marche toute la nuit, mais chaque fois il se retrouve devant la route, devant les Viets qui ont étagé tout au long des régiments, trois, quatre

ou cinq. Du 3e B.C.C.P., il ne reste plus que quarante
hommes en formation de combat, puis vingt, puis
plus rien — juste quelques isolés.

« Un rescapé marche vers Dong-Dang. Mais des
civils surgissent et l'entourent, agitant des coupe-
coupe. L'un d'eux lui saute dans le dos et le terrasse.
Un autre rencontre un gosse, qui lui montre un chemin — il aboutit sur un groupe de soldats viets. Les
Viets sont partout. Quelques paras arrivent pourtant jusqu'à Na-Chan. Sur un pont, ils voient des
hommes qu'ils prennent pour des Français; ce sont
des Viets, et ils les tuent. Alors ils vont jusqu'à la
citadelle — mais là aussi ce sont des Viets, et cette
fois ils ne peuvent pas les tuer, il leur faut bien se
rendre. Et pourtant quelques paras arrivent à
dépasser Na-Chan, touchent au bout. Mais il y a des
pluies terribles, et ils sont bloqués devant un torrent
— les Viets les ramassent. Finalement, de tout le
3e B.C.C.P., cinq hommes rejoignent Langson. »

LA NOBLE GRAVITÉ DE LANGSON

De tous ces désastres, l'Indochine ne sait rien.
Quand elle l'apprend, c'est la stupeur — et ensuite
c'est autre chose, la panique. Le passage de la stupeur à la panique s'est fait en quelques heures. C'est
le Corps Expéditionnaire qui est le plus atteint et,
en lui, tous les gens qui ont les plus hauts grades,
tout le Commandement. C'est une loi, chez les militaires, d'avoir trop confiance et puis d'être précipités,
par l'événement, de cette exagération dans les exagé-
rations contraires, dans la peur, dans les lâchetés.

Ce qui se déclare alors, c'est une maladie du Corps Expéditionnaire : l'esprit d'abandon. C'est désormais, pendant des semaines, une immense fuite sans combat, avec des généraux qui disent : « Partez avant qu'il ne soit trop tard. » Et partout, de toutes parts, on entend aussi la phrase fatidique, vraie ou fausse : « Les Viets approchent. » Cela s'appelle, dans les communiqués, évacuation ou rétraction. Tout cela, je l'ai vécu, moi aussi.

C'est vrai que la situation est grave. Au 9 octobre, après toutes les exterminations sur la R.C. 4, la frontière est ouverte, et Hanoï sera sous la menace dans quelques semaines. Contre cette Armée de Giap sortie de la Chine et de la jungle, les Français n'ont même pas de corps de bataille : le peu d'éléments de choc qui existait vient d'être détruit, et tout le reste est inutilisable pour la « grande bagarre », éparpillé sur presque toute l'Indochine dans l'infinité des postes.

Ce qui est pire, c'est le désastre psychologique. Tout d'abord, on a commencé à fuir raisonnablement, comme à That-Khé. Mais la fuite ne va-t-elle pas devenir une chose en soi, qui ne s'arrête plus, un automatisme? C'est à Langson que je vais chercher la réponse. Car le mal du Corps Expéditionnaire — cette contagion de la « trouille » — peut être arrêté seulement par une victoire presque immédiate, presque instantanée. Et la plus belle que l'on pourrait remporter, la plus glorieuse, celle qui effacerait tout, ce serait là — en repoussant, en écrasant les divisions de Giap qui marchent déjà sur la capitale de la frontière, la superbe cité aux cent mille habitants.

Tout d'abord, dans ces journées noires de la R.C. 4 où le désastre incroyable s'impose comme la réalité, il y a une première décision à prendre, une alternative que le Commandement doit trancher : défendra-t-on ou évacuera-t-on ce Langson qui est le pilier de la frontière, qui est aussi la porte sur la plaine, ce Langson magnifique, déjà si sinistre dans l'histoire militaire française de l'Indochine? Si on veut se battre pour Langson, il faut faire un effort considérable — car il n'y a plus là que six petits bataillons éprouvés et des services. Il faut prendre des risques terribles, en prélevant sur le delta d'immenses renforts; mais dans ce delta on a peur aussi, on se sert de tout ce qu'on a pour se préparer au choc devant Hanoï.

Tout est difficile. Tout est dangereux. Abandonner Langson, c'est perdre la face, c'est une catastrophe à la fois militaire, stratégique, politique et morale. Mais garder Langson, est-ce possible, n'est-ce pas aller devant un désastre encore plus total? En tout cas, le Commandement est muet. Le général Carpentier ne lance même pas une proclamation à ses troupes, il ne va même pas auprès des hommes du drame. Dans son cabinet de Saigon, il câble à Paris pour « expliquer », pour démontrer que rien ne peut lui être imputable.

Défendra-t-on Langson ou va-t-on l'évacuer? Pour le savoir, il faut y aller — et, incroyablement, j'en obtiens l'autorisation. Je vais donc « voir ». Le 14 octobre, un Dakota me dépose là-bas. De l'avion qui atterrit je reconnais le paysage majestueux! Ce soleil qui a tellement manqué pendant les batailles de la R.C. 4 est sorti des nuages aussitôt après, il fait briller maintenant la calvitie des calcaires enfermant la cité dans son immense cuvette. Par les hublots, j'aperçois des postes perchés sur ces hauteurs, proprets, paisibles, semblables à des jouets — ils gardent Langson. Je revois tout ce qui m'est familier — et la nappe monotone de la ville, et le serpent rouge du Song Ky Kong, et ces deux rochers qui jaillissent de la cité comme des dents cariées, faisant dégringoler leurs parois spongieuses, pleines de grottes, jusque dans les maisons.

L'appareil s'est posé. Du ciel, je n'avais aperçu qu'un panorama paisible. Maintenant, c'est toujours le calme, encore plus, et pourtant la guerre me prend à la gorge. Comme en Asie une ville attendant son destin, avant une bataille, est toujours semblable! Tout se fige dans une sorte de mort, à l'arrêt absolu. Les combattants s'organisent dans le vide, dans l'absence de population — les gens ne sont ni pour ni contre, ils ne sont pas. Ils sont terrés en attendant qu'il y ait un vainqueur. La seule présence humaine est celle des « collabos » qui sont trop engagés avec les Français, qui ont trop à redouter de l'autre camp. Et c'est une présence ne se manifestant que pour l'exode, s'écoulant de la ville en catalepsie comme une petite hémorragie.

Il s'agit d'une foule qui s'en va par l'aérodrome — il y a un pont aérien pour les habitants de Langson qui veulent partir. C'est banal et pitoyable. La misère asiatique est toujours la même — une résignation sans bruit, sans mouvement, qui seulement gémit et pleure un peu. Et pourtant je sais que, de la douleur, on en trouve là autant, peut-être plus qu'ailleurs, là où elle s'exhibe. C'est l'humanité habituelle des femmes enceintes écroulées sur leurs hardes, des jeunes mères rassemblant leur marmaille nue, des commères chiquant le bétel et crachant, des gamines rieuses et presque provocantes. Il y a aussi des messieurs stylés qui sont des domestiques, et de nobles vieillards à sentences qui ont été interprètes ou indicateurs. Au milieu de la masse jaune, on trouve aussi des missionnaires à grande barbe, vieux comme le monde : parmi eux, le Père Bardol qui a quarante années d'apostolat dans les régions de That-Khé et de Dong-Khé. Tout ce qui a couché avec la France, tout ce qui a servi la France est là, sur le terrain, à attendre son tour d'embarquement. Une ligne de légionnaires contient cette plèbe; chaque fois qu'un avion se pose sur le terrain, ils font avancer vers lui, avec une totale indifférence, une cargaison humaine qui, elle aussi, semble indifférente.

A l'écart, un petit homme en uniforme se tient seul, tout seul. C'est le général Alessandri. Il est arrivé tout à l'heure pour donner des ordres au colonel Constans — il va repartir. Il me jette un regard, sans me voir. Sur cet aérodrome, il est toujours aussi tanné, racorni — un pruneau — et pourtant je n'ai jamais senti autant de détresse. Le général pleure de ses yeux secs et de ses lèvres minces — sans que cela se voie. A peine ses yeux sont-ils rougis. Il pleure sur son Tonkin et sur ses soldats, pas sur lui. C'est un sincère. Le petit bonhomme, qui fut peut-être trop présomptueux, mais qui n'est pas responsable du désastre, est comme dissous dans son intensité. Il se contient mais il est foudroyé. Je n'ai jamais vu une pareille image de vaincu.

Une jeep me mène dans la ville — un désert. Ce

n'est plus qu'un décor, celui des maisons régulières, des beaux bâtiments, des larges allées, de tout l'ordre du colonialisme. Le vide total s'étend aux sons. On n'entend d'autres bruits que ceux des avions tournoyant dans le ciel orageux — les Dakotas du pont aérien et les petits « mouchards » qui surveillent la jungle où rien ne se voit.

Dans les quartiers indigènes, non seulement tout est fermé, mais, sur des kilomètres, de gros pieux, des madriers, des barres renforcent cette clôture générale. Tout ce qui existe, tout ce qui est vivant s'est mis à l'abri derrière le plus de bois possible, a fait son propre emballage en vue des événements immanquables. C'est à l'intérieur de tout ceci, aussi enfermée, aussi cadenassée qu'elle peut, que se trouve la population — celle qui reste, celle qui est prête pour les Viets. Ma voiture continue de rouler longtemps — jamais je ne me suis déplacé comme cela dans le néant. Il n'y a même pas de soldats. A peine aperçois-je quelques tanks embossés dans des carrefours, quelques légionnaires construisant une barricade, quelques Marocains cuisinant sous des tentes. J'imagine que les troupes sont en position sur les montagnes environnantes. En fait, rien de concret, rien de matériel n'indique la guerre. On n'entend pas le bruit des combats — il s'en déroule pourtant actuellement à une vingtaine de kilomètres, à Dong-dang, cette « porte de Chine » où j'avais vu autrefois le pin-up boy et la pin-up girl en zinc, effigies grotesques qui saluaient la Chine. Cette absence de tout, c'est peut-être la suprême intensité.

Je vais à un P.C. de la Légion. J'y vois des officiers bien burinés, bien musculeux, magnifiques, ce que

l'on appelle des « hommes ». Ceux-là sont venus de
That-Khé et aussitôt je reconnais la « marque » —
l'empreinte de ce qu'a laissé l'incommensurable,
l'inexprimable et qui n'est pas seulement la défaite.
C'est la révélation d'un monde, celui de la pureté
rouge, celui de l'implacabilité dans la vertu. Et, à ce
souvenir, ces légionnaires endurcis à tout ont peur —
ils sont comme devant un mystère effrayant. Ils
voudraient nier ce monde mais ils ne le peuvent, ils
sont en pleine obsession, ils ont des voix d'obsédés
pour me parler des Viets, pour me dire : « Ils vont
attaquer. Ils sont devant Langson. D'une heure à
l'autre, cela peut se déclencher — ils vont si vite,
ils sont si nombreux; c'est comme si rien ne pouvait
les arrêter. » Et malgré eux, mêlée à cette peur, il y a
aussi de l'admiration. Pauvres officiers de la Légion !
Ils ne sont pas seulement traqués par les Viets mais
aussi par eux-mêmes. Car ils ont honte de cette peur
et de cette admiration. Leur capitaine me dit :
« Il vaut mieux se faire tuer que de reculer davantage. Comment pourrais-je jamais me pardonner
d'avoir reculé devant ces Viets — d'avoir vu l'Armée
française reculer? » Alors, pour ces hommes simples
et qui ne comprennent plus, il n'y a qu'une solution —
c'est le sacrifice, c'est de « faire Camerone ». Et le
capitaine reprend : « Il ne nous reste plus qu'à faire
notre devoir dans la tradition de l'Armée française,
à nous battre dans l'honneur jusqu'au dernier
homme. Je préfère une nouvelle défaite à une nouvelle évacuation. »

Nous parlons longuement, et je retrouve toujours
en eux la hantise du Vietminh. Ils sont écrasés par
tout ce que ces hommes peuvent faire pour arriver

à leur but, par l'acharnement du « système ». Ils
n'ont même plus d'horreur à me raconter ce qui devrait
leur être une abomination — par exemple comment
les Viets ont été capables de se servir des blessés
français pour une ruse de guerre. Le capitaine me
dit :

— La Croix-Rouge viet avait proposé de remettre
les blessés les plus graves à notre Croix-Rouge. Le
rendez-vous avait été fixé le 10 octobre, à trois heures
de l'après-midi, à un pont situé à cinq kilomètres de
That-Khé, qu'on n'avait pas encore évacué. Quand le
docteur Huard se présenta là avec six ambulances,
il ne trouva que quelques soldats viets qui lui dirent :
« Nous ne savons pas. Allez plus loin. » Et plus
loin il y avait seulement d'autres soldats, ignorant
tout aussi et qui dirent à Huard : « Nous avons là
un goumier blessé; vous pouvez l'emporter si vous
voulez. » Huard rentra à Langson. Le lendemain, les
Viets firent savoir qu'il y avait eu un malentendu et
proposèrent un autre rendez-vous. Mais, pendant
toute une journée, la chasse avait déjà cessé son
action — Giap ayant imposé sa neutralisation à cette
conditon. Les Viets avaient donc pu faire mouvement
en masse sur la R.C. 4 sans être mitraillés et encercler
That-Khé, pour la « cueillir » à temps, avec toute sa
garnison.

Cette façon de faire, en se servant de tout, est tragiquement viet. A la longue, quelques semaines plus
tard, quand il ne leur restera plus rien à en tirer, ces
blessés finiront par être rendus — tellement saignés
qu'ils ne comprendront pas leur salut, agonisants,
couverts des emplâtres verdâtres de la médecine
vietminh. Parmi eux, un seul officier — le lieutenant

Faulques du B.E.P., si près de l'agonie que les Viets
croient qu'ils ne restituent qu'un mort. Et pour les
avoir, que ne faudra-t-il pas subir! Ce sera l'humiliation organisée, d'abord « celle » d'aller les « ramasser » sur le champ de bataille de la défaite — parmi
le triomphe de l'ennemi, au milieu des photographes
de Giap, des journalistes de Giap. Plus question de
s'y rendre avec des ambulances, par la R.C. 4. Les
Viets feront dire : « Vous en profiteriez pour espion-
ner. Venez les chercher sur le terrain de That-Khé
avec des Junkers — nous ne voulons pas des petits
Moranes qui, même avec leurs croix rouges, restent
des " mouchards ". Mais jamais un Junker ne
s'est posé à That-Khé — c'est impossible, dit-on.
Alors Fontange, toujours lui, le dégingandé baron
qui méprise tout sauf le cognac, dira : « Moi, j'irai. »
Et, avec son vieux coucou, sobre ou saoul, on ne le
saura jamais, il atterrira merveilleusement sur un
misérable bout de terre mouillée. Les Viets orgueil-
leux, il ne condescendra même pas à les regarder,
à leur reconnaître une existence. Mais il verra les
longues rangées de blessés, côte à côte sur l'herbe,
lignées sanglantes, lignées mortuaires d'hommes qui
survivent depuis des semaines, portés indéfiniment
comme des choses le long des pistes; il les verra parmi
les docteurs et les infirmiers viets, sérieux, graves,
debout, disciplinés, en grandes blouses, avec des
masques aseptiques sur la bouche — en fait dérisoires mannequins d'une mise en scène. Alors il en
chargera son avion, il en fera le plein; et, ensuite,
d'autres Junkers viendront.

Pour récupérer ces blessés, il faudra aussi accepter
des conditions politiques — écrire à Ho Chi-minh en

tant que Président de la République Démocratique,
presque le reconnaître en somme. Mais, à ce prix,
en acceptant ce chantage, deux cents hommes seront
sauvés. Plus tard, seul de Lattre aura finalement la
force de refuser de semblables marchés — il dira que
la vie d'un homme ne vaut pas une lâcheté, ne vaut
pas le déshonneur de l'Armée.

Mais, ce jour-là, à Langson, les légionnaires qui ont
échappé aux Viets pensent aux légionnaires qui ont
été pris. Et là aussi, pour eux, c'est le déchirement.
Pour l'instant, en eux-mêmes, ils ne savent pas s'il
faut les sauver en se soumettant aux propositions
honteuses des Viets, ou les condamner en les reje-
tant. Le capitaine me dit : « Dans l'état où nous
sommes, après ce que nous avons subi dans notre
orgueil, il est facile pour nous de mourir. Car nous
mourrions en hommes. Mais combien il est plus
difficile de faire mourir, même au nom de l'honneur, des camarades qui ne sont plus des hommes,
juste des loques humaines que l'ennemi traîne avec
lui. »

Je quitte enfin ces légionnaires, ce qu'ils représen-
tent de résolution désespérée, de doutes, de questions
auxquelles ils ne savent répondre. La ville morte
s'est engloutie dans la mort de la nuit. Une batterie
française tire quelques obus contre une crête lointaine; dans le ciel noircissant, ou distingue la tache
plus noire encore d'un petit Morane, à la limite de
l'horizon. Tout est calme. Mais vers minuit, au
grand pont de fer franchissant le Song Ky Kong,
les ténèbres sont trouées par des phares interminaⁿ-
bles d'un convoi de camions vides — il y a une tache
de lumière tous les dix mètres sur plusieurs kilo-

mètres. Ces rames de G.M.C. reviennent de Tien-
Yen par la R.C. 4, comme si elles avaient été là-
bas pour évacuer du matériel. C'est le seul indice
que j'ai des intentions du Commandement pour
Langson : un frêle signe d'abandon. Mais je m'endors
sans savoir vraiment.

Le lendemain, je suis reçu par le colonel Constans.
Il a le visage magnifique du soldat pris dans le drame
mais qui fait face. La tristesse pour les morts est
compensée par la résolution du chef; il en résulte
une noble gravité, un peu voilée, un peu mélancolique, très imprégnée du charme moderne du héros
de guerre, très « humaine ». Et c'est ainsi que le colonel Constans me confie, tout à la fois poignant et
avec la flamme de l'héroïsme, qu'il défendra Langson.
Longuement, il me donne des raisons, des explica-
tions claires et précises. Il parle technique aussi :
tous les sommets voisins sont chauves, sans jungle,
en sorte que les Viets auront à faire l'assaut à découvert. La péroraison est à la fois pathétique et gonflée
de confiance : « Alors, quand les divisions de Giap
s'élanceront, je les écraserai avec mon artillerie et
ma chasse. Et même si toutes mes communications
avec le reste du Tonkin devaient être coupées, je tien-
drai par un pont aérien. J'ai des quantités énormes
de vivres et de munitions, de quoi faire la guerre ici
des mois et des années. »

Je sors de chez le colonel. Quand j'entre dans la
cité sans habitants visibles, j'entends une musique
fantôme, superbe et martiale. Sur la grand-place,
la fanfare de la Légion donne son concert dominical
— il est vrai que c'est dimanche. Autour des légionnaires en grande tenue, avec leurs képis, leurs épau-

lettes et leurs larges ceintures, jouant comme à
l'accoutumée, dans le mépris total des contingences,
il n'y a en fait de spectateurs que quelques gosses
surgis je ne sais d'où. Le tambour-major lance sa
canne très haut. Cela dure très longtemps, jusqu'à
midi. Alors sonnent les cloches de la cathédrale, et
les légionnaires s'en vont, en musique et au pas
cadencé, toujours en grande cérémonie.

Je quitte Langson. Le décor est prêt pour le drame,
la grande bataille. Car le colonel, et aussi ce concert
de la Légion m'ont presque persuadé que la cité sera
défendue jusqu'au dernier homme. A l'aérodrome,
c'est toujours l'exode et la misère. Une jeune Vietnamienne serre dans ses bras un bébé étrangement
blanc — c'est la congaï d'un officier français qui
vient d'être tué. Une femme sans âge a quatre enfants
métis accrochés à elle, et un vieux bep tient précieu-
sement dans ses mains un casque colonial. Je me
retrouve dans le même Dakota qu'eux. Quand l'avion
décolle, il y a une transfiguration chez tous ces misérables. Je constate que même l'impassibilité orientale peut se transformer en joie; cela se fait physiquement, en quelques secondes, devant moi. Je
comprends qu'auparavant ils appliquaient la loi de
l'Asie — ne rien montrer avant d'être sûrs; et cependant, à leur façon, ils étaient affolés par l'attente,
craignant tellement d'être tués s'ils n'étaient pas
emmenés.

Le Dakota prend de la hauteur. Je contemple cette
ville intacte qui ne sera bientôt plus, sans doute,
que feu et ruines. On survole des montagnes et
une vallée impressionnante que les pilotes appellent
déjà la vallée des Vietminh — d'en bas, des Viet-

minh tirent sur les avions à la mitrailleuse. Enfin
c'est Hanoï. Mais que vais-je découvrir à Hanoï?

LES FASTES DE LA DÉFAITE

Ce que je trouve à Hanoï, quelques heures après,
c'est l'annonce que Langson est en cours d'évacuation. Ainsi le colonel Constans m'avait menti, car la
décision était déjà prise quand j'étais là-bas. Plus
tard, il me dira qu'il lui fallait me tromper, me donner
le change. Quoi qu'il en soit, il avait très bien réussi
sa comédie. C'est alors que j'ai compris qu'il ne me
fallait plus croire désormais les militaires, car leur
devoir est souvent de dire le contraire de la vérité.
Et ils y deviennent si habiles!

En tout cas, je vis l'évacuation de Langson au
milieu des fastes officiels — les fastes de la défaite!
C'est la tournée des grands personnages accourus
au malheur. Il y a là Juin et Letourneau — la vraie
trogne militaire et la vraie trogne civile, toujours
côte à côte, appariés — arrivés de France en toute
hâte. Il y a là Pignon et Carpentier, tous les « cabi-
nets » civils et militaires, toutes sortes de gens qui
se serrent les mains, qui chuchotent entre eux avec
des airs mystérieux, qui ne cessent de se rassembler
dans des conciliabules, des banquets. Et je constate
que dans l'ambiance de ces « grands », de leur parade
et de leurs cérémonies, tout s'amortit, tout perd de
sa résonance, tout devient presque normal. La catastrophe de la R.C. 4 et tout ce qui s'ensuit, tous les
abandons, ne sont plus que des « accidents ».

J'accompagne le cortège — je n'ai d'ailleurs que

cela à faire. En attendant l'arrivée des troupes de
Langson, on va d'abord voir les vaincus, les survivants des calcaires de Dong-Khé. Cela me mène au
bord d'une mer houleuse, à Doson, l'ancienne plage
à la mode du Tonkin qui fut mise à sac par les Viets
en 1946. Brusquement, il y a des hommes qui présentent les armes — ce sont des Marocains aux figures
terreuses. Ils ont des apparences de revenants de
l'au-delà ; et effectivement il s'agit des rescapés du
tabor de Caobang. Juin et Letourneau font ce qu'ils
peuvent — ils distribuent des décorations, ils
embrassent, ils donnent des accolades, ils ont de
bonnes paroles, de bons sourires, une énorme cordia-
lité. Mais comme tout cela est insuffisant, dérisoire !
Il n'y a pas de commune mesure entre ces congratulations, ces félicitations et les souffrances subies.
Les Marocains offrent avec discipline leurs joues et
leurs poitrines aux médailles et aux étreintes — mais
comme ils sont loin de comprendre ! Ils sont encore
tout glauques et embués dans leurs peurs. Je cherche
à savoir d'eux comment ils ont pu « passer », s'échapper, mais ils l'ignorent. Leurs récits sont incohérents,
fragmentaires, d'une confusion monotone — ils ont
été attaqués, ils ont chargé, ils ont traversé des
embuscades, ils ont grimpé sur des pitons, ils ont
tellement marché qu'enfin ils sont là ! Tout ce que j'ai
pu soutirer à un patriarche constellé de « bananes »,
ce sont ces mots : « Je me souviens seulement que
j'étais derrière un rocher avec un caporal, musulman
lui aussi. Les Vietminh étaient derrière d'autres
rochers, et pendant des heures on s'est tiré les uns
sur les autres. Le caporal est tombé raide mort, je
me suis jeté dans la jungle, et j'ai marché au hasard

— je ne sais comment je suis arrivé. » Les officiers français de ce tabor sont là aussi. Eux me donnent une explication : « Ces hommes ont passé parce qu'ils étaient à l'avant et que le gros de l'embuscade s'est déclenché derrière eux. A cela s'ajoute qu'ils peuvent aller sans fin, ils supportent tout ; ce sont également des animaux dans la jungle, avec tous leurs sens éveillés, avec tout leur être qui travaille consciemment et inconsciemment pour survivre. »

J'accompagne toujours la caravane — on monte en avion. Cette fois, c'est pour aller voir ce qu'ont entraîné la défaite et la révélation de la « force » vietminh, c'est pour aller voir Langson l'abandonnée. Venant de Haiphong et de la mer, on survole d'abord cette forêt de cailloux noyés — la baie d'Along. Puis, au-dessus d'une terre faite de montagnes figées, on remonte à partir de Tien-Yen le mince ruban de la R.C. 4 vers Langson. En bas, rien que cette sinistre solitude de la Guerre d'Indochine, ce paysage immense de la forêt épinard et des massifs fauves. Aucune trace d'hommes sur cette R.C. 4 blanche, pas plus français que vietminh. Elle se tortille seule, déserte. Dans cette partie, pourtant, elle est encore jalonnée de postes tenus en principe par le Corps Expéditionnaire. Je crois reconnaître Dinh-Lap. Je crois reconnaître Loc-Binh — mais ils me paraissent vides, baraques d'où l'on a fui. Le désastre se serait-il propagé jusque-là ? Mais il n'y a pas non plus trace de convois de troupes. Encore des minutes à suivre la R.C. 4 — et on prend de l'altitude, et on est au-dessus de Langson, ce Langson qui devait être celui de l'héroïsme et du sacrifice et qui est toujours là, mais monstrueusement,

à la fois vietminh et intact. Toute la cité resurgit
encore une fois à mes yeux, s'étale en bas dans sa
plénitude — et la longue piste de l'aérodrome, et la
cathédrale, et les beaux bâtiments administratifs,
et cette caserne qui s'appelait la Citadelle, et toute
l'empreinte de la France. Il faut que je me dise que
c'est vietminh, car rien n'a apparemment changé.
Je dois scruter longuement ce magnifique panorama
urbain pour discerner quand même quelques traces
des événements — les postes de ceinture sur les
hauteurs sont un peu cassés, une arche sur le grand
pont du Song Ky Kong est effondrée, deux ou trois
fumées noires montent ici et là. Je vois la ville
intacte — ou plutôt la carcasse intacte de la ville,
car, à l'intérieur, il n'y a rien, toujours rien. On ne
distingue pas le moindre signe de vie. Je n'aperçois
ni habitants, ni drapeaux, ni troupes — c'est comme
si les pierres seules avaient été gardées et que l'espèce
humaine avait disparu. On me dit que c'est l'habitude
viet de ne pas pénétrer massivement, sur-le-champ,
dans les cités qui s'offrent à eux, de ne pas s'en servir,
par peur des bombardements. Les Viets sont à
l'entour de leur proie, dans la jungle, toujours à y
camper sous leurs camouflages; mais de nuit, pénétrant dans Langson, ils travaillent furieusement à
en sortir tout le butin laissé par les Français. Ils
dépouillent Langson la civilisée dont ils n'ont que
faire au profit de leur univers à eux — celui des
armées marchant toujours dans la forêt. Ils ont même
emmené avec eux la plupart des habitants, paraît-il.
A un moment, notre avion s'écarte un peu — des
chasseurs arrivent et piquent. Il en résulte quelques
explosions, mais comme elles sont minuscules sur

l'énorme cadavre de la ville! Tel est le dernier
destin de Langson — d'être de trop, de ne pas servir
encore aux Viets, de ne pas pouvoir être détruit
par les Français, de rester là comme l'ironie même
de cette guerre.

Encore un autre jour, et maintenant la mission
Juin-Letourneau, constituée en un long cortège de
jeeps, fonce dans une queue de typhon, en plein
ouragan. On roule sur une route-digue, qui est un
simple trait de terre dans l'immensité des eaux,
celle des rizières inondées, celle du ciel en déluge.
Tout à côté de la route court le remblai parallèle
du chemin de fer — rompu, ajouré, mis en dentelles
par les Vietminh. Dans cette campagne qu'on sait
surpeuplée, on ne voit que quelques rares nha-qués
grelottant dans leurs manteaux en roseaux rouillés.
On traverse des villes, des villages — tout cela est
détruit depuis des années. La route est encore plus
une écorchure mal cicatrisée. Sans cesse démolie
et sans cesse réparée. On franchit sur un pont
Bailey [1] le Song-Cau trop plein, luisant de courant.
Et c'est enfin Phu Lang Tuong.

A quarante kilomètres au nord d'Hanoï : ce sont
des ruines et, comme toujours, l'église seule intacte.
C'est alors qu'arrivent en sens inverse, par cette
même route, d'énormes camions de légionnaires.
Ils s'arrêtent. Il y en a des kilomètres, de ces camions
trapus et de ces légionnaires hilares. C'est merveilleux d'ordre et de puissance. Et pourtant ce sont les
légionnaires de Langson, ceux de l'évacuation qui
débouchent là. Ils respirent la satisfaction; on a en

1. Pont fait avec des éléments préfabriqués.

effet pleinement réussi l'évacuation des hommes — c'est le début en Indochine des évacuations heureuses (elles n'échoueront que bien plus tard, à Dien Bien Phu). Il y a une sorte de fierté militaire dans la précision des mouvements, montés comme un mécanisme d'horlogerie. L'opération s'est étagée discrètement sur six jours, du 12 au 18 octobre. On m'explique que cela s'est fait au moyen de gigantesques convois — on a progressivement renvoyé l'intendance, le génie, les archives, les gros camions. On a expédié ensuite les tabors et les Marocains. Et puis, subrepticement, dans la nuit du 17 au 18 octobre, c'est la garnison elle-même qui s'en est allée. Les légionnaires et les troupes sont partis de nuit, à pied, par la R.C. 4, en se cachant dans des ténèbres sans lune et dans le brouillard. Ils ont fait trente kilomètres de marche forcée, sur le qui-vive, dans l'angoisse de l'embuscade. Cette fuite a duré ainsi jusqu'au poste de Loc-Binh. Là attendaient les deux groupements de transports de Tien-Yen, envoyés au-devant d'eux par la R.C. 4. Les soldats étaient montés dans les camions et il en était résulté cette caravane automobile géante qui avait pris la « bretelle » de la R.P. 13 — petite route jamais utilisée que joignait directement la R.C. 4 à ce delta, à ce Phu Lang Tuong sans habitants et plein de personnalités. Le seul groupe mobile (un groupement autonome de trois bataillons, se suffisant à lui-même et constitué en petite armée) existant en Indochine, le G.M.N.A. nord-africain du colonel Massiez du Biez, avait été au-devant d'elle jusqu'à Chu, au débouché des montagnes. Tout s'était passé sans un accroc.

A Phu Lang Tuong, ce sont les grandes retrouvailles. D'une jeep, je vois sauter un colonel Constans rayonnant, en grande tenue de combat, serrant les mains de tous côtés. C'est apparemment un vainqueur. Pendant que toutes les troupes cassent la croûte aux alentours, le colonel est reçu somptueusement dans l'église transformée en super-état-major. La pénombre est tachée par les coloris des saints naïfs et généralement barbus. Devant l'autel, une immense carte est tendue. Et là, devant tous les grands personnages, Constans explique noblement, avec éloquence, sa manœuvre — sa rapidité à décider l'évacuation de Langson, comment la soudaineté de l'opération a déjoué les plans des Viets, a sauvé des milliers d'hommes. Plus loin, répartis par petits groupes dans tous les coins de l'église, les personnages d'importance moindre — des colonels, des journalistes, de braves petits jeunes gens qui forment le cabinet de M. Letourneau, des fonctionnaires qu'a amenés M. Pignon — attendent la fin du conciliabule qui est long, très long. On observe avec surprise que le général Alessandri n'est pas admis à ces graves entretiens. Il est pourtant là, à Phu Lang Tuong. Il n'est pas arrivé avec la caravane officielle — il était dans un Morane, à suivre, à commander la marche des colonnes. Pour se trouver à Phu Lang Tuong, il a fallu que son appareil se pose dans un petit champ, dans les conditions les plus dangereuses. Il sort de la carlingue hâve, pâle, défait, avec une barbe de dix jours. Mais à peine le pied à terre, il est l'indésirable — l'homme que l'on ne veut ni entendre, ni écouter. Il est exclu du grand colloque qui se poursuit indéfiniment dans l'église. Il s'indigne, il veut protester. Un officier de l'entourage de Carpentier lui glisse à l'oreille :

— On évitera de vous interroger.

— Mais je commande au Tonkin.

— Vous conserverez votre commandement. Mais on ne veut pas, pour l'instant, que vous parliez.

Cependant, au fur et à mesure que le conciliabule se poursuit devant l'autel, les visages des « grands » s'assombrissent davantage. Constans parle dans un vide de plus en plus désapprobateur et hostile. A part Alessandri le proscrit, sont rassemblés là une cinquantaine de militaires importants, d'Indochine et de France, avec des étoiles et des galons, qui se sourient, se saluent. Mais, de plus en plus, ils se figent dans un silence raide et morne. Il y a là Juin, maussade. Après Constans, c'est Carpentier qui dit pourquoi l'évacuation de Langson était si nécessaire — et si urgente. D'autres officiers l'expliquent tour à tour, intensément. Juin ne dit rien, mais ses traits sont de plus en plus mauvais. Letourneau est énigmatique — sa bonne figure de « pékin » incarne de plus en plus la sévérité d'un pouvoir civil outragé. Toute trace de satisfaction, de contentement a disparu, pas seulement chez les « grands » et leur « porte-coton », mais au sein de tout ce qui se trouve à Phu Lang Tuong, parmi les troupes, leurs officiers et leurs soldats. Soudain, tous les cœurs sont serrés — comme si le brouillard du remords s'était abattu sur le Corps Expéditionnaire.

Carpentier et Constans essaient encore, avec courage, de se justifier, de faire bonne contenance. Mais, d'après ce qu'ils ont dévoilé, tout le monde sait maintenant que l'évacuation de Langson,

telle qu'elle a été faite, est désormais la « honte »
de l'Armée française.

LA HONTE ET LA BOUE

Après un court soulagement, le Corps Expéditionnaire se retrouve dans sa dépression, pire que
jamais, avec le sentiment intolérable de sa « lâcheté ».
Il ne lui reste que le remords et la honte. Car des
renseignements ne cessent de parvenir sur « l'affaire
de Langson » et désormais on sait. On sait que tout
ce qui a été dit, avancé, démontré pour justifier la
fuite — une fuite destinée à éviter le massacre — est
faux. Tout n'a été qu'une hallucination venue de la
peur, de l'angoisse, de la « trouille ».

Un officier m'a dit :

— Jamais pareille chose ne s'est produite dans
notre histoire militaire. En une nuit, des milliers
de soldats français — et parmi les meilleurs — ont
foutu le camp, sur ordre, face à rien. En quelques
heures, ils ont « vidé » les lieux mais pas ce qu'ils
contenaient, ils ont déguerpi de Langson en y laissant un matériel, un approvisionnement incroyable,
de quoi ravitailler les Viets en tout pendant un bon
moment. Ils ont décampé comme des ombres, sans
rien détruire, pour ne pas attirer l'attention de l'ennemi. Ils sont partis en une fuite organisée, sans tirer
un coup de feu, sans faire sauter quoi que ce soit.
Et tout cela sur la seule idée que les divisions de
Giap étaient là, qu'elles encerclaient la cité, qu'elles
allaient donner l'assaut. Alors, le Commandement
a été frappé d'obsession : il fallait s'en aller vite,

plus vite encore, sans combattre, en abandonnant
tout, pour ne pas être pris dans la « nasse ». Or — on
en a la preuve maintenant — les Viets étaient encore
auprès de Na-Chan, à cinquante kilomètres. On avait
tout le temps de préparer la défense ou — si les
autorités décidaient de ne pas engager la bataille de
Langson — de faire une évacuation complète, systématique et digne, qui n'aurait laissé à Giap qu'une
carcasse de ville et qui surtout n'aurait pas été ce
sauve-qui-peut en rangs.

Il est vrai que cela a été une ruée hors de Langson,
et hors de toute la portion de la frontière entre Langson et la mer. Pourtant, dans toutes ces régions où
l'on voyait des Viets partout, il n'y en avait pas,
sauf quelques miliciens, quelques guérilleros. Il
s'est agi d'une psychose collective, d'une maladie
du cerveau. Dans cette effroyable hantise, des
garnisons se sont mises à partir d'elle-mêmes, sans
instructions — il y a une cérémonie pour amener le
drapeau et la troupe prend la route, se joignant au
flot immense qui vient de plus loin, de Na-Chan, de
Dong-Dang, de Langson. Cette hystérie dure longtemps, très longtemps. Au bout de plusieurs semaines,
sur la R.C. 4, on « décanille » encore : c'est ce qui
arrivera à Dinhlap, là où devait être le point d'arrêt,
là où on avait résolu de tenir. Et même au-delà
de ce Dinhlap, sur la dernière partie de la R.C. 4,
celle qui mène au port de Tien-Yen, le Génie fera
encore sauter des ponts, trois mois après, à l'arrivée
de de Lattre.

Quelle panique! Après l'évacuation de Langson,
il faut encore des semaines avant que les divisions
de Giap n'y entrent. A peine quelques éléments

légers s'y risquent-ils pendant les premiers jours.
Un jeune lieutenant de cavalerie m'a raconté :

— Un soir, on nous dit : « Cette nuit, tout le
monde part . » Je commandais un peloton d'autos-
mitrailleuses. Tout s'est fait si vite que nous n'avons
pu prendre que nos cantines, et c'est tout. J'étais
avec mes hommes en queue. A soixante kilomètres
de Langson, on me dit : « Vous allez rester à cet
endroit en surveillance. » Au bout de deux jours,
nous avons eu faim. Alors, je renvoie deux de mes
véhicules à Langson, afin de prendre là-bas, dans
les stocks abandonnés, quelques vivres. Mes équi-
pages arrivent dans une ville fantôme où rien ne se
passait — pas une âme, pas un Viet. Au milieu de ce
désert, ils n'ont eu qu'à puiser dans les dépôts
intacts — des milliers et des milliers de tonnes de
choses — des rations conditionnées. Ils sont revenus
sans avoir rencontré personne, en disant : « Nous ne
comprenons pas. » Mes camarades officiers et moi ne
comprenions pas non plus. Le plus drôle, c'est que
l'Intendance m'a facturé ces quelques rations que
j'avais envoyé chercher au milieu de tout ce qu'on
laissait aux Viets.

Ainsi, le Commandement français a agi comme si
on était à une heure près, et on était à un mois près.
Encore une fois, son erreur d'appréciation a été
énorme, parce qu'il ne sait toujours pas que la guerre
des Viets n'est pas comme celle des Français — il ne
la comprend pas. Ce n'est pas le même rythme : les
Viets vont à pied. Ce n'est pas non plus la même
méthode. Chez les Viets, c'est la préparation minutieuse, l'énorme accumulation, des mois et des mois
à l'avance, de travail invisible, patient, acharné.

Tout est calculé pour le coup à porter, et ce coup est terrible. Mais, ensuite, les Viets sont incapables de l'exploiter immédiatement au-delà d'une distance donnée. Pour aller plus loin, ils doivent tout recommencer de la même façon — reprendre le temps de monter une autre « affaire », avec toutes ses infinies minuties. Il faut encore une fois que la population soit « noyautée », les stocks amenés à dos de coolies, le dispositif français connu par des espions. Alors Giap fait son plan, alors les troupes répètent indéfiniment la manœuvre et les divisions s'élancent enfin pour l'attaque. Le procédé est inexorable, mais il est long — c'est la guerre « en bonds de puce ». Après Dong-Khé et That-Khé, il fallait plus d'un mois aux Viets pour « monter » l'offensive contre Langson. Mais cela, personne ne le concevait dans le Corps Expéditionnaire. Le résultat a été la fuite lamentable des Français en camions, alors que les Viets étaient bien loin, à pied, pris par leurs labeurs innombrables.

Langson a donc été évacué très prématurément. Mais surtout, ce que l'on apprend, c'est dans quelles conditions — pourquoi on a été amené à cette hâte de fuir en ne démolissant rien. Tout est venu de ce raisonnement qu'à Caobang les légionnaires de Charton avaient alerté les Viets par leurs destructions et leur remue-ménage de départ — ce qui fut considéré comme la cause de la catastrophe. Il fallait donc qu'à Langson l'évacuation, pour réussir, fût basée sur un principe contraire, que ce fût une disparition, un évanouissement — les Viets prêts à l'assaut devaient être dupés par un escamotage (puisqu'on supposait qu'ils étaient sur le point d'attaquer). Les ordres les plus stricts furent donnés,

et le colonel Constans, lui, veilla à leur stricte application : il ne fallait rien faire qui pût laisser deviner
la manœuvre à l'ennemi, *il ne fallait absolument
rien détruire*. Ce programme de « non-démolition »
fut respecté au point qu'on laissa intact un chasseur,
en panne sur l'aérodrome. Et surtout on abandonna
des dépôts immenses — la garnison s'en allant à
l'esbroufe ne les fit pas sauter. Tout ce que l'Intendance avait accumulé à Langson, pour en faire
livraison aux Viets, demeure incroyable (du temps
des Français, elle amassait et ne distribuait pas).
C'est ainsi que les divisions de Giap ont trouvé dans
Langson de quoi manger, s'habiller, se soigner pendant des années. Mais plus grave, combien plus grave,
fut la question des munitions et des armes. Presque
tout ce qui servit ensuite aux Viets à tirer sur les
Français était ce que les Français avaient abandonné
dans Langson, dans leur hantise de la menace, alors
qu'ils n'étaient pas menacés : les Viets récupérèrent,
en cadeaux combien merveilleux, 11 000 tonnes de
munitions, dont 10 000 obus de 75, alors que justement ils avaient des canons de 75; par contre, les
obus de 105 et de 155 leur furent beaucoup moins
utiles, faute d'artillerie de ce calibre — ils s'en
servirent quand même pour poser des mines sur les
routes. Les Viets trouvèrent aussi 4 000 mitraillettes
neuves, 600 000 litres d'essence, en somme d'extraordinaires trésors de guerre.

A la vérité, tout cela — ces vêtements, ces nourri-
tures, ces produits pharmaceutiques, ces munitions,
ces armes — devait être anéanti par un « dispositif
retard » déclenché juste après le départ de la dernière
unité. Tout avait été soigneusement préparé. Mais

que se passa-t-il au juste? On ne le sait pas exactement. En tout cas, rien ne sauta, rien du tout. Il
paraît qu'on avait laissé à Langson un petit peloton
du Génie chargé de la mise à feu — mais il lui était
impérativement prescrit de n'allumer les mèches
que sur un ordre supérieur écrit, disant « allez-y »,
ordre qui serait apporté par un officier de l'état-
major de Constans : la hantise du colonel était que
ce fût fait trop tôt et que les Viets n'arrivent. Mais
cet ordre, lui, ne vint jamais. Les hommes du Génie
attendirent, attendirent très longtemps, et, n'osant
agir de leur propre mouvement, finirent par s'en
aller, laissant tout tel quel. Plus tard, quand a éclaté
le « scandale de Langson », la sécurité militaire
recherca à Hanoï le lieutenant qui les commandait, pour le « boucler » : il fallait un bouc émissaire.
Mais ses camarades le cachèrent dans l'arrière-salle
d'un bistrot, et finalement les autorités renoncèrent
à cette arrestation, tellement l'injustice en aurait
été flagrante.

Alors, pendant des jours et des semaines, tout ce
qui existe d'aviation française en Indochine, tout
ce qu'il y a d'appareils, bombarde Langson où les
réfrigérateurs de la maison de Constans sont encore
pleins de champagne et où, dit-on, traînent dans des
caniveaux les papiers secrets égarés d'un deuxième
ou d'un troisième bureau. On veut démolir à la
bombe les stocks que l'on a oublié de faire exploser.
Mais c'est en vain. Car tous les dépôts abandonnés
sont dans des casemates construites à grands frais
— il y a quinze mètres de sable et d'argile au-dessus
des munitions bien rangées, des bidons et des barils
d'essence, de tout. Les avions lâchent sans arrêt

leurs chapelets de bombes, mais sans que rien n'éclate
ou ne brûle.

Désormais, après que tout s'est dévoilé, que l'on
sait combien tout a été lamentable, que l'on
connaît toutes les hontes et toutes les conséquences
de l'évacuation, la question s'est inéluctablement
posée : qui sont les responsables? On s'aperçoit
alors que la panique qui a saisi le Corps Expéditionnaire, qui le ronge encore, est venue d'en haut; elle
est née au niveau des étoiles.

En réalité, pour démêler l'écheveau des culpa-
bilités dans cette sinistre affaire, il faut remonter
quelques jours en arrière — après la défaite des
calcaires de Dong-Khé, quand on ne sait pas encore
ce qu'on va faire de Langson. C'est alors que les
généraux affolés affolent tout — le Gouvernement de
Paris, le Haut-Commissariat de Saigon et aussi
leurs propres troupes, leurs officiers et leurs soldats.
C'est d'abord le Commandement qui a « craqué »,
qui a tout fait « craquer ».

Quelle étrange histoire d'impuissance à tous les
degrés, à tous les niveaux, à tous les échelons, partout! En ces jours de détresse où il faut tout revoir
et repenser, c'est au Gouvernement de Paris de
trancher — en principe. Mais en France, où l'on ne
s'attendait à rien, on ne comprend rien, mais rien
du tout, à ces catastrophes imprévisibles, inexpli-
cables. Depuis l'anéantissement des colonnes Charton et Lepage, Carpentier ne cesse de câbler à la
Présidence de la République, à la Présidence du
Conseil, au ministère de la Guerre, partout : « Il
faut aussi évacuer Langson » — ce Langson qui,
selon M. Bidault, est le symbole même de l'Indo-

chine, son incarnation. Alors, ne sachant rien, craignant tout, incertain de tout, le Gouvernement hésite, tergiverse, il répond certaines fois : « Évacuez », d'autres fois : « N'évacuez pas. » Pauvre Gouvernement! Avant tout, il ne veut pas qu'on perde un bataillon de plus, alors il ordonne à Carpentier, qui en est ravi, qui est de plus en plus l'homme de la prudence, du défaitisme même, de ne rien risquer, de n'engager aucune force nouvelle, de se retirer plutôt que d'affronter. Mais en même temps les ministres sont gênés, honteux de ces malheurs difficiles à expliquer au corps électoral — et puis, bien plus que les militaires pour qui une défaite est un accident du travail, ils sont jacobins, patriotes, attachés au drapeau tricolore; alors, tout en recommandant de ne pas faire de nouveaux frais, ils voudraient quand même bien que le Corps Expéditionnaire se venge, en remportant enfin une belle et bonne victoire.

On sait que, dans cet amas d'incompréhensions, de contradictions, la solution de Paris, c'est d'envoyer sur place deux « missi dominici », Juin et Letourneau, qui prendront les décisions. Leur avion a du retard; mais ils vont arriver, dans quelques heures ils seront là, et ce seront eux qui choisiront pour Langson : se battre ou évacuer. C'est du moins le programme. Mais ce qui est fantastique, absolument extraordinaire, c'est que le commandement, dans sa déliquescence, a encore plus peur des Viets que des deux augustes messagers de Paris : pour lui, la nuit et la journée où il faut encore les attendre, ce sont ceux du massacre de Langson, de la liquidation de la garnison, de la tuerie de milliers de Français; alors, de lui-même, il prescrit le sauve-qui-peut; ou plutôt il s'y prend d'une telle façon que le sauve-qui-peut — cette retraite en camions si techniquement belle — commence de lui-même, sur ordre, sans qu'on sache vraiment qui en a donné l'ordre.

La nuit avant que n'atterrisse à Saigon le quadrimoteur des « missi dominici », se pose sur l'aérodrome un Dakota : il en sort le général Alessandri, que personne n'attend. Et c'est un général Alessandri à l'heure de la défaillance, en pleine décomposition. Le dur petit Corse, l'illuminé qui était tellement sûr de triompher des Viets, de les dominer, est soudain devenu une loque, quelque chose qui tremble devant Giap et ses divisions. C'est lui qui, de lui-même, à Hanoï, s'est jeté dans son avion, a ordonné à l'équipage : « A Saigon — vite, le plus vite possible. » Car il lui faut arriver à temps pour clamer : « Pas une heure de plus à Langson, ou c'est foutu. » Alessandri, ou plutôt ce qu'il en reste, son ombre, à peine l'appareil posé à Tan Son Nhut, se rue au Palais Norodom, chez Pignon — il est frénétique, prophétique, effrayant. En quelques instants, on rassemble les principales personnalités civiles et militaires d'Indochine, on les racole là où elles sont, à dîner, à jouer au bridge, à fumer de l'opium, à faire n'importe quoi — on réunit un Conseil de Défense. Tout ce monde se rend chez Carpentier, dans sa maison; on le réveille, car, à neuf heures du soir, il est déjà paisiblement couché. Et là-dessus, dans la nuit, commence un débat dramatique. Alessandri dit : « Il faut évacuer Langson tout de suite. » Pignon et ses administrateurs veulent faire retarder l'échéance de quarante-huit heures, pour que Juin soit là, qu'il rende la sentence décisive. Mais alors arrivent des télégrammes de Constans, absolument délirants, disant qu'il ne répond plus de rien, annonçant les pires calamités si l'on tarde tant soit peu — sans le départ dans la nuit même, c'est l'anéantissement. A 1 400 kilomètres de là, Constans est moralement effondré — et, à la réunion de Saigon, tous les hauts militaires qui sont loin du danger sont aussi bas que lui. Ce sont les civils qui essaient de résister, qui disent toujours qu'il faut attendre Juin. Il paraît qu'un officier de haut rang leur hurle : « Dans les quarante-huit heures que vous réclamez, les troupes françaises de Langson auront été exterminées. Vous aurez la responsabilité de tout ce sang sur les mains... » Mais Pignon ne s'incline pas. Et puis il y a Carpentier. Sa position n'est pas nette, il est très gêné — il a les mêmes angoisses qu'Alessandri et Constans, mais il a aussi la vieille habitude de ne rien faire sans Juin. Tout cela se termine dans la plus complète confusion. Ce qui résulte de ces assises, de ces mêlées oratoires, c'est qu'on ne fera rien de définitif à Langson avant que Juin ne soit là, on prendra toutes les mesures préparatoires. Alessandri repart pour le Tonkin aussitôt, dans ce but.

Mais quand les grands messieurs de Paris mettent pied à terre à l'aérodrome de Tan Son Nhut, pour Langson c'est déjà un fait accompli. Qui a donné l'ordre de fuite, Carpentier, Alessandri ou Constans? Impossible de le savoir, c'est trop emmêlé — tous les trois ont tellement voulu, préparé ce sauve-qui-peut, qu'il s'est déclenché comme un mécanisme, automatiquement.

Juin, lui, aussitôt, est admirable, et décevant. Sa

maestria est extraordinaire quand on le mène dans
la salle des cartes, quand Carpentier lui raconte tout
en terminant seulement par « Voilà ». Juin, avec
son mufle, dit seulement : « C'est idiot. » Il pourrait
encore donner l'ordre aux troupes en fuite de retourner à Langson. Il ne le fait pas, comme s'il craignait
personnellement d'être pris dans l'engrenage de la
Guerre d'Indochine, comme si cela ne l'intéressait
pas, comme s'il avait peur de ternir son immense
réputation dans une « mauvaise affaire ». A lui pourtant, bien plus qu'à aucun homme, bien plus qu'à
de Lattre, le Corps Expéditionnaire était prêt à se
donner.

Étrange ambiguïté de Juin ! C'est presque de la
désinvolture. Il se contente de prescrire des palliatifs. Il fait juste l'indispensable — ces choses nécessaires que Carpentier avait omises. Tout d'abord,
il commande qu'on en finisse avec cette évacuation
interminable qui devient une déroute spontanée,
en boule de neige, risquant d'entraîner tout le Corps
Expéditionnaire dans le néant. Et la garnison de
Dinhlap, déjà arrivée au delta, doit réintégrer :
quand, huit jours après, elle réoccupe le poste, les
Viets n'y avaient pas encore pénétré, ils en étaient
bien loin !

A quoi sert à Juin de faire — comme le professeur
devant le tableau noir — d'admirables démonstrations de stratégie devant la carte, grognon, sommaire,
apparemment abruti, mais montrant d'un doigt
sûr, sans jamais se tromper, la position à tenir, la
manœuvre à faire ? Ce qu'attendent de lui les officiers
et les hommes du Corps Expéditionnaire ce sont des
paroles d'espoir — il ne les dit pas. Ce qu'ils veulent

aussi, c'est qu'il ait une indignation terrible, une fureur noire contre les chefs incapables. Mais il n'en est rien. Il paraît qu'il eut quand même une grande colère contre Carpentier, mais cela se passa dans le huis clos, en plein secret. Cela prit la forme du maître « engueulant « le disciple pris en faute, mais d'homme à homme, pas officiellement.

Et puis rien qui ressemble à une sanction, à une désapprobation publiques : devant le monde, Juin « couvre » Carpentier, son ancien chef d'état-major, son ami. Aussi, plus que jamais la maladie du moral continue dans les troupes, puisque la grande préoccupation de Juin, dans toute sa tournée, c'est de « chouchouter » Carpentier. Et ce favoritisme va si loin que, de la honte, on tombe dans l'injustice, dans la boue. Tout d'abord, Juin refuse même de recevoir ce pauvre Corse d'Alessandri.

Car, entre tous les vaincus, c'est la mêlée, c'est la lutte pour dire : « Ce n'est pas ma faute; c'est celle des autres. » Et cela se passe sous les glorieuses étoiles de Juin — qui truque en faveur de son protégé, qui admet tout de lui. Le grande Carpentier, ce géant faible et inquiet qui toujours déplisse ses rides, est comme l'ombre pâle du général Juin, souriant, massif, carré, sûr de lui, jovial, brutal. Ainsi soutenu, Carpentier ose, dans une conférence de presse, face aux journalistes du monde entier, jouer au « mouchard ». Lui, le commandant en chef en Indochine, rejette, en phrases longues, alambiquées, faussement sincères, péniblement hypocrites, tous les torts sur les exécutants — sa conception était bonne, parfaite même, mais Charton a été trop lent, mais Lepage a été trop hésitant, mais Alessan-

dri... Et quand les correspondants ont soulevé des
objections, Carpentier a éclaté en colère et en
menaces.

Alessandri, traité en paria, se débat comme il
peut, avec son extraordinaire obstination, avec son
extraordinaire capacité de se sentir intensément
victime. Repoussé par l'illustre Juin et son Carpentier, il se tourne vers les « pékins », il est reçu par
M. le Ministre Letourneau en présence du Haut-
Commissaire Pignon — et là, comme il le dit lui-
même, il « déballe son paquet ». Letourneau, blanc
comme linge, se tourne vers Pignon : « Est-ce que la
déposition du général Alessandri — car c'est une
déposition — est exacte? » Pignon déclare : « Je suis
obligé de reconnaître que ce que vient de dire le
général Alessandri est vrai. » A la suite de quoi,
Alessandri arrive enfin à voir Juin, à lui raconter
son histoire. Selon Alessandri, Juin lui aurait grom-
melé : « Vous auriez dû désobéir. » Mais, d'après
une autre version, Juin aurait seulement grogné :
« Mon petit Carpentier n'a pas pu faire ce que vous
dites. »

D'ailleurs, à quoi servent ces intrigues, ces racon-
tars, ces histoires? A rien. Pour le moment, rien
n'est changé. Juin n'apparaît aucunement affecté
par les drames de la frontière, il est au contraire
d'excellente humeur. Un soir, c'est un banquet avec
tous les « pieds noirs » de l'endroit. On fait un
concours d'histoires grivoises — c'est de plus en
plus salé. On joue aux fléchettes. Il y a là une magnifique blonde d'Alger, aux formes incommensu-
rables — c'est l'épouse d'un officier vietnamien.
Elle crie, elle rit, elle hurle : « Si j'étais à poil, je

gagnerais. » M. Letourneau, qui est présent, très digne, très M.R.P., est obligé de rappeler l'assistance à un peu plus de décence.

En fait, c'est par une sorte de lucidité totale que Juin a cette indifférence goguenarde, égoïste, épaisse. Cette Guerre d'Indochine, il la jauge à merveille. Il ne peut, il ne veut rien faire pour elle — sinon donner des conseils avant de partir le plus vite possible. Ce sont des conseils qui ne seront pas suivis, il le sait, mais qu'importe. Sa partie, à lui, est ailleurs, au Maroc, en Afrique du Nord. L'Asie, il s'en moque.

Avant de s'en aller il dit la vérité, il l'expose dans un grand conseil de guerre à Hanoï, il l'écrit dans un rapport pour le Gouvernement français, il en fait même part aux journalistes. Ou plutôt il dit des vérités qui sont devenues l'évidence, mais qu'il est le premier à découvrir — tellement elles semblaient inconcevables « avant ». Il dit que tout est à faire, à refaire. Il faut complètement transformer la structure du Corps Expéditionnaire, qui n'était qu'une dispersion de postes innombrables, utiles pour la Pacification mais impuissants dans la Guerre; on doit « fabriquer » à toute vitesse, par tous les moyens, de puissants groupes mobiles, capables de manœuvre et de choc en rase campagne. Il faut avoir ce qu'il appelle « une masse d'aviation », car c'est l'élément même de la décision contre les Viets, qui permettra de matraquer leur « logistique », de matraquer leurs rassemblements. Mais, des appareils, il en faut beaucoup, énormément, des centaines, des milliers, pour arriver à taper dans le tas malgré les camouflages, malgré l'invisibilité, malgré l'écran de la jungle.

Juin dit exactement : « Pour attaquer, les Viets sont obligés de se concentrer. C'est alors qu'on peut les écraser par des bombardements sur zones — des bombardements où l'on ne vise pas des objectifs, où l'on ne fait pas de détails, mais où l'on déverse de l'explosif à l'intérieur d'un périmètre donné, jusqu'à ce qu'il ne puisse plus rien rester dedans. C'est lorsque les Américains ont eu en Corée une véritable armada de l'air que la situation y fut renversée. » Mais un Corps Expéditionnaire puissant, de l'aviation en masse ne suffisent pas — il faut avant tout créer une Armée nationale vietnamienne. Juin proclame le premier avec force : « Je crois que la clef de la Guerre d'Indochine est dans la puissance et la foi d'une Armée vietnamienne. Dans un premier temps, nous lui passerons au fur et à mesure les secteurs — elle fera la Pacification, et nous récupérerons des Français qui se battront contre les divisions régulières d'Ho Chi-Minh. Mais, dans un second temps, elle devra les affronter aussi face à face, des milliers de réguliers jaunes contre d'autres milliers de réguliers jaunes, tous opérant de la même façon. »

Ce n'est pas tout. Pour l'immédiat, il ne faut pas « subir », il faut arrêter les reculs pour la « défensive-offensive ». Il faut, face à ces Viets qui se croient vainqueurs, faire la guerre de mouvement, comme eux. Il y a des endroits que l'on peut encore abandonner, mais il y en a d'autres qu'il faudra reprendre — par exemple Langson. La pure défensive aboutirait fatalement à la défaite complète — on irait de retraite en retraite, et le moral du Corps Expéditionnaire achèverait de s'effondrer. Il faut donc aussi l'offensive, par stratégie d'abord, et ensuite comme le moyen de guérir les corps et les âmes des officiers et des soldats encore en proie à l'humiliation de la R.C. 4, à tous les complexes de la défaite : il faut leur rendre la fierté.

Tel est le diagnostic de Juin : des remèdes de cheval. Mais, pour les appliquer, il faudrait que la France entière fasse un effort énorme, qu'elle fasse elle-même la guerre au lieu de la laisser faire par les mercenaires d'un Corps Expéditionnaire. Cela suppose qu'elle sacrifie bien plus, infiniment plus, les hommes et l'argent, comme s'il s'agissait vraiment d'une cause vitale nationale. Mais est-ce que cela l'est? Juin lui-même pose la question dans son rapport. Il n'y répond pas, mais il écrit que si on ne fait pas vraiment le nécessaire pour se battre bien, il faudra recourir à d'autres solutions — soit traiter avec Ho Chi-minh et partir, soit internationaliser le conflit. Et Juin conclut : « C'est à la France de choisir. »

Ainsi Juin a pleinement posé le problème. Il ne croit pas que la France fera la guerre « pour de bon »; mais il ne croit pas non plus qu'elle se décidera à négocier avec les Viets ou qu'elle arrivera à amener les Américains et l'O.N.U. à combattre en Indochine. Il croit qu'elle ne fera rien — ou presque rien, en sorte que la Guerre d'Indochine traînera, durera d'année en année jusqu'à ce qu'elle finisse mal.

A d'autres généraux de « se casser la gueule ». Lui, Juin, ayant proclamé les grandes vérités, repart en France au plus vite, après avoir un tout petit peu « dopé » le Corps Expéditionnaire. En fait, il l'abandonne à son sort. Et cela, tous les combattants le sentent, le comprennent : Juin n'a pas

voulu d'eux, être avec eux. Aussi, dès qu'il a quitté
l'Indochine, dès qu'il a renoncé, le Corps Expéditionnaire s'est retrouvé avec sa maladie, avec sa
dépression, dans un état matériel et moral encore
pire qu'avant.

LE GRAND DÉCOURAGEMENT

En apparence, le Corps Expéditionnaire a retrouvé
son calme. Mais, en dessous, la gangrène s'étend,
s'aggrave. Car rien n'a changé. Le prix des morts
est payé, et combien peu, par la déchéance du colonel
Constans. En quelques jours, il devient le réprouvé.
Tout d'abord, il se débat pathétiquement contre la
marée du mépris — il porte toujours beau, il a toujours sa fierté et son orgueil. Pour commencer, son
état-major de Langson lui est fidèle. Comme un
défi, il offre à « ses » officiers un dîner de gala dans la
grande salle à manger de l'hôtel *Métropole*, sous les
regards du Tout-Hanoï. Autour de la table magnifiquement mise, les convives sont en grand uniforme,
à la fois souriants et raides, avec leurs décorations,
leurs palmes innombrables. Les maîtres d'hôtel
apportent respectueusement des plats compliqués.
A la fin, le champagne et les toasts — les officiers
boivent à Constans, et Constans boit à eux. Il est
apparemment très à son aise, arborant sur son
personnage la dignité de l'Armée. Et cependant ce
repas ne sert à rien — Constans est de plus en plus
acculé : il fait venir les journalistes, l'un après l'autre,
dans sa chambre du *Métropole*. Et indéfiniment,
à chacun d'eux, il « explique ».

Moi aussi il m'a expliqué. Extérieurement, il a toujours la noblesse souveraine et dégagée avec laquelle il me reçut à Langson, mais à quoi bon? Je sens que je n'ai plus devant moi qu'un homme traqué. Ce qu'il dit devient puéril, fantastique. Il me jure qu'il a sauvé ses troupes parce qu'il a su profiter d'un orage. Il me dit, avec toute son autorité :

— Le point critique, l'endroit crucial pour l'évacuation, c'était un pont à une vingtaine de kilomètres de Langson. Et, accourant à toute allure de l'autre côté de la frontière de Chine, une division viet entière marchait dessus : s'il avait été pris, nous étions tous perdus. Mais dans la nuit a éclaté un orage effrayant, et j'ai appris que la division était retardée quelque part dans son avance par une rivière en crue, qu'elle n'arrivait plus à franchir. Alors j'ai pris ma décision — il fallait profiter de cette circonstance comme de notre dernière chance. Nous sommes partis dans la tempête; nous sommes arrivés au pont avant l'ennemi, nous avons pu passer avant que le piège ne se soit refermé.

Pauvre Constans! Comme il se débat! Et finalement, quand il est vraiment à bout, sans espoir, il a un dernier geste qui, lui, a vraiment de la grandeur. Quand tout est perdu pour lui, à l'entrée du *Métropole*, devant sa porte-tambour, il saisit un très jeune correspondant, à peine plus qu'un gamin, il l'entraîne vers le bar, il lui dit humblement, en le suppliant : « Il faut que vous alliez voir le docteur Huard, il le faut absolument. Dites-lui que je vais partir et que je ne peux supporter l'idée atroce de mes hommes aux mains des Viets, de mes blessés pourrissant dans une clairière de jungle, sans autres soins que l'évan-

gile rouge et les badigeonnages rouges du mercu-
rochrome. Pour la paix de ma conscience, qu'il
obtienne de Giap, à tout prix, à n'importe quel prix,
leur relâchement, avant que je n'embarque vers la
France. » Étrange démarche, d'autant plus que ce
Huard est inquiétant : un grand homme mince, sec,
ombrageux, taciturne, plein de secrets, de rancunes,
de desseins. Avec le nez et les lèvres de Don Quichotte,
il a le regard méfiant et dur du personnage solitaire
dont on ne sait s'il est un saint ou un machiavel. En
tout cas, avec aux lèvres la commissure de l'orgueil,
il s'est toujours senti prédestiné : chirurgien militaire, colonel du Service de santé, il a depuis longtemps quitté l'Armée — au Tonkin, il est le grand
professeur, il est le militant passionné des grandes
causes, il est le grand sympathisant, peut-être l'ami,
des Viets. Et il est aussi le manitou de la Croix-Rouge
française, l'homme ennemi de la guerre qui est chargé, qui s'est chargé de récupérer les victimes de
cette guerre. Agit-il par bonté, par calcul, par
passion, par idéologie, on ne sait — mais, en dépit de
ses titres, de ses talents, de sa superbe, il est quand
même suspect, très suspect aux barbouzes, il est
surveillé par toutes sortes d'agents. Aussi, quand le
petit journaliste demande à Constans : « Mais pourquoi n'y allez-vous pas vous-même? » il répond seulement : « Je serais arrêté par la Sûreté militaire. »
    Très peu de temps après, Constans disparaît
— heureusement pour lui, car des officiers de la
Légion voulaient lui « faire la peau ». Depuis lors on
n'en a presque plus jamais entendu parler, sinon
pour apprendre qu'il avait été nommé général, des
années après, puis mis à la retraite. Je ne sais s'il a

été le plus coupable; du moins il a été la principale victime.

Par ailleurs il y a toujours Carpentier. Il y a toujours Alessandri. Le Corps Expéditionnaire n'est plus seulement en proie à la honte de Langson, du passé : il a de plus en plus peur. Car avec ces deux hommes — les vaincus — il est sûr d'aller à de nouvelles défaites, d'aller à la perte totale du Tonkin, de l'Indochine.

Il y a eu quarante jours d'horreur, quarante jours d'une chute continue, suffocante, vertigineuse. Mais rien n'est fait, et la catastrophe définitive paraît assurée pour bientôt, très bientôt. Un officier d'état-major me dit : « C'est dans les deux mois qui viennent que se jouera le sort du delta. D'ici là, selon que Saigon et Paris auront ou non compris, on saura si Hanoï peut encore être sauvé — ou est condamné. »

C'est la confusion des sentiments. Je sens certes chez les officiers et les hommes la volonté de réagir. Mais il faudrait pour cela que quelqu'un parle et ordonne, alors que personne ne le fait. Au contraire, dans le Haut Commandement, c'est l'admission tacite que les Viets sont les plus forts, qu'il faut donc subir, qu'il faut reculer.

C'est le drame de l'impuissance. On attend, sans rien faire. La troupe voit ses grands chefs s'accorder des sursis pour décider, commander, agir, comme s'ils plaçaient leurs espoirs dans les initiatives décisives que prendraient leurs successeurs — mais il n'y a toujours pas de successeurs. Rien que Carpentier, rien qu'Alessandri.

En haut, c'est presque l'ambiance des dernières minutes avant la fin. On y trouve le monsieur abattu qui ferme les yeux, préférant nier le danger. On y voit les nerveux qui se rejettent les « pépins », les autoritaires et les décidés qui règlent à l'avance l'ordre de passage à la « porte de sortie », les chevronnés qui croient en la vertu infaillible de leur seule présence. Tous s'interrogent sur l'avenir sans oser vraiment l'envisager. Tout cela sous les regards de millions de Vietnamiens attentifs à toutes les faiblesses des Français. Ils attendent la fin. La décomposition est dans les cœurs — elle sera bientôt dans les faits. Car, face au danger, on ne prend que de dérisoires petites mesures, qui aboutiront fatalement à la rupture d'équilibre, à la panique : déjà à Hanoï on se prépare, plutôt qu'au combat, aux évacuations, aux déménagements, au départ.

Carpentier est le premier défaitiste. Un jour qu'il me reçoit, il me montre une immense carte de l'Indochine en me disant :

— Mes bureaux ont travaillé. Désormais nous pouvons procéder aux rétractions successives. Car nous ne pouvons tenir le Tonkin face aux divisions de Giap appuyées sur les forces chinoises. J'ai prévu sept lignes de repli : la dernière est au milieu de l'Annam, dans cet étranglement de l'Indochine proche du vingtième parallèle. Là nous pourrions constituer un front véritable ou l'on bloquerait l'avance viet. Il n'y aurait qu'un peu plus de cent kilomètres à défendre, et la riche Cochinchine serait encore à nous.

Mais cette stratégie parfaitement défendable, le Commandant en Chef n'ose pas la professer publiquement. Cela d'autant plus que Letourneau — resté en Indochine après le départ de Juin — a une bonne colère de proconsul civil face à toùs ces militaires qui s'effondrent, sans avoir le courage de leur effondrement. Et, sentant de loin le « pourri », il revient de Saigon à Hanoï avec, sur sa trogne de paysan, cet air d'énergie républicaine — vraie ou fausse — que savent assumer les politiciens dans les grandes occasions. Le 20 octobre, il réunit le grand aréopage, le Conseil de Défense, avec les mêmes personnages que huit jours auparavant, quand Juin était là. Mais que peut un ministre face aux arguments des généraux retranchés derrière leurs étoiles, tous pleins de cette suffisance que donnent la science, la connaissance? Au nom de la technique, ils déversent glorieusement des tonnes de démoralisation — Letourneau n'est qu'un « pékin », et tout ce qu'il peut faire, c'est d'ergoter. Bravement il s'écrie : « Il y a quelques jours, vous me disiez que les Viets avaient 60 bataillons. Maintenant vous faites état de 103 bataillons. Comment est-ce possible? » Carpentier cependant, de sa voix doucereuse — celle des grandes responsabilités — le travaille au corps. Il dit qu'il n'y a pas de danger immédiat, qu'il ne s'agit pas de reculer, mais il faut tout prévoir : son devoir est de préparer une défense élastique, avec un ultime réduit à Haiphong. Il faut envisager le rapatriement des familles françaises. Rien qu'à Hanoï il y a 1 200 hommes, 1 200 femmes, 2 000 enfants. Mais ceci peut sans doute attendre un mois.

C'est l'annonce de la liquidation. Letourneau s'écrie : « Je ne comprends plus. Est-ce qu'on est définitivement battu? » On le rassure — mais le ministre ne cache pas sa déception. « Voici une semaine, vous disiez que tout allait pour le mieux.

Sans doute était-ce parce que le général Juin était
là et que vous aviez peur de lui. Mais maintenant,
vous ne vous gênez plus. Ce que vous avez proféré
est impensable. La situation n'a pas pu se dégrader
à ce point en si peu de temps. On ne peut pas changer
de conception tous les huit jours. Je vous ordonne
de défendre le Tonkin, sur les positions prévues, de
la façon prévue. »

Mais, après cette « engueulade », Letourneau
retourne en France, auprès de ses électeurs. Carpentier a les mains libres. Certes, pour faire plaisir au
Gouvernement de Paris, il finasse — il donne des
instructions où il est encore question de reprendre
Langson. Mais il est surtout question de lignes défensives de plus en plus réduites — la ligne A est de
400 kilomètres, la ligne B de 300; et puis il y a une
ligne de quelques kilomètres. C'est le Tonkin en peau
de chagrin.

La consigne officielle est toujours de se battre,
mais les avis officieux inclinent de plus en plus à la
prudence. Tout n'est que contradictions, incertitudes, vasouillages. Tout est d'autant plus incom-
préhensible qu'Alessandri, ce doux entêté, cet illuminé, se remet subrepticement à enfourcher son dada :
la grande offensive. Carpentier fait dire : « On va
s'en aller. » Mais Alessandri confie à ses intimes : « On
va laisser passer l'orage, et puis on tombera sur les
Viets dans leur jungle. »

Des semaines durant, personne ne sait que faire,
personne n'a confiance. J'ai vu cette incohérence
absolue à Monkay, le dernier point face à la Chine,
tout au bout de la côte, là où j'avais été jadis pour
assister à l'arrivée des armées de Mao Tsé-toung

sur la frontière. J'y retourne, car je veux être encore
une fois là avant l'évacuation qui est décidée. Mais
à peine y suis-je arrivé que parvient un contrordre —
on restera.

A Monkay, c'est une drôle de paix ou plutôt une
drôle de guerre. En principe c'est la paix entre Monkay la française et Tong-Hing la chinoise, et la
foule d'Asie continue à aller et venir sur la passe-
relle internationale. Mais ce n'est plus la « douceur » :
car 3 000 Vietminh et 2 000 Chinois sont agglomérés
tout autour. Tong-Hing se bourre de mitrailleuses
et de canons, qui tirent souvent des rafales par-
dessus la frontière. A Monkay tout le monde est sur
le qui-vive. Il n'y a qu'une compagnie de Légion,
et elle sait qu'elle ne peut se défendre. Les officiers
disent : « Est-ce que cela vaut la peine de se faire
tuer sur place alors que, dans quelques semaines,
le Commandement aura tout lâché? Plutôt que
d'attendre l'assaut, on ferait mieux de s'échapper
en jonques, par la mer. » Mais, au fond, ils sont
anxieux; ils ne savent si leur devoir est de vivre
ou de mourir. C'est alors qu'un avion atterrit sur
l'aérodrome, et il en sort un Carpentier jovial,
comme s'il n'y avait pas de problème. Le capitaine
commandant la compagnie se met au garde-à-vous —
c'est une sorte de buffle humain. Là, respectueusement, fermement, il demande des ordres au général,
qui, en dépit de sa bonne humeur, a encore maigri,
qui n'est plus qu'une charpente osseuse, sans chair,
mais avec de gros os. Il lui dit : « Mon général,
donnez-moi des directives. Je n'en ai pas. Si l'ennemi attaque, faut-il combattre jusqu'à la mort ou
essayer de se retirer par la baie d'Along? Et dois-je

tirer sur la Chine, si les Chinois se joignent aux
Viets? » Je me souviendrai longtemps de l'ahurisse-
ment de Carpentier et de son geste — il lève les bras
au ciel. Il dit enfin : « Qu'en sais-je? » et il repart
sans avoir ajouté un mot.

L'ÉVACUATION DE LAOKAY

Face à la marée vietminh qui s'amasse, le Corps
Expéditionnaire est trop faible : il ne peut tenir
partout. Il faut donc le concentrer, le ramener aux
quelques points où il sera fort, où il pourra se défendre. Cela, c'est chaque jour davantage la « ligne »
de Carpentier; et même il éprouve comme une
satisfaction à chaque recul. Ce n'est pas vraiment du
masochisme, simplement le rayonnement de son
bon sens qui lui fait dire : « Cette fois encore, j'ai
évité un piège. » Il est plein, non pas du sentiment
de ses défaites, mais de son astuce. C'est comme si
les grands chefs ne pouvaient jamais être humiliés.

On reste donc à Monkay, mais partout ailleurs
on se resserre — c'est le terme pudique pour dési-
gner l'évacuation : dans l'Armée, on n'appelle
jamais les choses par leur nom. Il n'est guère de
jour sans l'annonce de quelque retrait — la censure
ne laisse pas passer le mot retraite, et ce *e* en moins
fait une énorme différence — pour des « raisons
stratégiques ». Mais qui ne sent que ce vocabulaire
hypocrite est celui de la déchéance calculée, accep-
tée, même si elle n'est pas avouée?

Cela commence à Thai-Nguyen, dont la capture
sans combat avait été célébrée, voici à peine quelques

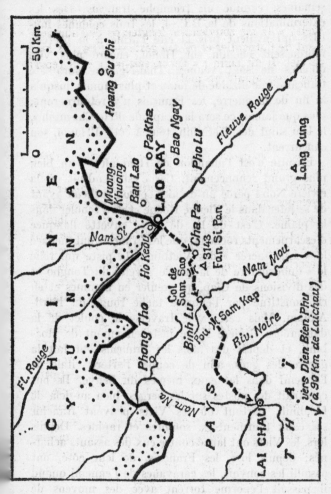

L'ÉVACUATION DE LAOKAY

semaines, comme un triomphe français. Dès les
exterminations de la R.C. 4, les trois colonnes inutiles qui avaient pris la cité l'arme à la bretelle
rebroussent chemin sur Hanoï, encore plus vite
qu'elles ne sont venues. Thai-Nguyen aura été
française une dizaine de jours et plus jamais, jusqu'à
la fin de la guerre, les Français n'y retourneront;
plus que jamais ce sera la « capitale d'Ho Chi-minh »,
le lieu saint des Vietminh, tout à côté d'Hanoï, son
concurrent.

Ensuite c'est l'abandon de Hoabinh — un bien
plus grand renoncement. Car c'est l'endroit où la
rivière Noire perce un dernier éperon rocheux avant
de se jeter dans le Fleuve Rouge et de s'écouler dans
la plaine. C'est de là, de cette cuvette flanquée
d'escarpements rocheux, que les Français ont menacé
la « voie sacrée » des Vietminh, la piste qui relie
le « quadrilatère de la jungle », celui du Tongbo et
des divisions de Giap, au grenier en hommes et en
riz constitué par l'énorme tache rouge du Nord-
Annam. Mais cette voie traverse le goulet de la
dangereuse Rivière Noire juste en amont de Hoabinh, et depuis des mois les Français ont fait la
guerre des gués, afin de couper l'artère vitale de
l'ennemi dans les eaux mêmes du fleuve. Ils ont
construit des postes sur les berges, bien au-delà de
Hoabinh, partout où les Viets peuvent franchir
ses eaux tourmentées, sombres et rapides. Depuis
lors, les Viets ont lancé contre eux des assauts acharnés; depuis lors, les Français, de leur côté, ont
assailli les convois, les caravanes de l'ennemi quand
il passait l'énorme torrent avec des moyens de
fortune — souvent des troncs de bananiers. Combien

de soldats viets, combien de coolies viets ont été tués par des balles ou emportés par le courant de la rivière magnifique et sinistre.

Être à Hoabinh, c'était étrangler les Viets, les juguler. L'abandonner, c'est leur rendre leur entière liberté de mouvement : désormais, non seulement ils sont assurés de leur « logistique », mais ils pourront faire manœuvrer leurs divisions tout autour du delta, dans une sorte de cache-cache, pour l'attaque de ce mouchoir de poche. Les Français s'enferment dans ce delta comme dans une coquille, et les Viets autour font ce qu'ils veulent.

Mais surtout c'est, après l'évacuation de Langson et de la grande porte de Chine, celle de Laokay — la petite porte, sur l'autre flanc du Tonkin, face au Yunnan. Désormais, tous les axes d'invasion sont aux mains des Viets. Laokay perdu, la vallée du Fleuve Rouge, cet immense sillon tout droit qui perce les montagnes, est également à eux. Cela leur donne de nouvelles, d'immenses possibilités — l'opportunité de faire simultanément ou alternativement deux guerres à la fois, l'une dans la jungle, l'autre dans la plaine. Et c'en est une de trop pour les Français.

La chute de Langson a donné aux Viets les clefs du delta — désormais les divisions de Giap peuvent se ruer sur Hanoï, émerger des montagnes de la R.C. 4 pour une offensive frontale contre ses rizières et ses fourmilières humaines. Mais, avec Laokay, c'est l'immensité même de la jungle — la jungle sans fin — qui leur est ouverte. Dorénavant les Viets peuvent se lancer contre les pays thaï et leurs roitelets alliés aux Français, contre le Laos et la cité

royale de Luang-Prabang aux pagodes sacrées, et
même au-delà, bien au-delà, par-delà le Mékong,
contre le Siam et tout le Sud-Est asiatique. Il n'y a
plus de limites, rien pour les arrêter dans leur che-
minement à travers les forêts et les montagnes qui les
mèneront, après des centaines, des milliers de kilomètres, au cœur stratégique de l'Asie.

C'est là le fait capital : les Vietminh feront deux
guerres — celle de la rizière dans l'éternel delta et
celle de la grande jungle, par l'écoulement infini
des colonnes, allant toujours plus loin sans que les
Français aient un moyen de les bloquer. Tout
d'abord Giap fera tantôt l'une et tantôt l'autre;
et l'heure de la défaite française sonnera quand il
sera assez fort pour recourir aux deux à la fois.

Tout d'abord le Commandement français a hésité
à sacrifier Laokay. Que de tergiversations! Mais
comment défendre ce « hérisson » qui est à plus de
trois cents kilomètres — et cela quand il faut faire
feu de tout bois, rassembler tout ce qui est valide,
tout ce qui est disponible dans le Corps Expéditionnaire pour le delta? Fin octobre, la décision pour
Laokay est prise.

Alors c'est, en plus du drame de la guerre, le
drame de l'obéissance militaire chez les officiers et
les soldats de la garnison — ils ne veulent pas partir.
Depuis des années, ils ont résisté à toutes les offensives vietminh bien qu'ils fussent si peu nombreux —
simplement grâce à la fidélité des peuples de la montagne. Le « patron » à Laokay est le colonel Coste.
Il m'a toujours donné l'impression d'un héros à la
Vigny, du chef à l'énergie de fer, mais trop conscient,
et qui se demande parfois si cela vaut la peine. C'est

la distinction même, toute de réserve et d'affabilité
lointaine — un grand corps sec mais un visage aux
traits fins, avec de la mélancolie dans les yeux bleus,
dans la voix, dans toute sa personne. L'homme est
taciturne et charmeur — avec cette délicatesse de
l'orgueil qui aboutit à la modestie.

Coste engage avec Hanoï un long dialogue par
câbles. A la vérité, Alessandri voudrait qu'on tienne
Laokay, qu'on se batte pour la cité — mais Carpentier lui ordonne d'évacuer, et désormais il a peur de
Carpentier, il ne l'affronte plus, directement ou indirectement. Quand Coste lui télégraphie : « Nous
pouvons résister », il lui fait répondre : « Il faut
partir — faites une colonne vers les pays thai. »
Alors Coste se rebelle presque par cette réponse
officielle : « Nous trahissons tous ceux qui ont eu
confiance en nous; après notre départ, les têtes vont
voler. » Hanoï répète seulement : « Il faut partir. »

Déjà la bataille se rapproche de la cité. Deux régiments vietminh, de ceux dressés à la chinoise, sont
signalés tout près. Il n'y a guère plus d'un bataillon
dans Laokay — et il est marocain. Alors recommence
encore une fois, dans ces confins de la Chine, le processus de l'exode, de l'évacuation, toujours le même.
C'est le pont aérien des Junkers et des Dakotas qui
emportent le matériel, les malades, et aussi des
femmes et des enfants. Il faut encore transporter
un gros stock d'opium, des tonnes. Et le pilote qui
embarque la drogue — c'est le fameux Fontange —
s'écrie : « Je suis un salaud. Mes chefs sont des
salauds. Car au lieu de sauver des gens, on sauve
d'abord du poison. » Quant aux civils qui peuvent

marcher, on les forme en deux colonnes qui s'en vont
sur les pistes, sans protection, vers la cité paradi-
siaque de Phongto, la capitale du vieux Seigneur Deo
Van-ahn. Tout se fait selon la mathématique inexorable de ces évacuations dont on commence à avoir
la technique.

Pendant que les «inutiles» de Laokay disparaissent,
arrivent les garnisons des postes avancés, comme
Pakha, comme Hoang-Su-Phy, si profondément
engagés dans la jungle et où l'on s'est déjà tellement battu. A Hoang-Su-Phy, le chef de poste, le
capitaine de B... dit, la honte au cœur, à Chao
Quan-lo, le terrible allié, le chef des Mans de Muong-
Khuong : « Nous partons. Venez avec nous. Emme-
nez votre peuple. » Chao Quan-lo le borgne répond :
« La France avait promis de ne jamais nous laisser.
Elle nous laisse. Allez-vous-en. Mais moi je reste —
et mon peuple restera. Car c'est ici notre terre. Contre
les Viets, nous continuerons seuls la guerre sans
pitié — jusqu'à ce que je sois tué, jusqu'à ce que tout
mon peuple soit massacré. »

C'est vainement que le capitaine de B... supplie
toute une nuit Chao Quand-lo de partir — celui-ci
reste inébranlable. Comme un dernier service, il
sauve la garnison française. Car déjà Hoang-Su-
Phy est entouré de partout par les Viets, et c'est le
vieux chef lui-même qui guide la colonne française
par une piste secrète, qui d'ailleurs empiète sur la
Chine. Quand il n'y a plus de danger, le capitaine et
le seigneur man s'étreignent en pleurant — le Man
retourne à ses montagnes et à son fief. Et, deux ans
encore, il mènera — comme il l'avait dit — une lutte
farouche contre les Viets, il sera insaisissable dans

ses jungles et ses repaires. Des avions français iront lui parachuter des armes et des munitions. Et puis plus personne n'entendra parler de Chao Quan-lo et de son peuple. Car, au début de 1952, les Viets impuissants demandent l'aide des Chinois pour en venir à bout — et des dizaines de milliers de soldats de Mao Tsé-toung se répandront sur la région de Muong-Khuong; et c'est cette avalanche qui finira par anéantir Chao Quand-lo et ses hommes.

Il ne reste plus que l'acte final : quitter Laokay. La vraie difficulté de l'évacuation, c'est le choix du moment — il faut partir le plus tard possible sans que cela soit trop tard. Car il y a un moment nécessaire, un horaire juste qui doit être respecté à l'heure près. Trop tard, à Caobang, ce fut l'anéantissement. Trop tôt, à Langson, et ce fut la honte. Le Haut Commandement, après ces malheurs, n'ose plus donner lui-même le signal. C'est donc à Coste de décider. Seul il a l'immense responsabilité de dire : « C'est maintenant. » A Hanoï, on a peur qu'il ne prenne trop de risques dans ce pari, car c'en est un et même de la plus terrible sorte. Alors, de là-bas, on multiplie les recommandations, on ne cesse de lui câbler : « Sachez que le salut de vos troupes est le premier devoir. Surtout allez-vous-en à temps. La moindre erreur d'appréciation peut être fatale. » Il y a le danger de l'assaut massif contre Laokay; plus encore, il y a le danger que les Viets ne se soient mis sur la piste de la retraite, pour une embuscade d'anéantissement. C'est une question de vie ou de mort, pour la garnison, de ne pas être devancée. Et tout cela se passe dans la jungle, et Coste ne sait rien — il doit pourtant deviner le juste moment.

Les Viets s'amassent devant Laokay, ils prennent position, ils tiennent l'aérodrome sous le feu de leurs armes. Les avions ne peuvent plus atterrir. Mais, étrangement, dans leurs attaques, ils montrent une sorte de mollesse et cela incite la garnison, plus que jamais, à demeurer encore. Mais n'est-ce pas une ruse pour la fixer dans Laokay, le temps que d'autres troupes de Giap aillent couper la piste de repli? Quoi qu'il en soit, le 31 octobre, les Français déclenchent une contre-offensive et, après des corps à corps, repoussent les Viets de quelques kilomètres. L'aérodrome est dégagé — ils retirent la croix blanche, faite de morceaux de toile posés sur le terrain, qui signifiait l'interdiction aux appareils de se poser. Aussitôt un Junker atterrit pour charger, en quelques minutes fiévreuses, les blessés des derniers combats. Après ce succès, Coste dit hautement à Hanoï : « Il n'est plus question d'évacuer. On peut continuer la défense. » A Hanoï, le soir même, les généraux sont en plein débat, ils sont placés devant ce choix : faut-il profiter de l'amélioration récente à Laokay pour consolider la place et la garder, ou au contraire pour l'évacuer brusquement, avec le maximum de chances? Finalement rien n'est résolu, la décision est laissée à Coste, à sa charge, à sa responsabilité.

Et c'est au milieu de ces atermoiements, quand Hanoï ne se prononce pas, quand Coste est plus seul que jamais face à lui-même, qu'un renseignement décide de tout. On apprend à Laokay que les régiments vietminh, en étroites et longues files, sont en train de cheminer par les sentes qui longent la berge sud du Fleuve Rouge encore en crue. Ils ont donc franchi l'immense obstacle de ce kilomètre d'eaux, ils se ruent à marche forcée pour arriver au lieu de la mise à mort des Français, à l'endroit choisi pour l'exécution en masse : il leur faut être avant eux sur les premiers contreforts des montagnes thai, là où doit se faire la liquidation. Il s'agit du débordement classique, celui qui doit aboutir à l'embuscade où quelques milliers de Viets cachés dans la jungle se précipiteront sur la caravane française longuement étirée sur sa piste.

Tout cela c'est de l'information sûre, apportée par les partisans aux écoutes, aux aguets dans la forêt. Ce n'est pas une fièvre de l'imagination, comme à Langson. Coste donne donc l'ordre du repli. Ce qui va commencer, c'est une course pour la vie qui va se jouer à quelques heures, à quelques minutes près. Les Viets sont partis avec une journée d'avance, mais ils ont démarré de plus loin, ils ont une cinquantaine de kilomètres de plus à faire. Les chances sont égales, terriblement justes de part et d'autre.

A l'aube du mercredi, les soldats de Mao Tsétoung, de leur fort d'Hokeou qui surplombe (autrefois ce fort chinois s'appelait le fort Joffre), voient, au milieu des incendies des destructions, la colonne française se glisser hors de Laokay. Le décrochage se fait bien — d'ailleurs, en prévision, Coste avait à l'avance installé des éléments de protection aux endroits dangereux de la piste. D'abord, c'est la marche dans la vallée du Fleuve Rouge, écrasée de végétation. Puis c'est la longue escalade des massifs vers Chapa, depuis les fourrés épineux du bas jusqu'aux pins des sommets. A l'arrière-plan se dresse la masse énorme du Fan-Si-Pan, la mon-

tagne sacrée ruisselante de cascades et de torrents.
Quelques coups de feu sortent des murs de la jungle,
entre lesquels la colonne se faufile : soudain celle-ci
apprend que le gros des Viets est sur ses arrières, à
moins d'une demi-heure. Alors commence la grande
traque. Il n'est pas possible aux hommes épuisés de
s'arrêter, il leur faut avancer plus désespérément que
jamais — mais l'ennemi se rapproche, gagne du
terrain minute après minute. Chapa, l'ancienne sta-
tion climatique, est laissé derrière. Sans arrêt, de
jour et de nuit, les Français doivent poursuivre leur
marche forcée vers les crêtes formidables qui séparent le bassin du Fleuve Rouge de celui de la Rivière
Noire.

Le plan de Coste, c'est de faire face au bon endroit,
de repousser l'assaut viet au col de Sam-Sao — une
ravine tout en haut d'un énorme massif, entre des
éboulis de calcaires. Mais les Viets ne donnent pas le
temps aux Français de se mettre en position de
défense : deux minutes après que le bataillon épuisé
soit arrivé, ils s'élancent à l'attaque selon les techniques les plus modernes. Les assaillants chargent par
petits groupes munis des outils de travail des commandos — des grenades, des mitraillettes, des fusils-
mitrailleurs. Pendant ce temps, d'autres, s'infiltrant
au-dessus du col, tirent de flanc avec des mitrailleuses. A cela s'ajoutent des obus de mortiers venus
d'on ne sait où, qui tombent en gerbes denses et précises. Après plusieurs heures de combat, le bataillon
marocain a épuisé ses munitions, il lui faut reprendre
la fuite. Le col de Sam-Sao est forcé par l'ennemi —
les pays thai lui sont désormais ouverts.

Les Viets pourchassent la colonne. C'est une

retraite hallucinante. La tempête empêche les avions
de parachuter, et tout manque, les vivres, les munitions. Des groupes vietminh se sont glissés sur les
devants et attaquent les flancs du convoi qui s'écoule
— convoi talonné à l'arrière par la masse principale de l'ennemi. C'est un effort physique terrible. Cela se passe dans la montagne la plus sauvage,
rendue encore plus déprimante par la boue et la
pluie — les sentiers ne sont que des éraflures sur les
pentes couvertes de jungle. Il y a des sentiers-esca-
liers qui dégringolent au fond de vallées pourries de
marécages, d'autres qui ramènent sur des sommets
fleuris de lis. Un Français de cet exode m'a dit
ensuite : « C'était comme si on était sur des dents de
scie — chaque dent ayant deux kilomètres de haut. »
Enfin, après bien des jours, la colonne se trouve
sauvée, à l'abri — elle est arrivée derrière les crêtes
du Pou-San-Kap, tenues par l'armée de Deo-Van-
long, le despote de Laichau. Les Viets, manquant
à leur tour de munitions et de vivres, renoncent enfin.
Leur logistique faite de coolies a craqué. Et c'est
ainsi que leur proie leur a échappé.

Pour les Français, cette évacuation à chaud et
qui est une réussite est presque une victoire. En fait
c'est quand même une défaite — même si elle est
honorable. Car la poursuite a amené les Viets presque au cœur des pays thai, et cette fois il ne s'agit
pas de guérilleros, mais des réguliers même de Giap.
Ils se sont emparés de Phongto et de Binhlu au-delà
des premiers cols, ils se maintiennent même devant le
Pou-San-Kap, cette chaîne qui enserre Baichau, la
cité-mère des Thai.

C'est ainsi que pour les Français commence une

nouvelle grande guerre de jungle. Les débuts sont
bien obscurs. Et c'est pourtant cette guerre qui,
après d'incroyables péripéties, des confrontations
acharnées — le duel des paras et des légionnaires
contre les réguliers — culminera tragiquement à
Dien Bien Phu. Ce sera alors la plus gigantesque
bataille où les élites des deux armées, celle des
Blancs et celle des Jaunes, s'extermineront là où
cela ne paraît même pas possible, dans le fond des
jungles, loin de tout, d'absolument tout. Ce sera
la plus grande bataille de jungle de l'histoire mondiale.

On n'en est pas là. Mais déjà prend forme la guerre
future — celle au sein des immensités vertes. Il ne
s'agit pas seulement, comme sur la R.C. 4, de faire
passer des convois par une route, — jusqu'au jour
où on ne le peut plus et où on se retire catastrophi-
quement. Dorénavant, c'est la mêlée au sein de la
nature même : les colonnes françaises marchant sur
les pistes ne seront reliées au monde qu'au moyen
de quelques aérodromes. On va recommencer, à
l'échelle de l'Indochine, ce que furent les campagnes
anglaises de Wingate en Birmanie, au-delà des lignes
japonaises, lors de la dernière guerre mondiale.
Ce sera une entreprise incommensurable. Les troupes
engagées, pour être ravitaillées, pour être guidées,
pour être protégées, n'auront que des appareils
partis du delta et qui devront, en des vols périlleux,
surmonter tous les dangers des moussons et de la
nature. Serons-nous capables de faire cette guerre
de jungle? Mais alors on ne se pose pas encore la
question, on ne pense même pas à avoir la puissante
aviation qu'il faudrait.

Quoi qu'il en soit, je vais à Laichau, pour voir. Ce que j'aperçois d'abord, c'est Deo Van-ahn qui a fui sa cité de Phongto envahie par les Viets — il est en train de débarquer de sa pirogue royale, qui l'a amené à travers les rapides de la Rivière Noire. Il est toujours aussi digne avec son visage plissé, ses moustaches blanches recourbées vers le sol et sa calotte noire. Pauvre homme! il me sourit tristement. Son Phongto est en cendres et son peuple s'est enfui dans les montagnes. La grande peur a déferlé avant même l'arrivée des Viets, quand un homme échappé de Laokay occupé a raconté ce qu'ils avaient fait là-bas : il paraît que, à peine les Français disparus, des commandos rouges spéciaux se sont rués sur la ville et ont massacré au hasard. Deo Van-ahn me dit lugubrement que les communistes veulent abattre la résistance des Thai par la terreur.

Mais les malheurs de Deo Van-ahn n'affectent nullement son cousin Deo Van-long, le despote de Laichau : celui-ci est même plutôt content. Il est en plein branle-bas de combat, en pleine exaltation guerrière. Son ardeur s'est surtout accrue quand, venant d'au-delà des murailles rocheuses qui barrent le ciel, des avions ont surgi, sont descendus en vrille jusqu'au fond du gouffre de Laichau, apportant une quantité infinie d'armes et de munitions — bien plus que le redoutable personnage n'avait jamais espéré. Même Pignon, le Haut-Commissaire, amène des fusils dans son Dakota. Mais lorsqu'il prodigue aussi de bonnes paroles et des encouragements, Deo Van-long est très à l'aise pour lui dire : « Ce n'est pas assez. Procurez-moi en plus quelques dizaines de mitrailleuses et de mortiers, et je me charge de tout. Il me faudrait aussi davantage d'argent, pour que je puisse faire ma mobilisation générale. » En fait, une grande partie de tout le matériel, de toutes les piastres qu'on lui fournit par voie aérienne va directement dans son « yamen », pour agrandir sa réserve personnelle. Le reste seulement est chargé sur des caravanes de petits chevaux jusqu'au « front » — jusqu'à la crête du Pou-San-Kap. Tout cela est donc plutôt une « bonne affaire » pour Deo Van-long, qui accroît sa richesse et sa puissance.

Les Thai sont d'ailleurs sûrs d'écraser les Viets. Ils ne connaissent en effet que les guérillas et ne se rendent aucunement compte de ce que sont les bataillons réguliers de Giap, de leur terrible puissance. Mais, moi, je pense alors que si les Viets continuent de s'amasser et lancent une véritable offensive de jungle, ce sera la débâcle. Les Français, bien qu'ils parlent souvent de Wingate, sont encore moins prêts pour la forêt que pour la rizière. Ils n'ont pas, à ce moment, de troupes spécialisées pour le « choc » sur les pistes — ils s'attendaient si peu à cette forme de guerre! Dans les pays thai, ils en sont réduits à opposer le tyranneau Deo Van-long à Giap.

Mais l'alerte à Laichau ne dure que quelques jours. Ce n'est pas là que l'orage gronde — c'est sur le delta, c'est contre le delta. Le temps n'est pas encore venu pour les Viets de disperser leurs armées à travers l'Indochine, son immensité, ses jungles, en un « kriegspiel » compliqué. Tout d'abord, Giap veut frapper le grand coup, il veut frapper mortellement, au cœur, de façon à tout finir en une fois — il veut prendre Hanoï.

LA MENACE CONTRE LE DELTA

A partir du début de novembre, les Français ont une certitude : les Viets font une méticuleuse, une inexorable mise en place tout autour du delta, pour le grand assaut. Ils en sont sûrs, car désormais ils savent comment opèrent les Viets, par quel lent processus — un processus d'insectes — ils se préparent pour l'action soudaine et décisive. Et chaque jour cela se précise, cela prend forme, cela se bâtit.

C'est toujours pareil — et pourtant on n'y peut rien, absolument rien. On ne voit que le néant — tout juste repère-t-on certains signes vagues sur lesquels le Deuxième Bureau cogite vainement. On est réduit aux hypothèses. C'est l'impuissance. Et pourtant on sait qu'un jour cela « explosera » et que peut-être on ne pourra rien, qu'on sera surpris quand même. Et cette montée du danger sûr et terrible — mais d'un danger qui se déclenchera comme un mystère, on ne sait quand, on ne sait où — crée dans tous les cœurs l'angoisse. C'est la période de l'attente terrible.

Cette inconnue est d'autant plus impressionnante que les préparatifs sont identiques, toujours rigoureusement identiques. Autrefois, dans le temps de l'insouciance, on n'en faisait pas cas, on les traitait par le mépris. Maintenant qu'on en connaît l'aboutissement implacable, tout le Corps Expéditionnaire — les états-majors, les officiers, les troupes — subit un complexe d'infériorité. Il a peur. Que pourra-t-il faire face à l'avalanche rouge !

Les semaines passent, sans rien. Mais chacun se

dit que, dans les jungles montagneuses du Haut-
Tonkin, la multitude des coolies est en train d'apporter des charges accablantes jusqu'à la lisière de la
plaine. Il y en a cent mille, deux cent mille, autant
qu'il en faut — le nombre ne compte pas, n'a pas
d'importance. Ces créatures de somme — bêtes invisibles — marchent de jour et de nuit sous le camouflage impénétrable de la forêt, par les sentes innombrables et les routes conquises. Les Viets n'ont encore
que peu de camions et c'est le coolie qui demeure
l'instrument de transport, selon la méthode lente
et sûre des années passées. Qu'importe le temps?
Tout se fait, tout aboutira à ce que Giap veut, au
moment voulu. Jusque-là il n'y a rien — rien que
ces fourmis humaines anonymes, dont on sait seulement qu'elles apportent les fournitures chinoises
depuis la frontière jusqu'aux bases de départ, incon-
nues, de l'offensive future. Cela a la rigueur d'un
mécanisme. Au fur et à mesure qu'arrivent les colonnes
d'hommes de bât, c'est la prolifération des stocks de
vivres et de munitions sur les dernières collines de la
jungle, juste avant l'infinie platitude de la plaine.
Mais qui peut dire où? L'aviation, qui ne repère
rien, ne peut rien. Mais la pression s'accroît — elle
s'accroît constamment. Et l'on est aussi désarmé
contre ce qui va suivre — les prochaines étapes.
Quand les dépôts seront en place, ce seront les soldats
qui viendront à leur tour encercler le delta. Eux aussi
auront marché à la façon des coolies, soixante kilomètres par jour, dans le secret de la forêt, avec seulement leurs armes, des boules de riz et des feuilles
sur leurs casques. Eux, quand ils seront arrivés,
ils resteront dans la jungle, là où on ne les voit pas,

là où rien ne les menace, et cependant à portée du delta, du grouillement humain, de la proie superbe d'Hanoï. On n'ignore rien et on ignore tout — ils procéderont encore une fois à la répétition de ce qu'ils auront à faire le jour de l'offensive, chaque homme perfectionnant les gestes qu'il aura à accomplir, s'imprégnant des réflexes qu'il devra avoir, se conditionnant pour sa tâche. Les commissaires politiques « chaufferont » le moral, promettant la victoire mais disant qu'elle sera difficile, qu'il faudra que chacun sacrifie tout sans même réfléchir, automatiquement, grâce à l'enthousiasme et à l'amour de la patrie. Il y aura, entre les hommes de chaque unité comme entre les unités elles-mêmes, des concours de « volontariat » où les gagnants seront ceux qui seront prêts à se « dévouer » le plus, acceptant d'avance d'être des « morts-vivants ».

Ainsi l'Armée populaire de Giap s'amasse dans le secret du monde communiste d'autant plus impénétrable qu'il s'installe dans le secret de la jungle. Par tous les moyens cependant, les Français essaient d'arracher à ce monde quelque bribes, quelques renseignements d'ordre stratégique, mais ils arrivent peu à y « mordre ». Des avions vont photographier, mais les développements ne montrent que la couche uniforme de la forêt. Des patrouilles vont en reconnaissance, mais elles ne pénètrent pas assez loin, là où il faudrait, car ce serait leur destruction. Et si jamais on fait quelques prisonniers dans ces raids, même s'ils parlent, ils ne savent rien, pas même le nom de leurs officiers, le numéro de leur unité. Souvent cette ignorance est réelle, de bonne foi, car dans l'Armée viet, rien n'a de nom — et s'il y en a un,

il est faux, artificiel, changeant. Évidemment,
comme toujours, les deuxièmes bureaux « achètent »
des informations à leurs agents, cet éternel petit
monde. Mais comme il est difficile de vérifier, de
recouper leur marchandise, leurs prétendus « tuyaux » :
même s'ils sont vrais, ils ne servent pas à grand-
chose, car on n'a pas confiance, on n'ose pas faire
confiance. On se méfie d'autant plus qu'on est
persuadé que certains de ces informateurs professionnels — mais on ignore lesquels — travaillent pour
les Viets, répétant ce qu'on leur a prescrit de dire,
du faux ou plutôt un tout petit peu de vrai avec
beaucoup de faux. Il y a même eu, paraît-il, une
cellule vietminh d'agents de renseignements français.

C'est le grand jeu de l'intoxication. Tout le problème, pour les Français, c'est de deviner où les Viets
attaqueront; pour les Viets, c'est de ne pas le laisser
deviner. Le Corps Expéditionnaire est comme l'aveugle du colin-maillard, tendant les bras pour attraper
quelque chose, un soupçon de vérité. Il est au centre,
dans le delta, bien connu, bien vu des Viets qui font
cercle autour de lui, à la limite des jungles — mais
cachés, inconnus, insaisissables. En réalité, les Français veulent tellement savoir que les Viets, au lieu
de les laisser tâtonner, préfèrent leur donner de la
pâture. Toute leur subtilité, c'est d'arriver à leur
faire parvenir, sans qu'ils s'en doutent, des informations suffisamment trompeuses et tronquées pour
lancer au jour J leur véritable offensive juste là où
les Français ne l'attendent pas. C'est infiniment
complexe. Pour égarer davantage le Deuxième
Bureau, les divisions de Giap — ou des éléments
choisis à cet effet — se livrent à toutes sortes de

ruses, de manœuvres, de fausses marches, de fausses concentrations.

Et tout cela, les vrais préparatifs et les faux-semblants, dure des jours, des semaines, des mois, dans une tension croissante, jusqu'à ce que les Viets soient prêts et qu'ils « se révèlent » par leurs coups, par la ruée de la mise à mort.

Cependant, fin novembre, ce que les Français connaissent, le peu qu'ils savent, est suffisamment effrayant. Déjà, Giap a rassemblé le gros de ses moyens. Une centaine de bataillons sont à pied d'œuvre. Il y a trois concentrations principales, une pour chaque côté de ce triangle qu'est le delta.

La menace la plus mortelle est plein nord, à une quarantaine de kilomètres de Hanoï seulement, là où les routes de Langson et de Caobang débouchent dans la plaine. Dans cette direction, le pays viet arrive tout près de la capitale : des boulevards et des rues de la ville, on aperçoit les contreforts où s'amassent les troupes qui veulent la prendre. Et ce sont les unités victorieuses de la frontière, les divisions de fer de Giap : leur mission, c'est le choc, la ruée courte et violente, la percée décisive jusqu'au cœur de la cité.

Une menace presque aussi grave vient de l'ouest, de la tête du delta, de ce carrefour d'eaux où le Fleuve Rouge reçoit presque au même endroit la Rivière Claire d'un côté, la Rivière Noire de l'autre. Ce confluent est dominé par deux énormes sentinelles, deux massifs abrupts à l'orée de la plaine — le Tam Dao et le Bavi. C'est dans ces escarpements qu'est cachée la seconde concentration. Celle-là est formée

par les troupes qui opéraient dans la Moyenne Région
tonkinoise, qui avaient pris Laokay, qui avaient
fait la guerre des gués de la Rivière Noire. Quand
Coste avec son bataillon marocain se fut échappé,
le gros des poursuivants, au lieu de continuer sur
Laichau et le Laos, était revenu en arrière pour le
grand objectif, pour Hanoï. Là aussi, la cité n'est
qu'à une quarantaine de kilomètres et, pour y arriver, il suffit de suivre le Fleuve Rouge qui s'étale
dans le delta.

En somme tout se passe comme si Giap voulait
prendre Hanoï dans un mouvement de pince, les deux
concentrations — celle du nord et celle de l'ouest —
étant prêtes à se refermer sur la proie magnifique et
si proche.

Toute différente est la troisième concentration, la
méridionale. Elle n'est pas faite pour le coup de
grâce, mais pour la subversion. Qu'on regarde le
delta : tout ce qui est immédiatement vital est au
nord. C'est Hanoï, c'est la route de Hanoï à Haiphong, c'est Haiphong. Par contre le Sud se présente comme un monstrueux appendice. Stratégi-
quement moins important, c'est pourtant là qu'est
le gros des hommes, la plus grande densité mondiale
de population au kilomètre carré, la principale misère.
C'est l'Asie des nha-qués — opposée à la frange du
Nord, qui est celle des villes, de l'économie euro-
péenne, de la présence blanche. C'est dans ce Sud,
en amont d'Hanoï, que va se perdre l'immense
Fleuve Rouge qui, six mois de l'année, transforme
la nature en une gigantesque inondation d'eaux jau-
nâtres. Dans ce Sud, tout est favorable aux Viets —
l'éloignement relatif, le manque de routes, la dualité

de la terre et de l'eau, l'accumulation humaine, la pauvreté, la famine, le ferment traditionnel de révolte. Mais ce n'est pas là qu'on peut emporter la décision; on peut simplement y aider, et beaucoup, par des méthodes appropriées.

Cette géographie physique et humaine s'est imposée à Giap pour ses plans. Alors que les armées du Nord et de l'Ouest vont frapper les Français dans leurs œuvres vives, celle du Sud aura à se répandre dans les rizières, à dominer les nha-qués, à s'emparer de la masse. Pour cela, elle fera un travail très spécial, elle aura une tactique particulière : ce sera le pourrissement en grand, sur une échelle jamais vue.

A cela serviront les forces venues du Nord-Annam rouge : mal armées, n'ayant pas stationné en Chine, elles sont redoutables parce que particulièrement proches du peuple. Leur repaire est le massif de Chiné — un des plus romantiques paysages d'Indochine. Une rocaille tourmentée, une baie d'Along terrestre pleine de grottes et de pagodes, qui au sud coupe à pic la platitude du delta : nappe boueuse ou étendue de riz, selon les saisons. Là, la concentration est juste au-dessus de la plaine; elle n'a qu'à descendre, à traverser la rivière du Day, et elle est en plein dans la fourmilière.

C'est par là que commence la nouvelle guerre. Pendant que les réguliers venus de Chine se mettent en place autour d'Hanoï, les semi-réguliers du Nord-Annam se glissent dans les rizières. Avant d'attaquer de front le delta, Giap le noyaute. Ce qui se passe auprès de Namdinh et de Thaibinh ressemble à la guérilla, mais en beaucoup plus important, avec des bataillons, des régiments entiers. Les communiqués français parlent seulement d'infiltrations : en fait, devant les Viets venus de Chiné, sautent toutes les mailles de la domination française. Les notables sont tués, les routes sont coupées, et même les postes sont enlevés. Dans le delta pacifié, tout s'écroule à la fois — on ne sait comment arrêter la propagation du mal terrible et invisible. On n'a pas de prise. On ne voit pas l'adversaire. Pourtant, il suffit que quelques soldats de Giap, en uniformes ou non, arrivent dans un village pour que tout ce qui était caché, terré, surgisse de partout : les agents, les comités, les commissaires politiques, les association de toutes sortes, les messagers, les ravitailleurs, les guérilleros, les tueurs, les troupes populaires provinciales, les troupes populaires régionales. En quelques jours, tout l'appareil vietminh est à nouveau en place dans le Sud du delta, toute la population appartient à nouveau à Ho Chi-minh. La marque de cette reprise totale, son symptôme, c'est l'apparition du « village fortifié » — le village qui est devenu une citadelle rouge avec ses murailles de terre, ses emplacements d'armes automatiques, son labyrinthe de souterrains.

Le premier poste tombé s'appelle Hoi-Tung : il est tenu par une garnison vietnamienne, commandé par un lieutenant vietnamien à peine revenu d'une école militaire en France. C'est un poste très avancé, sur ce que l'on désigne comme « la ligne du Day », face à la base ennemie de Chiné. Cinq bataillons l'attaquent, des bazookas le criblent. Il n'y a plus d'espoir. L'officier vietnamien est blessé. Il donne l'ordre à ses hommes de ramper à la tombée de la nuit, à travers les Vietminh, jusqu'à l'unité française la plus proche — et, cela fait, il se suicide.

Contre les bataillons viets de l'infiltration, le Commandement fait le premier « grand nettoyage » dans le delta — mais c'est de la vraie guerre, massive, lourdement militaire, qui se pratique au sein même des masses, contre elles. Rien de commun avec ce qu'on avait connu auparavant, les triages, les ratissages comme il y en avait tant eu en Cochinchine, et qui n'étaient encore que de l'action policière. Là, c'est vraiment l'Armée contre le peuple — l'Armée lourde et massive faisant des « opérations combinées » avec toute sa puissance de feu, avec ce qu'il faut pour écraser par le matériel. Chaque fois, on met en œuvre des milliers de soldats durs, des sticks de parachutistes, des engins amphibies appelés crabes, des colonnes d'artillerie, des « mouchards » et des chasseurs. Le but, c'est de reprendre les villages fortifiés où se sont retranchés les réguliers, à même la masse. La tactique, en théorie, est simple. C'est d'abord de tout écraser sous les canons de l'artillerie ou des bâtiments de marine. C'est d'envoyer à travers les rizières les engins amphibies — ils sont suivis par les fantassins qui donnent l'assaut aux agglomérations. En cas de résistance, les chasseurs interviennent.

Tout paraît aisé, un peu sinistrement simple. Ça ne l'est pas. C'est lugubre, mais de morne difficulté, de monotone cruauté. Car ces réguliers mêlés au peuple, on n'en viendra jamais à bout — ils sont indestructibles. Pour les détruire quand même, on fera, dans les années suivantes, des milliers d' « opérations combinées », en inventant toute une gamme d' « astuces ». Le résultat, ce sera d'anéantir chaque

semaine, chaque mois, des milliers de nha-qués.
On fera vivre jour après jour, indéfiniment, des millions d'hommes, de femmes et d'enfants, dans la
terreur, sous la menace de la mort, sous les bombes :
et c'est ainsi qu'ils haïront les Français, qu'ils
s'amalgameront définitivement aux réguliers. Ce
sera la défaite psychologique. Et pour aboutir à
cela on perdra des hommes sur les diguettes et dans
la boue — car ce sera sanglant, terriblement, pour le
Corps Expéditionnaire.

LA MORT DANS LA RIZIÈRE

Ce qu'est vraiment la guerre du delta, je l'ai appris
à Hanoï au *Paramount,* un dancing installé par un
Chinois dans un ancien magasin à prix unique.
Dans une salle de cent mètres de long, c'est un entassement de militaires, le mélange, par centaines, de
tous les grades, de tous les uniformes. Il n'y a presque pas de civils. Tout apparaît désespéré, depuis les
minables taxi-girls jusqu'au tonitruant orchestre
« argentin ». C'est l'endroit standard du plaisir pour
soldats : tables de bois blanc, abat-jour en papier,
violence des lumières et de la musique, le tout lugubre malgré des prétentions au luxe. Mais les hommes
qui sont là pour oublier la guerre qu'ils viennent de
vivre la revivent encore comme une nausée.

Les soldats boivent dans une gaieté de fièvre,
toutes leurs têtes se ressemblent dans la vulgarité
et la violence, également rougeâtres, suantes. Et
surtout ils parlent, ils discutent, rabâchant indéfiniment ce qui leur est arrivé. Même entre eux, ils

sont mauvais, prêts à la bagarre pour un mot. Dans d'autres groupes, ce sont de lourdes plaisanteries, des voix épaisses.

Il me semble être dans un abattoir. Les gens qui sont là savent qu'ils vont être tués, parce que rien n'est fait pour l'empêcher : d'avance, ils sont les victimes de la veulerie. Plus tard, au moment de Dien Bien Phu, ce sera une douleur fière et stoïque. Là, c'est un déchaînement de l'animalité — en réalité cette brutalité, vraie ou fausse, est la pire force de la démoralisation.

Je me case à une table de jeunes paras — j'en connais un. Ce sont presque des enfants. Ils ingurgitent du champagne et se trémoussent sur leurs chaises au rythme de la samba, en hommes désespérément seuls. La taipan — le chef des taxi-girls — propose des filles à cinquante piastres par heure de danse. Ils acceptent, et aussitôt arrivent des Chinoises de la dernière catégorie, laides et usées, avec des verrues sur les joues. Le para que je connais lève sa coupe : « A notre santé, ou plutôt à la santé de ces beautés — la nôtre est trop précaire. » Et il se penche sur moi pour me confier, à moitié ivre :

— On veut rigoler. On rentre d'opérations dans le Sud du delta. C'est la première fois que nous nous battons, moi et les copains de la compagnie. On vient à peine de débarquer en Indochine. Ça a duré quarante-cinq jours et on a perdu dix-neuf camarades. Le plus dur s'est passé dans les villages fortifiés — on était trois cents contre trois mille Viets. On a eu de la chance de n'avoir pas eu plus de casse.

Les paras de la table ne boivent plus. Ils sont pétrifiés par leurs souvenirs, et tous, pêle-mêle, comme malgré eux, racontent le combat :

— Il s'agissait apparemment de trois villages comme tous les autres — des plaques de verdure dans la plaine inondée. Un informateur a prévenu que les réguliers y étaient installés. On a reçu l'ordre d'aller voir. Pour arriver là, il fallait franchir un canal et parcourir plusieurs centaines de mètres de rizières. Il n'y a pas eu de préparation d'artillerie, car on ne peut amener de canons pour chaque fouille de villages. Des crabes étaient en avant de nous et nous pataugions derrière.

« Rien n'est plus impressionnant que de marcher comme ça, vulnérables et visibles, à travers la nappe d'eau, vers les villages tellement compacts et mystérieux, des blocs au-dessus de l'inondation. Et on ne sait jamais ce qu'on trouvera. Cette fois, à mi-distance, ça a été le déchaînement : des trois villages à la fois, d'apparence toujours aussi paisible et renfermée, on nous bombardait avec des mortiers. Ça faisait des petits geysers autour de nous. Nous avons été arrêtés net. En une seconde, nous nous sommes effondrés tous dans l'eau, sans savoir ceux qui avaient été touchés et ceux qui essayaient simplement de se protéger. Les crabes ont reflué. Pour nous, il était impossible de bouger; il fallait rester cachés, en s'arrangeant juste pour respirer. Les Viets continuaient à tirer. On a réclamé désespérément l'artillerie, mais elle était trop loin, hors de portée pour intervenir. Les canonniers ont mis un heure à rapprocher leurs pièces, à les pousser sur la route embourbée et coupée, complètement emportée, disparue par endroits.

« Alors qu'on amenait les pièces, la haie de bam-

bou du village le plus proche — cette haie impénétrable qui sert toujours de muraille d'enceinte —
s'est ouverte soudain. Elle s'est déchirée en quelques
instants, et c'était un phénomène extraordinaire de
la voir soulevée comme par une force incompréhen-
sible. Mais, par la brèche, plusieurs centaines de
Viets se sont rués sur les hommes de la première
compagnie, celle qui était en tête. Avec toutes nos
armes, nous tirions furieusement sur les Viets —
les crabes surtout faisaient un feu d'enfer. Beaucoup
étaient atteints. Il en tombait à chaque mètre,
aussitôt absorbés par la vase et l'eau, mais il en
restait toujours. Et ceux-là avançaient quand même,
silencieusement, à la façon de bêtes aquatiques.
On les a vus arriver jusqu'aux paras de la première
compagnie — il y a eu aussitôt de terribles corps à
corps dans la boue. On ne pouvait plus tirer, à cause
de l'emmêlement de ces Viets et de ces paras. La
situation empirait. Qu'arriverait-il si, des autres
villages, sortaient aussi des colonnes vietminh?
Ce serait notre encerclement et sans doute notre
destruction.

« C'est à ce moment que l'artillerie a tonné. Quelques minutes après vrombissaient des " Kingcobras ". Des fumées et des flammes ont couvert les
villages. Tout s'est terminé très vite. Les Viets aux
prises avec les hommes de la première compagnie
ont décroché tout à coup. Le temps qu'ils ont mis
à retourner au village-repaire, on les a matraqués
de toutes les façons, et un grand nombre d'entre eux
ont été encore tués. Quand les survivants sont arrivés à la haie, elle s'est bouchée derrière eux, tout
comme elle s'était ouverte deux heures auparavant,

aussi fantastiquement. Tout s'est calmé. Nous étions
trop faibles pour poursuivre l'ennemi, pour lui donner l'assaut, et nous sommes partis. Le lendemain,
on est revenus avec des renforts, toute une artillerie
et une aviation de protection. On a pénétré dans les
villages sans un coup de feu : ils étaient à moitié
détruits et complètement déserts. Les réguliers avaient
tranquillement décroché en emmenant la population
avec eux. Toute la journée, on a patrouillé dans la
région, mais en vain. »

Toute la Guerre d'Indochine est contenue dans ce
récit, et d'abord le fait qu'on n'arrive jamais à
« accrocher » les Viets, à les mettre dans la position
où on peut les tuer. Toujours, dans la complication
infinie de la manœuvre, quelque chose ne va pas —
c'est « le sac de nœuds » comme on dit. Ce peut être,
comme dans ce cas, l'artillerie qui est trop loin. Mais
souvent aussi c'est la chasse qui est clouée au sol
par la météo, un L.C.T. de la marine qui s'échoue
sur un banc de vase, les transmissions qui sont
brouillées, un bataillon qui fait une fausse manœuvre, une route qui est coupée, un renseignement
qui est faux. Et il suffit de cela, de ce rien, pour que
tout échoue : souvent, non seulement les Viets
s'échappent, mais ils profitent de l' « erreur » pour
nuire. Au milieu de la nature, dans la confusion des
mouvements, ils ont un sens extraordinaire pour
« voir » la faute, pour l'exploiter. Comment y arri-
vent-ils aussi sûrement, personne ne le sait. Et même
à supposer, par extraordinaire, qu'il n'y ait aucun
à-coup dans l'opération française, tout est lent,
infiniment trop lent. Les Viets se glissent, s'écoulent
comme ils veulent. Je me souviens de cette exclama-

tion d'un officier : « Nous pêchons le poisson vietminh avec des filets faits pour des baleines. »

A regarder ce delta du Tonkin, à voir cette nudité de l'eau et des rizières qui n'est rompue que par les taches concentrées des villages, on croirait que tout est facile. Et cependant tout est complexe, tout est impossible, sans solution. Des années, on essaiera en vain.

Cet automne-là, on commence à essayer! Car le Commandement veut liquider les « villages » fortifiés et s'appuyer sur un delta purifié, sain, sûr, pour recevoir le choc imminent des divisions régulières de Giap, campées plein nord, et chaque jour plus prêtes à se ruer sur Hanoï. En attendant, c'est la guerre systématique contre le « pourrissement » — une guerre qu'on présente comme la première grande offensive du Corps Expéditionnaire depuis les malheurs de la R.C. 4. Hélas! les résultats sont bien décevants. Car la carte « roséole » ne fait que s'étendre : c'est celle où l'on marque en rouge toutes les implantations vietminh, dans le delta. Et elles se propagent de proche en proche comme une épidémie : dans le vocabulaire militaire d'Indochine, la tache d'huile est réservée à la pacification française, la roséole au pourrissement vietminh. En quelques semaines, celui-ci a gagné tout le Sud du delta, s'est étendu à un tiers de sa superficie, à plus d'un tiers de sa population. Le mal se propage jusqu'aux abords d'Hanoï, jusqu'à sa banlieue méridionale. C'est ainsi qu'un assaut est lancé contre le poste de Nghia Ba Ta, à vingt-cinq kilomètres au sud de la cité. L'ouvrage a failli être pris — et ce n'est pourtant aucunement une cabane comme tant d'autres.

C'est ce qu'il y a de plus solide dans le delta, une sorte de château fort avec un peu de ciment et une garnison nombreuse.

J'y vais quelques heures après l'attaque, le matin qui suit la nuit terrible. Et là je vois que les Viets ont employé la technique de l' « assommage » — la même que celle utilisée contre les ouvrages de la R.C. 4. Désormais, pas plus dans la rizière que dans la jungle, il n'y a rien d'imprenable : c'est à Nghia Ba Ta qu'a commencé la grande épouvante des postes du delta; elle a duré cinq ans.

Ce que je trouve, c'est un chantier. Une foule de coolies assiège le poste pour le réparer — c'est presque de la même façon que la masse des Viets l'assiégea jusqu'à l'aube pour le démolir, avec la même densité propre à l'Asie. C'est le même acharnement du nombre à faire ce qui est prescrit. Maintenant cette plèbe gâche du plâtre, bouche des brèches énormes, travaille avec les mains et la truelle. Et je pense aux soldats des ténèbres, qui, aussi minutieusement, faisaient le nécessaire, collectivement, toujours, dans une tâche opposée. Tout cela se succède, sans qu'il semble y avoir de sentiments, juste la soumission des multitudes menées.

Ce matin, ce sont des centaines de coolies — il y a parmi eux des femmes et des enfants pris dans des villages — qui reconstruisent le poste avec leurs petits paniers — humbles, misérables créatures soumises au maréchal des logis André Bardou, le Blanc qui est à la fois le seigneur et le dieu. La nuit passée, c'étaient les réguliers et les guérilleros qui démolissaient aussi servilement, hommes devenus des choses devant le commissaire politique.

Ce que fait d'abord le maréchal des logis, c'est de m'exhiber quelques débris métalliques :

— Ce sont des fragments de la bombe volante que les Viets ont lancée contre nous, avec une rampe en bambou et un allumage électrique : du bricolage. Mais ce qui a fait mal, ce qui a percé le béton de soixante centimètres, ce sont les obus de huit kilos des S.K.Z. que les Viets fabriquent dans les grottes des monts de Chiné. C'est primitif comme des bombardes, mais il a suffi de quelques coups pour massacrer notre tour.

Je suis sur le toit-terrasse. Un arroyo enserré de digues tourne tout autour, sur trois côtés. Plus loin, c'est l'éternel paysage tonkinois — de la rizière se terminant sur un fond de montagnes. C'est la paix. Le poste est posé dans cette nature calme comme une boîte. C'est un carré aux murs de briques, avec dans un coin la masse en ciment de la tour, qu'on avait construite comme un réduit inexpugnable. A l'intérieur, une cour est à moitié occupée par le bâtiment-dortoir, percé de meurtrières, collé à l'enceinte et de même hauteur qu'elle. Le tout renforcé de blockhaus.

Le maréchal des logis me raconte comment les Viets ont failli écraser Nghia Ba Ta, toute sa puissance géométrique et militaire :

— Le soir du 12 novembre, la garnison s'était endormie sans rien remarquer d'anormal. A une heure et demie du matin, on aurait cru à un tremblement de terre. D'énormes projectiles tombaient. Les ténèbres étaient noires comme de la poix, on ne voyait rien. On a su ensuite qu'un bataillon vietminh entier s'était installé au crépuscule juste au pied de

nos murs. Les soldats avaient creusé leurs trous
individuels et les emplacements des armes automatiques — ils avaient travaillé dans un tel silence
qu'aucune de nos sentinelles n'avait vu ni entendu
quoi que ce soit. Le tir a été d'une précision stupé-
fiante — un obus est tombé sur la soute à munitions,
d'autres sur les blockhaus et sur la tour, qui ont été
criblés comme une passoire. En quelques minutes, le
superbe poste était une chose éventrée de partout.
Les Viets étaient parfaitement renseignés, ils avaient
mijoté leur affaire, ils cognaient à bout portant et à
coup sûr. On a couru aux positions de combat, mais
ce n'étaient plus que des ruines où on n'a même
pas pu se placer. Sous le choc des charges creuses,
tout s'effondrait, s'écroulait sous nous. Nous étions
tous plus ou moins blessés, moins par les projectiles
que par les pierres et les moellons. La tour n'était
plus tenable, et il a fallu l'abandonner. On s'est
réfugiés dans le dortoir, on a ajusté nos mitrailleuses
et nos fusils-mitrailleurs aux meurtrières. Et on
tirait, et on tirait.

« Les Viets, qui avaient escaladé la tour, se jetaient
du haut de ses débris dans la cour — on les abattait
au fur et à mesure de nos rafales. Dans un blockhaus
qui tenait toujours, les servants de la mitrailleuse
faisaient aussi un carnage des Viets en train de
s'élancer dans la cour : ils ont usé trente caisses de
munitions. Ce n'est que lorsque le tas de cadavres
a atteint un mètre que les Viets ont renoncé à sauter
en bas. Mais ils restaient dans la tour, ils y avaient
hissé des S.K.Z. avec lesquels, pendant quatre heures,
ils ont foudroyé le dortoir. Tout était défoncé
autour de nous, mais nous résistions. C'est alors

que le gros du bataillon ennemi, qui attendait en dehors de l'enceinte, s'est lancé à l'assaut par les brèches : mais il a été broyé, haché sur place par le barrage de l'artillerie. Cela nous a sauvés.

« En effet, les canons du poste voisin de Kanh-Hoach avaient enserré Nghia Ba Ta dans un extraordinaire tir d'encadrement — les obus explosaient tout autour, à deux ou trois mètres. Aussi, bien peu des Viets qui chargeaient sont arrivés jusqu'aux murs. Ceux qui les atteignaient y jetaient des échelles. Quelques-uns ont réussi à y grimper, mais mes partisans et moi-même, on les bousillait tout de suite. Toutefois, le grand massacre, c'était là où on ne voyait rien, de l'autre côté du mur, là où les vagues viets se succédaient pour franchir le barrage des obus. On aurait quand même pu faire mieux, si on avait pu guider l'artillerie de Kahn-Hoach, mais, dès le début, les antennes de notre radio avaient été détruites.

« L'attaque ne cessait pas, pourtant. On savait qu'aucune colonne ne viendrait à notre secours pendant la nuit — les Viets avaient certainement mis des bouchons sur toutes les voies d'accès. Il était sûr que les Français n'essaieraient même pas d'approcher. On ne pouvait donc compter que sur nous-mêmes et sur l'encagement des obus, ce mur d'acier qui suppléait à nos murs de briques. Il fallait tenir dans ces conditions jusqu'aux premières lueurs du jour. La moindre défaillance de notre part ou de l'artillerie, et c'était fini. La lenteur des heures était incroyable. On se disait : " Que va-t-il se passer la minute prochaine ? " Il ne s'est rien passé. Juste avant l'aube, les Viets sont partis en emmenant leurs

cadavres — ils avaient des coolies spéciaux pour cette
tâche. Mais ils n'ont pas pu ramasser tous les débris
humains, les cervelles, les jambes, les crânes qui
gisaient sur terre tout autour du poste, là où l'artillerie de Kanh-Hoach avait frappé toute la nuit,
là où les réguliers de Giap avaient essayé de passer
quand même. »

Et je m'aperçois que l'on ne répare pas seulement
le poste, on procède à sa toilette : les nha-qués du
maréchal des logis ramassent pêle-mêle dans des
boîtes tout ce qu'ils trouvent, des fragments de
métal et des fragments d'hommes — de petites choses
dures et luisantes et de grandes choses molles et
saignantes.

Puis, sur une diguette, j'aperçois une ligne d'hommes
en noir en train de marcher — des Viets, me dis-je.
Mais il y a au milieu, en noir aussi, un colosse, un
homme anormalement grand pour un Jaune. Le
maréchal des logis me dit :

— C'est Vandenberghe et son commando. Ils
vont s'enfoncer dans le massif de Chiné, aux renseignements, pour savoir ce qu'est devenu le bataillon
qui a attaqué Nghia Ba Ta. Lui seul peut oser faire
ce « boulot ».

Vandenberghe : le dieu même de la guerre. C'est
un rustre, un enfant de l'Assistance, un berger, un
illettré, ce qui vient du plus bas dans la société.
Il est fait d'une pâte lourde, d'où tout ce qui vit —
la parole et la pensée — est exclu. Et pourtant, à le
regarder, enfermé dans ses membres, son corps, sa
force, presque toujours timide, on le trouve beau,
un Apollon rustique où des yeux plus pâles percent
une peau brune et de grands traits réguliers. Cette

brute — car c'en est une — a, dans ses tréfonds primitifs, dans l'abîme de sa nature, tout ce qu'il faut
pour faire un saint ou un assassin — c'est un assassin, un tueur-né, implacable, le chef, avec cependant le romantisme des noirs mélos, des complaintes
populaires. Son « Boulevard du Crime », c'est le paysage merveilleux où la tortueuse rivière du Day
enlace les rocs déchiquetés du massif de Chiné, au
bout de la monotonie des rizières. Comme c'est la
guerre, il est un héros.

Que ne raconte-t-on pas de lui, de sa cruauté et
de ses ruses, de son inexorable audace? A-t-il de
l'imagination ou tout est-il chez lui spontané, naturel, venu d'ancêtres de tous les bagnes, de tous les
bordels, de tous les supplices, on ne sait. En tout
cas, tueur dans la tradition d'Eugène Sue, il a rassemblé autour de lui plusieurs centaines de tueurs asiatiques, des cérébraux du sang, froidement calcula-
teurs et dissimulés — il les commande comme en se
jouant, avec une aisance, une facilité stupéfiantes.
Il a comme bourreau un ancien bonze, extraordinairement subtil pour découper et désosser. Mais lui-
même est un bon boucher. C'est le condottiere — dans
sa bande on est heureux : elle est organisée comme
une fraternité dans la jouissance, l'exploit et la
mort; et elle a toutes sortes de complicités, de
connaissances, comme cela se fait dans les bas-
fonds. Avec Vandenberghe, ce sont les dessous
crapuleux et merveilleux de la guerre. Et lui, le
Blanc, s'impose aux Jaunes par des trouvailles
inouïes — comme de se présenter à un camp d'instruction des Viets, en pleine jungle, en disant : « Je suis
un déserteur, le chef d'un chidoi. Prenez mes recrues

et formez-les. Je viendrai les rechercher dans un
mois » — et il revint.

Vandenberghe, qui s'en va maintenant à la poursuite des Viets, a « dégagé » à l'aurore Nghia Ba Ta.
Le poste est sauvé, mais pour combien de temps?
La nuit précédente, les Viets auraient dû s'en emparer. Toutes les conditions avaient été réunies — le
plan était sans faille, minutieux, précis, et tout
avait commencé à leur plus grand avantage. Mais
quand ils n'eurent plus qu'à conclure, ils n'avaient
su que faire. C'est comme si, au fur et à mesure de
l'action, ils s'étaient mis à « flotter », parce que certains faits n'avaient pas été prévus et qu'ils étaient
incapables de réaction spontanée.

Le maréchal des logis me dit :

— Les Viets manquent de « finish », de cet élément inexprimable qui décide.

Comme tout se répète en Indochine! C'est l'éternel et sinistre recommencement. Car, la même
phrase, je l'avais entendue jadis sur la R.C. 4. Là
aussi, pendant des mois, des années, les Français
se sont tirés de situations désespérées, à cause du
manque de cet ultime « coup de pouce ». Et on sait
quelle fut la fin, comment même cette dernière
« touche » qui mène à la victoire, les Viets l'ont peu
à peu acquise à force de travail et de discipline :
alors la catastrophe tant de fois évitée ne le fut plus.
Et ce qu'ils ont appris sur la frontière, les Viets vont
le réapprendre pour le delta : ce jour-là n'importe
quel Nghia Ba Ta tombera.

Car, pendant que les Viets s'améliorent — lentement mais sûrement —, la situation des Français
se détériore. Carpentier, le commandant en chef,

s'en rend compte. Il en est réduit à écrire des cir-
culaires pour expliquer « comment augmenter le
pouvoir défensif des postes ». Il recommande de les
couvrir de terre, de les « enterrer » pour les protéger
contre les bazookas. Il recommande d'installer très
à l'extérieur, bien en avant des ouvrages, un grillage
dont le contact fera exploser prématurément les
charges creuses. Il recommande de mettre moins de
chaux dans le ciment. Mais ce ne sont que de mauvais palliatifs. Il faudrait surtout penser à de nouveaux moyens de « tenir » le delta, de façon que les
postes ne soient plus des pièges pour les hommes
qui les défendent. Il faudrait trouver de nouveaux
procédés pour résister au choc des divisions qui vont
déferler, qui ont déjà la certitude de la victoire. Il
faudrait guérir le Corps Expéditionnaire malade.
C'est surtout une question de volonté et de foi. Mais
alors, qui en a?

LES JOURS LES PLUS TERNES

A un certain degré, l'horreur devient cette chose
terne où il ne se passe plus rien, où il n'y a plus
d'espérance. Tout novembre, durant des semaines
interminables et vides, c'est l'enlisement des âmes,
l'acceptation d'un destin imminent et sinistre.
L'attente du grand choc, de l'assaut massif des
divisions de Giap, devient de jour en jour plus aiguë,
plus exaspérante : qui ne sait que la longue mise en
place des armées viets s'achève juste au nord
d'Hanoï? Désormais, on est même sûr que c'est fin
décembre ou début janvier que les réguliers, par

dizaines de milliers, s'élanceront pour le coup de
grâce, — car alors le crachin étendra un suaire
grisâtre sur le delta; alors les avions ne pourront
presque plus voler, alors les chars et les canons
s'enfonceront dans la boue des routes, alors le matériel des Français aura perdu la moitié de son efficacité.

Du côté des Français, plus que jamais, c'est le
néant. Il n'y a même plus d'apparence de commandement. Le général Carpentier, à la longue, a eu la
peau d'Alessandri au début de novembre. Tristes
intrigues! Le petit Corse est démissionnaire ou
démissionné. Il va partir pour la France. Pourquoi
cette disgrâce juste à ce moment-là, on ne sait pas.
Il aurait été logique de le relever après les malheurs
de la R.C. 4 — un bouc émissaire, ça peut être utile,
ça peut faire du bien au moral. Mais on a attendu.
Il existe bien une explication, celle que l'on donne
dans les popotes : elle est sordide.

Ce que l'on dit, c'est que Carpentier, ayant compris
les dangers d'opérer lui-même, de se faire stratège,
a eu l'intelligence de s'abstenir pour Laokay et les
évacuations nouvelles. Et, dans son machiavélisme
à la petite semaine, il a vu l'avantage de laisser faire
Alessandri : si celui-ci réussit, il est trop déconsidéré
pour que cela ait de l'importance; et s'il échoue,
quoi de plus simple que de faire observer : « Vous
voyez bien qu'il est incapable, que c'est le vrai
responsable de la catastrophe de la R.C. 4. » Et alors
le général en chef sera innocenté de la défaite par
de nouvelles défaites.

Mais tout s'est bien passé à Laokay. Du coup, le
petit Corse est inutile — il est en trop. La haine des
deux généraux est toujours aussi totale, aussi inex-

piable, même si, après leurs malheurs communs, ils
font semblant d'être polis entre eux, même s'ils
jouent à cache-cache l'un avec l'autre au lieu de se
dénoncer, de s'accuser, de s'engueuler. Mais chacun
est renseigné sur l'autre. Carpentier sait que la soumission d'Alessandri est fausse. Alessandri souffre
et il a cette caractéristique, quand il est malheureux,
de penser encore plus, encore plus secrètement.
Même dans ces extrémités, il ne cesse de cogiter,
le visage plus petit, plus fermé, plus dur que jamais,
ne rêvant qu'à sa revanche, qu'à toutes ses revanches
contre le monde entier — surtout contre Carpentier
et Giap qui se sont alliés pour « casser » son grand
dessein. Pauvre Alessandri! Après quelques journées
de défaillance, après quelques semaines d'humble
hypocrisie et d'indignation prudente, il ne s'avoue
plus vaincu — il veut ressaisir la queue de la poêle,
il redevient l'illuminé, il recommence à dire : « Laissons passer la tempête et reprenons l'offensive. »
Pour cela, mystérieusement, il se livre à toutes sortes
de calculs compliqués sur le papier — c'est à nouveau
le vieux micmac, la jonglerie avec les bataillons. Il
déclare officiellement : « Il m'en faut davantage pour
défendre le delta. » En réalité, son but, c'est de se
constituer la force qu'il lui faut pour être le sauveur,
pour aller écraser Giap dans sa jungle.

Alessandri est en pleine chimère. Dans son aveugle-
ment, dans son idée fixe, il ne se rend compte de
rien — ni du dégoût du Corps Expéditionnaire, ni
de son écroulement moral, ni de son infériorité
numérique face aux divisions de Giap. Dans son
hallucination, il ne prend même pas les mesures les
plus sommaires pour parer à la menace contre Hanoï

— il ne fait rien, il songe. Tout ce qu'il sait, c'est qu'il ne faut pas que Carpentier le devine, sous peine d'un nouveau fiasco, d'une nouvelle faillite, d'un nouveau sabotage. Évidemment, Carpentier n'a aucun mal à le « deviner » — et il dit à Paris : « Cet homme est fou. Il va nous attirer une catastrophe bien plus épouvantable que celle de la frontière. » Paris, effrayé, donne satisfaction au général en chef — sans l'avertir qu'on cherche, pour lui-même, un remplaçant moins défaitiste.

Et c'est ainsi qu'Alessandri s'en va. Il part foudroyé, ulcéré, car il ne s'attendait pas à cela. Pour le reste de sa vie, il va être l'image même de l'homme accablé par l'injustice, mais toujours acharné à se débattre, obsédé par sa justification, multipliant pointilleusement, farouchement, inlassablement les papiers, accumulant les démarches, raisonnant à perte de vue pour dire : « Ce n'est pas moi, ce n'est pas ma faute. » Là encore quelle obstination, quelle vaine obstination! A force de s'agiter, il reviendra un peu, vaguement, presque par pitié, comme conseiller privé de Bao-Daï — le bon Bao-Daï qui aime bien les coloniaux. Puis il disparaîtra définitivement, petit général retraité, inconnu, plein de tics, plein de démonstrations à placer, dans un appartement de la Côte d'Azur — fruit de ses économies. Jamais il ne comprendra qu'il aura été victime à la fois de ses illusions et d'un monde trop compliqué. Il restera malheureux, affreusement malheureux. Rien ne lui sera épargné. Car il lui faudra encore une fois subir une commission d'enquête qui blanchira Carpentier, qui blanchira presque le colonel Constans, mais qui l'accablera, lui, certainement le moins coupable en ce qui concerne la R.C. 4 et ses désastres. Mais cela a toujours été sa destinée : de monter, de vouloir grimper toujours plus haut, de se croire sincèrement le génie pour ensuite s'effondrer plus bas, encore plus bas.

Ainsi exit Alessandri. Sauf quelques fidèles, cela émeut peu le Corps Expéditionnaire : responsable ou pas, il est trop usé, trop marqué par le désastre, l'exemple même de l'homme fini, qui a mal fini. Le seul commentaire, c'est : « Mais pourquoi Carpentier ne s'en va-t-il pas aussi? »

Car Carpentier est là, toujours là. Et il ne sait même pas par qui remplacer Alessandri : à sa place, tout d'abord, il n'y a pratiquement personne. Un certain général Garbey, qui a été tâté — un homme fort, paraît-il — se défile après être venu voir sur place.

Face aux Viets, à leur terrible préparation, c'est le vide à Hanoï — rien que des semblants. Personne ne commande — on laisse la machinerie de l'Armée livrée à elle-même. Rien n'est alors plus étrange que la citadelle, là où se tient l'état-major du Tonkin. C'est tout au bout de la ville, à l'endroit même où s'élevait l'antique forteresse annamite conquise par les Français il y a un siècle — de ce temps-là, il reste un bout de muraille en pierres énormes et rugueuses, avec même le trou d'un boulet tiré par nos marsouins d'autrefois. Maintenant, cela se présente comme un immense quartier bureaucratique, sale, négligé, qui suinte la routine. Les innombrables services et bureaux de la guerre se sont casés dans les pavillons de l'ancienne région militaire, construits au fur et à mesure des besoins d'un protectorat ensommeillé. Ce sont des édicules en briques d'un 1900 parcimonieux, agrémentés d'orientalisme : dragons en plâtre, toits vernissés, rocailles et surtout escaliers façon Angkor. Les hostilités n'ont rien changé au local — elles l'ont simplement rempli de monde. C'est garni d'officiers extérieurement aussi économiques que l'endroit lui-même, à l'aspect déplorablement petit-bourgeois : tous sont incrustés dans les étroitesses de leurs services. C'est le laisser-aller au sein de l'application stricte des règlements. Tout est borné. Un journaliste qui m'accompagne là un jour me dit : « Tous ces gens-là ont des têtes à perdre la guerre. »

Pourtant, en ces jours de drame, ce sont ces médiocres, ces individus presque anonymes en dépit de leurs galons, qui commandent au Tonkin. En l'absence de toute autre personnalité, les responsabilités pèsent sur le colonel Gambiez, qui fait fonction de chef d'état-major : c'est le petit homme râblé qui a pris et évacué Thai-Nguyen. Son physique est toujours aussi déplorable pour un soldat. Plus que jamais, il a l'aspect d'un moine d'une illustration de Rabelais : un corps en baril sur des jambes minuscules, et là-dessus une grosse tête spongieuse, rougeâtre, avec un nez truculent et un filet de voix. Et, au bureau comme auparavant au combat, il commande avec autant de politesse, de délicatesse, de manières provinciales. Et, autant que c'est possible, il inspire confiance — on sait aussi que c'est un « dur », qu'il aime les braves tueurs, qu'il est enragé de patriotisme, qu'il est l'incarnation de l'honnêteté intégrale et de tous les bons sentiments extrêmes. Dans cet état-major, il fait désespérément ce qu'il peut —

mais il ne fait pas le poids. Il n'est que colonel; et puis il a une certaine ingénuité que d'aucuns prennent pour de l'habileté ou même pour une forme supérieure d'hypocrisie : car il a le don, on ne sait comment, de s'en tirer toujours, malgré ses : « naïvetés ». Finalement, il ne sert pas à grand-chose.

Certes, tout ce vide effroyable n'empêche pas le Commandement, chaque jour davantage, de fleurir en théories nouvelles : j'ai toujours été étonné par les facultés intellectuelles qu'ont les états-majors pour inventer des argumentations brillantes, justifico-explicatrices. C'est alors que se répand la conception selon laquelle la Pacification est dépassée : il faut changer, se « reconvertir » pour la guerre. L'idée de base, c'est de former un vrai corps de bataille, avec des groupes mobiles, des masses d'artillerie, une aviation de choc, tout ce qui constitue la puissance de feu. Il y aussi quelques idées complémentaires. Celle de la systématisation des commandos, des comités d'assassinats français pour porter la surprise et le terrorisme chez les Viets. Celle de la zone blanche — faire autour du delta une ceinture de terre brûlée qui empêcherait toutes les infiltrations et tous les ravitaillements de l'ennemi.

Mais ce programme en reste à la cogitation — il ne s'agit que d'idées en l'air, sans commencement d'application. D'ailleurs partout, de Hanoï au dernier des secteurs, se livre une bataille d'écoles. Tout le monde est en désaccord. Tout le monde reconnaît qu'il faut faire la guerre, qu'il faut avoir des groupes mobiles. Mais dès qu'on demande une unité ou même un homme, pour les constituer, à un commandant de territoire, celui-ci lève les bras au ciel et s'écrie : « Je ne peux pas. Car si je dégarnis ma zone, que va devenir ma pacification? » Les obstacles sont partout. Cela fait aussi physiquement mal aux gens des bureaux de modifier quoi que ce soit. Alors, on s'y prend avec circonspection, on ne fait rien comme si l'on avait tout le temps, comme si l'échéance de la vie et de la mort n'était pas à quelques semaines. On sait — et on subit le fatalisme de l'événement.

Cette passivité est d'autant plus effrayante qu'il n'y a pas que les Viets — ceux qui s'amassent contre Hanoï, ceux qui pourrissent le delta. Soudain, en novembre, c'est le danger formidable, mille fois plus formidable encore. La grande peur des Viets est supplantée par la grande peur des Chinois. C'est qu'à des milliers de kilomètres, près du Yalou, les armées de Mao — des centaines de milliers, des millions peut-être d'hommes-insectes — se sont soudain jetées sur les belles troupes de MacArthur, le *nec plus ultra* de l'occidentalisme militaire. Et le pullulement des petits Jaunes, leur masse indifférenciée, fanatisée, a submergé les soldats américains tellement plus grands, tellement mieux nourris, tellement mieux armés. Là-bas, c'est la catastrophe yankee. Et partout à Hanoï on se demande si la tempête qui ravage la Corée ne va pas s'étendre sur tout le pourtour de la Chine, et d'abord au Tonkin.

L'effet du désastre américain en Corée est immense. Chacun se dit : « C'est la lutte finale des Jaunes contre les Blancs; c'est la fin des Blancs en Asie. » La Chine est désormais un chaudron de 600 millions d'habitants au comble de la passion. A l'intérieur, ce sont les grandes « purges », toutes les campagnes

des « anti » où des millions d'hommes et de femmes
sont livrés aux tribunaux populaires et mis à mort,
avec une extraordinaire technique de la haine. A
l'extérieur, ce sont ces masses d'hommes en uniformes verdâtres qui pénètrent dans l'enfer du feu
américain, contre toute la puissance américaine,
tombant par dizaines de milliers, mais qui avancent,
qu'on ne peut arrêter, emportant tout. Ainsi, après
des siècles de sommeil le dragon céleste s'est réveillé
— et malheur à qui est à sa portée!

A Hanoï, c'est la pensée lancinante : « Est-ce que
les armées rouges ne vont pas intervenir au Tonkin
comme au pays du matin calme? » Alors dans ce
delta du bout du monde, où l'on ne fait rien, le Corps
Expéditionnaire s'enlise dans une sorte de masochisme de la fatalité. D'ailleurs, à quoi bon essayer
quelque chose, tenter n'importe quoi? Si, de cette
Chine furieuse, déferle la marée des hommes, le
Tonkin sans espoir, si loin de tout, sera, pour les
unités françaises acculées, la souricière mortelle, le
piège de l'anéantissement total et complet.

Si l'on n'était vaincu que par les Viets seuls, on
arriverait sans doute à évacuer, par Haiphong, le
gros des hommes. Mais, que jamais les soldats de
Mao se joignent à ceux de Giap, qu'ils se ruent à
travers la frontière, alors ce serait le désastre sans
fond, celui dont personne — pas une unité, pas un
combattant — ne reviendrait.

A chaque heure, cela peut être le cataclysme. Et
rien ne l'annoncerait. Des centaines de milliers
d'hommes peuvent cheminer inaperçus dans le
secret de la jungle, pour déboucher soudain sur
Hanoï, pour couper la route de Hanoï à Haiphong.

Tout serait consommé en trois ou quatre jours. Il n'y aurait pas de résistance possible — rien que la mort, le massacre et la captivité. Il n'y aurait même pas de retraite possible.

Le Tonkin, c'est vraiment le traquenard. Il est enfoncé dans la terre chinoise, comme naturellement encerclé par elle. De plus, il est pratiquement coupé du reste de l'Indochine, isolé par plus de mille kilomètres, relié au monde seulement par avions et par bateaux. Alors, en cas d'avalanche chinoise, il n'y aurait même pas, pour le Corps Expéditionnaire, le moyen de s'enfuir. Où aller? Combien peu d'hommes arriveraient jusqu'à Haiphong, la seule porte de sortie, pour un Dunkerque d'Asie. Et ceux-là, sans doute, seraient liquidés sur les quais du port, sans avoir pu embarquer.

Car, pour un Dunkerque d'Extrême-Orient, il aurait fallu prévoir, il aurait fallu un plan, il aurait fallu rassembler des flottes de cargos, une armada de porte-avions. Et même si tous ces moyens étaient rassemblés, ce serait une opération terrible, à cause de l'île chinoise d'Hainan qui commande ces eaux, le golfe du Tonkin.

Ainsi, s'ils le veulent, les Chinois de Mao Tsétoung peuvent remporter en Indochine la victoire totale, et bien plus aisément qu'en Corée. De fait, le Corps Expéditionnaire est à leur merci.

En attendant il ne se passe toujours rien. Les jours s'écoulent, encore plus mornes — alors que les imaginations sont remplies d'hypothèses de plus en plus effrayantes. Après tant d'assurances de paix, ce que l'on a à côté, ce n'est plus une Chine de la Douceur mais de la Colère. Les paroles et les faits

sont aussi menaçants. C'est Chou En-lai qui déclare
à sa radio : « L'Indochine n'est plus qu'une plate-
forme d'agression américaine. Nous ne pourrons
pas supporter plus longtemps cette situation. »
À Canton, sur tous les murs de la cité de la Rivière
des Perles, est barbouillé ce slogan : « Nous allons
couper les pattes sanglantes de l'impérialisme
français. » Chaque jour le danger se précise : en plus
des Viets, les Chinois eux-mêmes font d'immenses
préparatifs militaires. Ils achèvent de mettre sur
pied de guerre les provinces méridionales, surtout
le Kouan-Toung, le Kouang-Si et le Yunnan limi-
trophes de l'Indochine. Ils procèdent à de grands
mouvements de troupes : la IIe armée chinoise se
masse au Yunnan, la IIIe au Kouan-Si, en somme
sur les deux axes d'invasion, par Laokay d'une part,
par Caobang-Langson de l'autre. Ils mettent en
place un énorme état-major à Nanning, à deux cents
kilomètres de la frontière : ce serait celui du célèbre
général Tcheng-Keng, qui commanderait toute
l'offensive.

On connaît des détails qui font croire à l'imminence
de l'agression. En Chine du Sud, les convois
deviennent de plus en plus considérables — ils sont
bien plus importants qu'il ne serait nécessaire, pour
soutenir seulement les Viets. Et, sans doute par peur
de l'aviation américaine, les villes célestes les plus
proches sont plongées dans la psychose de guerre.
On y multiplie les précautions. Les commissaires
politiques organisent des meetings monstres pour
« avertir » les populations. On creuse des tranchées,
on démonte les usines, on enlève les archives, on
évacue les familles des fonctionnaires importants —

tout ce qui est précieux, gens et choses, est transporté
vers l'intérieur. A Canton, de la D.C.A. est installée
sur les toits. Tout paraît imminent.

En réalité, les services de renseignements savent
que les Chinois n'attaqueront pas l'Indochine pour
elle-même, pour ce qu'elle vaut. Mais ils peuvent la
frapper pour riposter à ce qui se passe ailleurs. Une
« moustache » m'a dit :

— Les Chinois ne sont pas pressés pour l'Indochine même : ils croient qu'elle leur tombera un jour
dans les mains, par l'entremise des Viets, en leur
donnant la puissance voulue au moment voulu.
C'est là le plan ordinaire. Mais il y a un plan extraordinaire. Et pour passer de l'un à l'autre — pour
l'agression par la Chine au lieu du démantèlement
par les Viets sous la coupe de la Chine — il faut si
peu de chose, et qui dépend si peu de nous! Si jamais
les Américains portent la guerre en Chine par des
bombardements aériens ou par la bombe atomique,
les Chinois sont résolus aux représailles. Et c'est ici
qu'ils les feront d'abord, parce que c'est le plus
facile. Notre sort se joue à des milliers de kilomètres,
il dépend du quadrille mondial entre MacArthur
à Tokyo, Truman à Washington, Mao Tsé-toung
à Pékin et Staline à Moscou. Mais si jamais les
Chinois se décident à l'action contre le Tonkin, ce
sera leur victoire-éclair : ils ont tout préparé pour
cela. Connaissant exactement nos effectifs et nos
moyens, ils n'ont eu qu'à calculer ce qu'il leur
fallait pour nous écraser. Et maintenant tout est en
place.

Ainsi l'Indochine assoupie de cette fin d'année 1950
est en plein drame asiatique — l'offensive vietminh

est sûre, l'offensive sino-vietminh est très possible.
Et, face à l'immobilisme superbe des hautes sphères,
les gens qui comprennent vraiment sont les officiers
de troupes : l'enjeu, c'est leur peau. Mais ils ne veulent
pas mourir comme cela, par la faute des autres, à
cause de la bêtise. Un colonel de choc — un héros —
s'est écrié devant moi :

— Au Tonkin, le Corps Expéditionnaire sait qu'il
est sacrifié par avance — et pour rien. Certes, la
mort est notre métier, mais pas celle qu'on nous
prépare. Si le moral est tellement bas, c'est qu'il n'y a
pas un officier, pas un soldat, qui ne se pose cette
question : « Mais qui trompe-t-on? » On accepterait
que l'on nous dise : « Vous êtes dans une situation
désespérée, nous ne pouvons rien pour vous, faites
de votre mieux. » Mais notre Commandement affirme
qu'on a reçu du matériel, des renforts, que tout est
fin prêt — et c'est complètement faux. Il n'y a pas
un homme de plus au Tonkin depuis le désastre de la
frontière, pas un canon, pas un avion de plus. Et
même s'il y en avait — s'il y avait ce qui est prévu,
promis — en quoi cela changerait-il le cours des
événements? Il paraît qu'en janvier les bataillons
détruits à Dong-Khé seront remplacés, avec même
deux en supplément — mais qu'est-ce que cela
quand les Viets en fabriquent six par mois dans les
camps chinois? Les bombardiers légers B 26 que les
Américains auraient dû nous donner depuis des
semaines ne sont pas arrivés — ils n'ont même pas
quitté les États-Unis. De toute façon, cette aviation
« puissante » se bornerait à dix-huit de ces appareils,
alors qu'avec mille deux cents MacArthur n'arrive
pas à arrêter les vagues chinoises! Pour l'instant,

on en est toujours réduit aux antiques « Kingcobras »;
et même les pilotes se plaignent que, généralement,
ils n'ont pas d'obus pour leurs canons, et que, quand
ils tirent avec leurs mitrailleuses, les balles sortent en
spirale parce que les tubes sont changés après vingt
mille coups, au lieu des cinq mille réglementaires.
Savez-vous que, pour l'Armée de terre aussi, les
dépôts sont vides de munitions, qu'il y en a à peine
assez pour soutenir une seule grande bataille!

« Alors nous sommes furieux. Nous nous sentons
conduits à une boucherie nouvelle par ce qu'il
existe de plus haïssable au monde, le mélange du
mensonge et de l'incompréhension. Qui n'est décou-
ragé par ces discours et ces ordres qui n'ont pas de
sens? Quoi de plus démoralisant que de se sentir à la
merci de consignes absurdes? Un jeune camarade
est venu me dire ce matin : " Je suis dans un poste
pratiquement sacrifié avec une poignée de légionnaires. Je veux bien être sacrifié, mais je voudrais
savoir pourquoi — personne n'a pu me le dire. "
On sent si douloureusement que la France ne sait
rien, ne veut pas savoir, ne s'intéresse à rien.

« Je serais le général Carpentier, je hurlerais la
vérité, j'alerterais le monde, j'exigerais — mais sans
doute se borne-t-il à faire des rapports qui plaisent
au Gouvernement. Dans les semaines passées, il
aurait fallu prendre la grande décision, faire le grand
choix entre le principe du renoncement et celui de la
continuation. Car on pourrait très bien dire que
l'aventure d'Indochine est trop lourde, et qu'on
devrait abandonner d'abord complètement le Tonkin,
en partir à temps. On pourrait aussi dire que cette
guerre sert l'intérêt de la France — mais on devrait

ne le faire qu'en pleine conscience, en sachant à quoi cela engage, en acceptant ces engagements. Mais rien de pareil : la France est muette et le Commandement se laisse acculer à la bataille tout en souhaitant la retraite. En somme, il n'a osé préparer ni la bataille ni la retraite. Alors on va livrer bataille dans les pires conditions, on perdra — et ensuite la retraite sera une fuite honteuse, un sauve-qui-peut. Ce sera une chance merveilleuse si cette fuite nous amène jusqu'à Haiphong et sur un bateau. »

Toute la philosophie du général Carpentier est contenue dans quelques phrases familières au colonel Gambiez, le petit bonhomme mi-papelard mi-truculent qui est le chef d'état-major à Hanoï et qui sert d'ersatz de chef : « J'ai eu un gros emmerdement. Je n'en veux pas d'autres. Débrouillez-vous. » Et c'est évidemment la meilleure façon d'arriver à de plus grands emmerdements.

LE FAUX SAUVEUR

C'est alors qu'apparaît le sauveur — mais pas vraiment un vrai, plutôt un faux. Alors qu'il aurait fallu en cet homme flamme et pureté avant tout, il est essentiellement l'ambiguïté.

Il n'en a pas l'air. Car c'est le général Boyer de La Tour, cette « culotte de peau » desséchée et tannée au Sahara. Fin novembre, il arrive avec deux seigneurs du Maghreb, les principaux, des figures, les purs disciples de Lyautey — le colonel Edon, le geste rond et qui a toujours l'air d'un propriétaire terrien faisant visiter ses domaines, et le colonel

Meric, beau, presque ascétique, maigre, sans cesse
tourmenté par sa « conscience » et se demandant
toujours s'il sert la vérité.

De La Tour, on le connaît en Asie. C'est lui qui,
un ou deux ans auparavant, en Cochinchine, a rallié
les sectes, a inventé la Pacification. Il a donc une
réputation de coriace bon sens. A Paris, le Gouvernement l'a pris au débotté, l'a mis dans un avion en
lui disant d'aller sauver l'Indochine, mais presque
sans instructions, sans lui dire comment, sans rien.

Il « se pointe » donc au Tonkin, avec son petit
entourage. Comme toujours ce gentilhomme sorti
du rang a de l'allure. Il exagère même son genre, il
le soigne, prenant volontiers la carapace du vieux
gâteux bougon, paysan — mais il est madré, terriblement « ficelle », et il se demande ce qu'il vient
faire dans cette galère.

Les militaires à l'aspect le plus simple, le plus
jovialement rugueux, cachent souvent d'extraordinaires complexités : c'est justement le cas de de
La Tour. Tout d'abord, son ambition est illimitée.
Il est parti jadis de rien. Il veut tout. Juin lui aurait
dit à Paris : « Débrouillez-vous là-bas. Dans quelques
semaines vous remplacerez Carpentier. » Ainsi
Juin se met à lâcher son féal Carpentier qui ne s'en
doute pas.

Mais surtout ce de La Tour sans instruction, sans
véritables connaissances, a une certaine forme
d'intelligence — la belle intelligence brute, à l'état
nature, faite de ruse sous l'apparence de la brutalité.
Avant tout, ce qu'il aime être, c'est le général « heureux », baratineur à sa façon, en grommelant, et
qui distribue des « bananes » à ses séides, à ses proté-

gés, sur le front des troupes, après des « victoires ».

Le Tonkin est pour lui une occasion — à condition d'être habile. Car ce peut être un gouffre, et avant tout il ne veut pas y tomber. Dès qu'il est là, il éructe à ses intimes : « Je ne veux pas me laisser enfermer dans ce guêpier. Moi, vous savez, je n'aime pas jouer au poker avec une paire de neuf contre quelqu'un qui a une paire d'as. Et ici, c'est Giap qui a les bonnes cartes. »

Au fond, il a son idée : il la confie sur le papier dans un rapport en date du 16 décembre. C'est de se tirer du Tonkin sur la pointe des pieds et de faire la « grande guerre » pour la Cochinchine bien plus défendable, là où il y a du riz, des richesses, des intérêts économiques et financiers. Il veut être le proconsul de Saigon, de la piastre et de l'hévéa.

Naturellement, de La Tour ne se découvre pas complètement. Il suggère simplement, dans ses écrits à M. Letourneau et autres personnages, qu'on pourrait fabriquer une centaine de bataillons vietnamiens qu'on laisserait guerroyer dans le Nord, tandis que le beau Corps Expéditionnaire français serait retranché bien loin de là, dans le Sud exotique. Mais c'est quand même une façon d'abandonner tout le Tonkin, sans le dire.

Dès le début, le « bonhomme » de La Tour — en réalité, il n'a de bonhomme que l'aspect — est en pleine contradiction, en plein machiavélisme plutôt. Il veut retirer ses billes du Tonkin tout en ayant l'air de le défendre — car c'est là en définitive la mission qu'il a reçue. Alors, apparemment, il fait ce qu'il faut, le premier de tous, pour préparer la bataille. Et comme c'est un faux bête, il prend des

mesures dures, intelligentes, qu'il impose avec une
poigne hargneuse. Lui qui en Cochinchine avait dit :
« Il me faut une tour par kilomètre », il proclame au
Tonkin : « Il me faut six groupes mobiles, pour qu'on
se batte. » Car ce delta qui va être assailli, il le trouve
sans aucune espèce de réserves : tout est dispersé
dans les postes, partout. Quelle méchanceté il lui
faut pour arracher aux colonels, aux commandants,
aux capitaines des territoires, les bataillons, les unités,
les hommes pour faire le corps de bataille. Tous
gémissent que tout va être perdu, que les Viets vont
s'infiltrer partout, mais de La Tour les fait taire
sommairement : « Je m'en f... Arrangez-vous.
Donnez-moi ce qu'il me faut. » De plus, il garnit le
front devant Hanoï, il fait préparer partout des forti-
fications légères en rase campagne, des genres de
tranchées, de boyaux, une imitation en petit de
1914-1918 — cela permettra d'appuyer les
manœuvres.

Le malheur, c'est que le moral ne revient pas au
sein du Corps Expéditionnaire, au contraire, il
descend toujours : c'est que les officiers et les soldats
sentent que de La Tour, en dépit de ce qu'il fait,
n'y croit pas — qu'il juge la partie perdue au nord,
qu'il ne pense qu'à en partir. L'essentiel, le choc
psychologique, est manqué. Assez curieusement, ce
de La Tour à bonne gueule de soudard n'a pas le
contact avec la troupe, il ne sait pas lui parler. Lui
aussi n'est vraiment à l'aise qu'avec sa camarilla,
sa clientèle — c'est le clan de l'Afrique du Nord. Les
unités qu'il va voir de préférence sont des tabors,
des goums, des tirailleurs marocains et algériens : là,
c'est son monde, là il est à l'aise. Le reste du temps,

il est précoccupé — pas seulement à cause de la situation, mais parce qu'il a la dysenterie, et qu'il s'inquiète de sa jeune femme, sa très jeune femme qu'il a dû laisser en France.

L'atonie continue. Le danger est toujours plus imminent — celui des Chinois s'estompe, celui des Viets devient oppressant. Après la longue attente, le temps est arrivé où chaque jour les divisions de Giap se font toujours plus pressantes. Déjà elles lancent une première offensive — ce n'est encore qu'une action secondaire, avec une seule division, loin, mais qui présage l'avalanche, qui montre que le mécanisme rouge de destruction a été déclenché. C'est sur la côte, à côté de la baie d'Along, vers Tien-Yen et le début de la R.C. 4 — et encore une fois il faut évacuer, replier des postes, des garnisons. Les ordres sont de battre en retraite. Binh-Lu, qui a voulu se défendre, a perdu cent cinquante hommes et a dû être abandonné quand même.

Le poids augmente, le poids écrasant, celui des Viets, celui que chacun porte en soi — la lourdeur de la résignation ou du désespoir. Le Corps Expéditionnaire se bat encore bien, malgré tout. Car, après l'accalmie, c'est le cauchemar. Les réguliers de Giap « tâtent » la ceinture des ouvrages au nord d'Hanoï. Encore une fois on voit jusqu'où le fanatisme asiatique, jusqu'où l'obéissance asiatique peut atteindre, au-delà de l'humain, de l'inhumain, dans le monde du néant, celui où l'on ne « vit » plus. Les Vietminh ont recommencé leurs assauts malgré le nombre croissant de leurs pertes, ils ont avancé contre les mitrailleuses en hommes saouls (beaucoup de survivants français ont affirmé qu'ils étaient ivres de

chum, mais on n'en a pas la preuve). Ils se sont ligotés
aux chevilles trois par trois, en sorte que les morts et
les blessés étaient eux aussi entraînés en avant par
les autres. Il y a tous ceux qui se sont fait sauter avec
leurs bengalores à poudre jaune, avec des paquets
de soufre attachés à des grenades, avec d'étranges
instruments chinois pleins de trous qui dégagent
des gaz — ils sont morts pour fracasser les postes,
les incendier, les asphyxier. En certains endroits,
tout a tellement brûlé que les cadavres ne sont plus
reconnaissables, viets et français, leur poussière,
leurs détritus du moins étant tragiquement pareils.

Contre cet asiatisme, cette indifférence à tout — à
la simple existence et au comble de l'honneur —,
les Français tiennent par le courage, en se forçant
au courage. Car, eux ne perdent pas la conscience,
ils ont toujours le sentiment et la volonté de la vie :
alors, pour être au niveau déshumanisé des Viets,
quelle force ne faut-il pas avoir en soi !

Et cependant, à quoi servent ces prouesses? On
sait que ce ne sont que des sursauts avant l'agonie.
C'est alors, en décembre, que commence la grande
peur d'Hanoï. C'est venu lentement. Tout d'abord,
la ville n'a pas cru à la menace. C'est comme une
sous-préfecture d'Asie continuant sa vie de sous-
préfecture au milieu de la plus étrange des guerres,
profitant d'elle, et cependant ne s'en apercevant
pas. Jadis, c'était la cité de l'Administration. Après
les « malheurs » de 1946, elle s'est repeuplée lentement
— mais c'est désormais la prospérité des « petites
gens », des bistrotiers, des boutiquiers, des putains,
des fonctionnaires. Tout est petit dans ce Hanoï,
si singulièrement engourdi sous son ciel bas, autour

de son lac délicieux et minuscule, avec ses maisons
qui ont des vitres — contrairement à Saigon l'exotique. Les plaisirs — tout ce qu'il faut pour les soldats — sont noyés dans la tristesse du mandarinisme
asiatique et du provincialisme français : Confucius
à Romorantin. Les avenues sont bien droites, bien
plantées d'arbres, bien larges — et presque vides.
Les maisons régulières, bien construites et laides.
Ce n'est pas le scandale vivifiant, la chaleur pourrie
de Saigon. C'est le cancan, l'opinion étroite, des
existences sans horizon — les gens ne vivent pas,
sauf ceux qui sont là pour mourir à la guerre. Les
uns travaillent dans les bureaux officiels, les autres
font du commerce avec les troufions. On ne trouve
aucune espèce d'imagination — il n'y a même pas
assez de spéculation pour en donner.

Les civils français sont des spécimens d'antan,
recuits dans leurs souvenirs, genre anciens combattants de 1914-1918 qui ont fait ensuite trente ans de
« colonie ». Ils sont tous plus ou moins nhaquisés,
mais portent aux nhacs un mépris infini, quoique
teinté de bienveillance. Rien ne peut les faire changer de nature, et ils passent leurs journées à prouver
que « les nhacs, ça ne sait pas se battre ». Et même les
Vietnamiens de la ville, malgré toute la puissance
vietminh, ne sont pas encore persuadés qu'une armée
française puisse se faire battre tout à fait par Giap
et ses soldats jaunes — ils en doutent même beaucoup. Tout Hanoï est d'abord magnifiquement
calme, par stupidité.

Et puis, peu à peu, l'inquiétude s'est infiltrée :
non par suite de la propagande vietminh. Mais c'est
la peur de l'Armée française, tous les symptômes

évidents de l'angoisse chez les militaires et les officiels, qui contaminent — et cela malgré les conformismes de l'optimisme. A la longue, Hanoï se demande si les Viets ne disent pas vrai, s'ils n'entreront pas dans la cité le 19 décembre, comme Ho Chiminh l'a annoncé. Les intersignes sont funestes. Il paraît qu'une énorme tortue, à la carapace de plus d'un mètre cinquante, a surgi quelques instants à la surface du Petit Lac, à côté du Pagodon sacré; la bête a ensuite redisparu dans la profondeur des eaux. Le soir même, toute la ville interprète cette apparition. Selon la légende, le monstre vénérable n'émerge qu'à la veille de bouleversements, quand va s'établir une situation nouvelle. Ainsi les agents vietminh, qui annoncent la capture de la ville dans quelques jours, reçoivent une confirmation du ciel.

La longue attente de l'inconnu s'amplifie chaque jour. Sous son crachin, Hanoï passe de son assoupissement normal à cet état de mort qui, en Asie, est la veillée d'armes des villes menacées. C'est le contraire de l'excitation : progressivement les choses s'arrêtent, cessent, la paralysie gagne. Pas d'attroupements dans les rues, pas de visages angoissés, pas de propos fiévreux, mais la population se rend à l'évidence.

Le mal atteint même les civils français qui, si longtemps et même jusqu'à la dernière semaine, dans un attachement primitif, instinctif à leurs choses, à leurs biens, à ce qu'était Hanoï pour eux, ont refusé de croire à la frontière ouverte, aux masses ennemies accumulées à quelques kilomètres, à Giap. Leur effondrement, on le voit dans *L'Entente* — la feuille de chou locale — où des pages entières comportent ces annonces « à vendre ». Bientôt tout est offert, tout est à l'encan. On ne voit presque plus de maison sans l'écriteau ou le panonceau : « A céder immédiatement. » Un quartier entier est devenu un « marché aux voleurs » où toute la civilisation française, tout ce qui la représente, est offert à la brocante, sans que personne n'achète. Étrange préfiguration de ce qui se passera quatre années plus tard — mais alors on saura exactement le jour et l'heure où les Viets se présenteront, car tout aura été réglé sur le papier.

Le seul optimiste, c'est le fameux M. G... — celui qui donnera après Dien Bien Phu la plantureuse fête des adieux. Pour l'heure, ce compagnon de tous les métiers, le spécialiste hippique, le roi du poker d'Hanoï est en pleine forme. C'est un homme de poil noir, à l'approche de la cinquantaine, la voix tonitruante, toujours de bonne humeur en diable, et bien rusé. Il se procure de l'argent et, avec cela, achète des dancings, des restaurants, des hôtels, de tout, « pour une bouchée de pain » explique-t-il lui-même. Les copains, ceux-là mêmes qui étaient si fanfarons quinze jours auparavant, lui disent maintenant qu'il est fou, mais G... continue imperturbablement ses acquisitions, en proclamant à haute voix :

— Je ne suis pas un imbécile. Je ne dis pas qu'un jour les Viets n'écraseront pas les Français, que ceux-ci ne renonceront pas. Mais c'est trop tôt, ce n'est pas « mûr ». Il y a encore quelques bonnes années à faire. Les Français vont enfin envoyer un grand chef, je ne sais pas qui, qui battra les Viets. Je joue là-dessus. Je peux perdre, mais je ne le crois pas.

A part M. G..., tout Hanoï est en panique. C'est l'immense déménagement des biens et des choses. Le général de La Tour, qui avait si bien réussi en Cochinchine auprès des gens de la piastre, n'est évidemment pas le grand homme attendu, ne rassure aucunement — au contraire.

Dès qu'il arrive au Tonkin, tout le monde — les civils inclus — sait ce qu'il vient faire. Certes de La Tour proclame qu'il défendra Hanoï jusqu'au bout, mais il fait évacuer, « à titre de précaution ». En d'énormes convois de camions, il envoie sur Haiphong les gens des services et le gros matériel. C'est pour « dégager » Hanoï, paraît-il, lui enlever des servitudes quand va commencer la bataille. Chacun sait qu'une évacuation, ça se continue, ça ne s'arrête pas.

D'ailleurs, l'obsession de de La Tour, c'est le pont Doumer, cette immense ferraille de deux kilomètres, qui est la seule voie d'issue, le seul moyen de traverser le Fleuve Rouge : qu'il soit coupé, et le Corps Expéditionnaire est bloqué. Tout le monde sait qu'il est mal défendu. C'est cela la hantise de de La Tour : conserver le pont intact. Il multiplie les précautions, il emploie presque l'équivalent d'une division pour le sauvegarder. Et ce qui fait mal au cœur aux gens d'Hanoï, c'est un avis du général de La Tour. Il aurait prévenu les Hanoïens de faire vite leurs affaires et de s'en aller — car si jamais l'Armée se retire pour de bon, elle ne s'occupera pas d'eux. Elle se réserverait pour elle seule, pour ses gigantesques transports, l'exclusivité du pont Doumer et de la route Hanoï-Haiphong, où aucun civil ne serait admis.

Le dernier coup porté au moral des populations est l'ordre d'évacuation des femmes et des enfants français. Pour la première fois, en Indochine, après tant d'exodes de Jaunes, je vois celui des Blancs. L'État prend à sa charge les indigents, qui sont près de quatre mille. Les gens qui partent ainsi sont d'ailleurs des Blancs tirant sur le Jaune, presque des Jaunes — les Blancs purs ont les moyens de faire leur exode eux-mêmes, sans aide. C'est pitoyable. Je vois à Haiphong un centre d'embarquement de ces « Français » — il y a des congaï chiquant le bétel, des ngo, en somme les parentés, les familles de Français qui sont eux-mêmes bien plus annamites que français. Il partent pour l'inconnu, sans le sou, ils vont échouer on ne sait où — c'est le drame du métissage. Je remarque cependant, au milieu de toutes ces dégradations, ces mixtures de Jaunes, un vieux couple complètement blanc. Il me demande avec anxiété : « Est-ce qu'en France nous n'allons pas être tués par le froid? Vous comprenez, nous ne savons plus; il y a quarante ans que nous ne sommes pas retournés là-bas. »

Le 19 décembre approche. Les Vietminh annoncent une semaine de la vengeance, en disant : « Tuez des Français pour préparer notre arrivée. » Mais il n'y a pas de meurtres dans Hanoï, rien que l'angoissante question : « Quand? Comment? » Le mystère de l'avenir est absolu. Le rythme de l'évacuation s'accélère encore : à l'aérodrome de Gialam, une chaîne d'appareils spéciaux emporte tout ce qu'il est possible tant qu'il est temps encore. Les avions bourdonnent au-dessus de la cité exsangue, qui se vide toujours. Les terrasses des cafés sont les derniers refuges de la vie — là ceux qui restent se donnent du courage. Les autorités s'engagent à défendre la cité rue par rue, maison par maison, si nécessaire. Le Deuxième Bureau dit que les divisions de Giap sont fin prêtes, que l'offensive-massue peut se déclencher d'un jour à l'autre, d'une heure à l'autre. Les troupes françaises sont en position. Mais il ne reste presque plus d'espoir.

Dans cette désespérance, Bernard de Lattre écrit à son père : « Il nous faut un chef qui commande, des équipes neuves, des pièces de rechange, ne plus « faire la guerre à la petite semaine », et avec le moral que nous gardons quand même, nous pourrons tout sauver. »

En cette extrémité, au milieu de l'humiliation, c'est l'appel désespéré au Père. Et le miracle, c'est que le Père arrive. A toute l'Indochine, la radio annonce que le général de Lattre de Tassigny a été nommé Haut-Commissaire de France et Commandant en Chef des troupes françaises en Indochine. Cette venue a une signification précise, absolue, totale auprès de tous les officiers, de tous les hommes, dans les mess, les popotes, les cantines, là où on parle; et encore plus là où on se bat, dans les postes assaillis, aux premières lignes menacées. Cela a aussi un sens très concret dans les états-majors où on s'est trompé, où on a fait tant de plans faux, mous, catastrophiques. C'est que la France — ou plutôt ses gouvernements incohérents et ignorants — a quand même refusé la défaite, a préféré la volonté de gloire à la volonté de honte.

Tout est au bord du précipice. Et les gens intelligents se demandent comment un seul homme, simplement par ce qu'il est, pourra changer le cours

inexorable de l'histoire — on verra comment il
croira y réussir, comment il se désabusera lui-même
et en mourra. Ce sera la dernière épopée romantique, la plus prodigieuse des temps modernes.

De Lattre, ce ne sera pas seulement un nom formidable, l'épopée sans pareille, le sacrifice absolu.
Il ira aussi de victoire en victoire sans remporter
la vraie, sans résoudre le fond du problème, parce
que ce ne sera plus réalisable, parce qu'il butera
contre des hypothèques trop considérables. Mais ce
qu'il aura fait en si peu de mois — et rendre à une
armée sa dignité, cela compte — il aurait fallu en
profiter immédiatement, l'exploiter pour une solution honorable. On ne le tentera même pas. De Lattre
sera mort vainement, pour que ses successeurs en
arrivent à Dien Bien Phu.

TABLE DES CARTES
ÉTABLIES PAR HENRI JACQUINET